Ullstein

D0268770

ÜBER DAS BUCH

Mit großer Gestaltungskraft und mit viel Einfühlungsvermögen erzählt Joachim Fernau die Geschichte der Griechen – von den im Dunkel liegenden Anfängen bis zum Tode Alexanders des Großen. In der ihm eigenen unnachahmlichen Art beschreibt er Menschen und Ereignisse des antiken Griechenlands und gibt mit seinen anschaulichen Schilderungen dem alten Hellas Farbe und Kontur. Eine faszinierende Reise in die Vergangenheit zu den Ursprüngen der westlichen Zivilisation.

FERNAU ÜBER FERNAU:

»Ich bin 1909 geboren, in Bromberg, falls Ihnen dieser Name noch etwas sagt. Und in Hirschberg im Riesengebirge, sofern Sie wissen, wo das liegt, habe ich das Humanistische Gymnasium absolviert. In Berlin habe ich an der Universität genascht, ohne Abschluß, und Malunterricht genommen und, noch schwankend, ob ich das Schreiben oder das Malen zu meinem Beruf machen sollte, mir als Journalist meinen Unterhalt verdient, bis der Staat mir diese Sorge abnahm und mich von 1939 bis 1945 als Soldat in ›Vollpension‹ nahm. Inzwischen habe ich eine Reihe von Büchern veröffentlicht, die hübsche Auflagen haben. Man nennt mich (richtiger: schimpft mich) konservativ. Das stimmt, wenn man darunter einen Mann versteht, dem das Bewahren des Vernünftigen und Guten im Geistigen ebenso wie im Alltäglichen wichtiger ist als das Ändern um des Änderns und das Verwerfen um des ›Fortschritts‹ willen und der nicht um jeden Preis ›in‹ sein will, wie man heute so abscheulich zu sagen pflegt. In allen Büchern habe ich mich bemüht, wahrhaftig und unabhängig im Denken zu sein, vor allem in den geschichtlichen Werken... Meinen Wohnsitz habe ich in München. Manchmal, wenn ich eine andere Luft zum Atmen brauche, weiche ich nach Florenz aus. Wenn mich das Schreiben traurig macht, und das tut es oft und um so öfter, je älter ich werde, verlege ich mich aufs Malen.«

Joachim Fernau starb am 24. November 1988.

Joachim Fernau

Rosen für Apoll

Die Geschichte der Griechen

Ullstein

Ullstein Buchverlage GmbH & Co.
KG, Berlin
Taschenbuchnummer: 23037

Ungekürzte Ausgabe
6. Auflage Oktober 1998

Umschlagentwurf
und Illustration:
Drews Design

Taschenbuchausgabe mit
freundlicher Genehmigung
der F. A. Herbig Verlags-
buchhandlung GmbH, München

Printed in Germany 1998
Druck und Verarbeitung:
Clausen & Bosse, Leck
ISBN 3 548 23037 7

Gedruckt auf alterungs-
beständigem Papier mit chlorfrei
gebleichtem Zellstoff

Vom selben Autor
im Ullstein Taschenbuch:

Die treue Dakerin (20813)
Die Genies der Deutschen (20833)
Caesar läßt grüßen (20859)
Und sie schämeten sich nicht
(20983)
Sprechen wir über Preußen (22336)
Die jungen Männer (22696)
Herztöne (22761)
Ernst und Schabernack (22786)
Disteln für Hagen (23002)
Halleluja (23065)
Rosen für Apoll (23037)
»Deutschland, Deutschland
über alles ...« (23183)
Ein wunderbares Leben (23995)
Ein Frühling in Florenz (24026)
Was halten Sie vom Alten Fritz? und
anderes Kleingedruckte (24240)
Der Gottesbeweis (24249)
War es schön in Marienbad? (24351)
Wie es euch gefällt (34895)

Die Deutsche Bibliothek –
CIP-Einheitsaufnahme

Fernau, Joachim:
Rosen für Apoll: die Geschichte der
Griechen / Joachim Fernau. –
Ungekürzte Ausg., 6. Aufl. –
Berlin: Ullstein 1998
 Ullstein-Buch; 23037
 ISBN 3-548-23037-7
NE: GT

MIT DEM ERSTEN KAPITEL

beginnt die Geschichte der Griechen. Sie halten das vielleicht für keine Überraschung, aber es ist eine. Das werden Sie noch merken, wenn Sie etwas für griechische Geschichte nehmen sollen, worin 800 Jahre lang kein einziger Grieche auftritt. Die Griechen stehen noch draußen vor dem Fenster und staunen durch die Scheiben eine Rokoko-Märchenwelt an, ehe sie kurzerhand die Tür eintreten und da sind.

DIE SONNE, DIE ÜBER DEM ÄGÄISCHEN MEER AUFGEHT UND DIE Radio-Antennen auf den Dächern von Athen in Morgenrot taucht, – das ist die berühmte Sonne Homers, von der Schiller sagt: »Siehe, sie lächelt auch uns!« Uns – das sind wir. Die abendländischen Nachfahren. Das trostlose 20. Jahrhundert.

Zum Glück liegt Hellas in Schutt und Asche, und kein Alkibiades kann den bornierten Wanderern mehr auf dem Töpfermarkt begegnen und sie verwirren. Hier hat das Schicksal ein Meisterwerk christlicher Nächstenliebe geliefert: Mehr als Ruinen hätten wir nicht ertragen. Die bösen Buben, die Griechen, hätten uns noch im Schlaf verfolgt und um unseren Himmel gebracht.

Mit Ruinen tut sich's leichter. Ruinen stehen da (sofern nicht Lord Elgin sie gestohlen hat), sind ernst und schweigen. So treten wir denn ziemlich ruhig vor das Angesicht Apolls und legen ihm unser Abiturientenzeugnis als Eintrittskarte zu Füßen. Oh, wir wissen, was sich gehört, wir wissen, wie man mit Apoll spricht; wir werfen oben feierlich Zahlen und Daten hinein und erwarten unten den Schlüssel zu Hellas. Er aber will Rosen, Rosen, meine Freunde, Rosen! Vergeßt die Rosen nicht, wenn ihr den Fuß in eine Zeit setzt, in der die Götter noch verliebt waren und lächeln durften!

Was für ein Gedanke, unter einem Allmächtigen zu leben, von dem man weiß, daß er lachen und singen kann!

Das ist ein wunderbarer, ein herrlich schöner Gedanke; mit keinem Himmelreich zu hoch bezahlt.

Wer waren sie, die das zum erstenmal zu denken wagten? Wer waren die bösen Buben, die himmlischen

Sünder, die gigantischen Kinder, die vor 3000 Jahren auf dem Meer der irdischen Freuden die schwarze Piratenflagge hißten...

*

Die Vorzeit Griechenlands ist, wie die ältesten Epochen aller Völker, in Dunkel gehüllt. Man muß weit zurückgehen, um an die Grenze der Dämmerung zu kommen. 2200 vor Christus, als wir selbst noch unter germanischen Eichen in tiefem Schlaf lagen, hatte Hellas seinen Vorfrühling, seine erste Blüte bereits in Kreta.

Kreta war die Μακάρων νῆσος (Makarohn nehsos), die »Insel der wunschlos Glücklichen«. Über dem Land scheint ein langer, langer Friede gelegen zu haben. Lang, das ist etwa von Barbarossa bis heute; vielleicht gelingt es Ihnen, sich das vorzustellen. Jene Menschen scheinen wirklich die sagenhaften »glücklichen Enkel« gewesen zu sein, die immer von Kriegsministern zitiert werden und die man komischerweise nie zu sehen bekommt.

In Städten wie Knossos und Phaistos lebten 50 000 und 60 000 Menschen; ein Gewirr, ein wogendes Auf und Ab von Dächern um die Fürstenpaläste, dicht an dicht, ohne Distanz, so wie es die Erscheinung jeder Spätzeit ist, ein Wirrwarr von Häusern und Gassen, ein Gewimmel von Menschen und Verkehr, sorglos vor jedem Zugriff.

Forscher haben Knossos ausgegraben: In unerhörter Pracht muß sich einst der Palast am Hang des Hügels erhoben haben, ein riesenhafter Tadsch Mahal, ein Traum aus Marmor, Gold und Alabaster, ein sonnendurchflutetes Labyrinth von Hallen, Sälen, Zimmern und Lichtschächten, voll von Fresken, Plastiken, filigranen Möbeln, Fayencen, Bronzen, Gefäßen aus Ton, Schalen und Tassen von der Zerbrechlichkeit chinesischen Porzellans; voll von kostbarem Schmuck und Stoffen, Parfümen und Badewässern in den Boudoirs, und in den Speichern und Kellern voll von tönernen Getreidefässern und bauchigen, zwei Meter hohen Öl- und Weinkrügen. Nirgends »Kanonen«. Eine Rokoko-Welt. Eine Welt der offenen Türen und Fenster. Die Frau war das Maß der Dinge. Reifröcke rauschten durch die Säle, hohe Stöckelschuhe klapperten über die Marmortreppen. (Die Männer trugen eine Art Badehose, jahraus, jahrein. Auch die Direktoren.) Das lackschwarze Haar der Frauen war kunstvoll geflochten und mit Perlen und Steinen geschmückt; die Zöpfe fielen bis zu der mädchenhaft engen Taille herab. Ein kleines Bolerojäckchen lag auf den Schultern, ein Jäckchen, das sich von den heutigen durch die Kleinigkeit unterschied, daß es kein Vorderteil hatte. Mit dem Charme von Najaden, die nichts anderes kennen, trugen sie die Brüste nackt, – wenn die Malereien die Wahrheit sagen: groß, voll und samten. Und auf allen Bildern haben die Gesichter in den Mundwinkeln ein Lächeln; das berühmt gewordene »archaische Lächeln«. Ich möchte es das Lächeln des Qualitätsbewußtseins und des guten Appetits nennen. Fast glaube ich, daß auch die aus den schmutzigen Gassen, die schwitzend und schnaufend den Palast erbauten, mit diesem Lächeln geboren wurden. Man lebte dem Tag, dem Augenblick, wirklich dem Augen-Blick, der nicht fragt, wem die Schönheiten gehören, woher die Welt kommt und wohin sie geht. Nichts zeugt von historischem Bewußtsein. Nirgends ist auch nur der Rest

eines Denkmals, nirgends ein Grabstein gefunden worden, der einen Namen trüge.
Μακάρων νῆσος, glückliches Kreta, – eine Mozart-Ouvertüre der griechischen Geschichte. Die Sache ist dummerweise nur die: Die Kreter waren gar keine Griechen, und ihr Land war gar nicht Hellas, sondern jene große Insel, die auf halbem Wege zwischen Griechenland und Ägypten liegt. Allerdings waren die Kreter mit den Urbewohnern des Festlandes wenigstens verwandt. Andererseits waren wiederum diese Ureinwohner nicht im mindestens Hellenen. Diese vielmehr schliefen noch genau wie wir unter Schaffellen und Strohdächern, am schönen, aber weit entfernten Strand der Donau oder der Theiß. So kompliziert wird die griechische Geschichte nun bis zum letzten Atemzug bleiben, was sehr verheißungsvoll ist.
Wenn dennoch kein Schulbuch und keine wissenschaftliche Abhandlung auf die kretische Vorgeschichte verzichten, so hat das natürlich seinen Grund. Sie werden ihn verstehen, wenn Sie sich vorstellen, daß eine Ouvertüre und eine Oper von zwei verschiedenen Komponisten stammen und dennoch zusammen gespielt zu werden pflegen, weil der Opernkomponist sich für den ganzen ersten Akt der Melodien der Ouvertüre bedient.
Ein vortreffliches Wort. Es wird erst so recht plastisch, wenn ganze Völker »sich bedienen«. Wir wissen es.
Das geschah mit Kreta um 1400. Den Rest haben wir ausgegraben.
Die Katastrophe brach anscheinend über Nacht herein. Ein einziger Windstoß fegte die Blütenpracht hinweg.
Es erhebt sich nun die Frage: Woher wissen wir, wer

die Leute waren, die Kreta ein Ende bereiteten? Kein Dokument, keine Inschrift, keine Sage berichtet von jenen schrecklichen Tagen. Ab 1400 erscheinen auf ägyptischen Darstellungen keine Kreter mehr – eine unheimliche Wahrnehmung. Die beiden Völker waren befreundet gewesen. Nun war eines untergegangen. Es ergeht uns wie der Kriminalpolizei: Die Täter haben keine Spuren zurückgelassen, man kann nur hoffen, daß das Diebesgut einmal auftauchen werde.
Es tauchte auf.
1876 entdeckte es Heinrich Schliemann in den Grabkammern von Mykene.
Wir müssen gedanklich einen weiten Sprung machen. Mykene liegt auf dem griechischen Festland, im Nordosten des Peloponnes über der in Richtung Kreta geöffneten großen Bucht der Landschaft Argolis. Es ist ein schönes Land, nichts für kleine Leute, sondern für Herren, für Aristokraten, für Ritter, die auf jedem der vielen Bergkegel ihre Burg und in dem weiten Tal ihre Pferdekoppeln haben. Homer schwärmt von den herrlichen Rossen der Argolis und ihren Feudalherren. Wenn man Homer glauben darf, so war Mykene die Burg des sagenhaften Agamemnon, des Siegers im Trojanischen Kriege.
Schliemann glaubte Homer. Er nahm Hacke und Spaten und grub zwischen den Mauerresten von Mykene. Eine Märchenwelt trat zutage. Und als er die Kuppelgrabkammer und die sechs in Fels gehauenen Grabschächte entdeckte und öffnete, da passierte es: halb Knossos kam nach oben. Verzeihen Sie, daß der Polizeibericht mit mir durchgeht; vielleicht war es nur ein Bruchteil dessen, was die Fürsten Kretas einst besessen hatten, aber immer noch genug, um Schliemann den

Atem stocken zu lassen. Da lag die Pracht des Goldschmucks von Knossos, unverkennbar Knossos, als Toten-Beigabe, in wahllosem Durcheinander und Nebeneinander mit den groben einheimischen Prunkstücken. Die Täter waren gefunden.

Es waren Griechen. Zum erstenmal in der Geschichte tauchen sie hier auf. Nicht gerade auf die feinste Weise, aber sie sind wenigstens endlich da.

Um diese Zeit – um 1400 – hätte man noch überall die Urbevölkerung (jene Verwandten der Kreter) finden können, sie hob sich durch Typ, Bräuche und Sprache wahrscheinlich noch deutlich ab; aber sie bildete schon lange nicht mehr die Herrenschicht des Landes. Mit dem Schub einer großen Völkerwanderung waren im zweiten Jahrtausend, also als Kreta noch in voller Blüte stand, von Norden her Fremde in das Land eingesikkert: die ersten Griechen. Man weiß nicht, ob es schwere Kämpfe gegeben hat; möglicherweise nicht. Man weiß auch nicht, ob dieser Vorgang damals von Kreta aus beobachtet worden ist; wahrscheinlich ja. Aber was sich die Herren in Knossos dabei gedacht haben, ist schleierhaft.

Die ganze Sache scheint anfangs harmlos ausgesehen zu haben. Die Urbevölkerung, die sogenannten Pelasger oder Karer, waren Hirten und Bauern gewesen, sicher harmlos, auf jeden Fall arm. Die Griechen werden zunächst auch keine großen Sprünge gemacht haben, die Schuhsohlen waren durchgelaufen, die Helden der Landstraße waren müde, denn von der Donau bis zum Peloponnes ist ein weiter Weg. Nun waren sie am Ziel; aus dem einfachen Grunde, weil der Weg hier zu Ende war. Das Meer erglänzte ringsum; um jede Ecke des buchtenreichen, zerklüfteten Landes erglänzte es aufs

neue. Nach altem Landser-Brauch werden sie sich gesagt haben, daß sich alles finden würde, wenn man erst einmal abgekocht und dann ausgeschlafen habe.
Es fand sich.
Es fand sich, daß sie den Ureinwohnern in einem Punkte hoch überlegen waren: Sie besaßen Führer, starke, umsichtige, rücksichtslose Führer, wie sie sich auf einer Völkerwanderung herausbilden, denn Reisen bildet, unter anderem solche Eigenschaften. Diese harten Männer waren fest entschlossen, ihre Stellung zu behalten, und sie behielten sie. Sie waren eine Art Merowinger. Wie viele es von dieser Sorte gegeben hat, wissen wir nicht, sicherlich ein Dutzend; auf Mykene saß einer, auf dem nur wenige Kilometer entfernten Tiryns schon der nächste, an der Küste auf Nauplia der dritte, auf Amyklai (nahe dem späteren Sparta) der vierte. Im Norden hauste damals schon einer auf der athenischen Akropolis; einer auf Kadmeia, der alten Burg Thebens; ein anderer auf der Festung Orchomenos in Böotien; wieder einer, nicht weit entfernt, auf Arne, mitten in dem jetzt nicht mehr existierenden Kopeissee. Nicht von heute auf morgen, aber im Laufe weniger Generationen waren aus den ersten kleinen düsteren, verräucherten Schutzhütten Burgen und aus ihren Besitzern, jenen Eindringlingen, jenen Griechen, Fürsten geworden. Der beherrschende Mann im Norden saß offenbar in Orchomenos; der mächtigste im Süden war der Mykener.
Allmählich lernten sie das Meer lieben. Sie merkten, daß das Wasser für jemand, der ein Schiff besaß, nicht ein Hindernis, sondern die reinste Autobahn war. Vom Meer her erschienen auch die interessanten Fremden, die sich Kreter nannten. Die griechischen Herren

staunten über die schönen Schiffe, die da angesegelt kamen, und über die Waren, die sie mitführten. Denn selbstverständlich waren es Vertreter, die die Autobahn bevölkerten. Und was sie über ihre Heimat Kreta berichteten, fanden die Griechen ausgesprochen bemerkenswert. In Knossos wiederum ließ man sich genau Bericht erstatten, wie es bei diesen griechischen Barbaren aussah, natürlich nicht, wie dick die Mauern von Mykene oder Tiryns waren (sechs Meter!), sondern was man dort loswerden könnte; denn was ein richtiger Wohlstands-Staat ist, der meistert das Leben mit Ex- und Import. Hier bot sich nun mal ein schönes, unterentwickeltes Land! Da lachte das brave Kaufmannsherz, und die Dividenden stiegen.
Eines Tages aber erinnerten sich die Mykener des Leonardo-da-Vinci-Wortes: »Wer zur Quelle gehen kann, gehe nicht zum Wasserkrug«. Sie setzten also nach Kreta über; im Laufe der Zeit sicherlich mehrmals, aber einmal, 1400, gründlich.
Das ist plausibel.
Ist es das?
Ich finde, nein. Wie überhaupt bei diesem Volke selten einmal etwas plausibel ist. Natürlich war nicht zu erwarten, daß sie den Frieden liebten, denn sie waren leider keine Christen, sondern Heiden. Aber normal wäre gewesen, daß sie sich in Kreta festgesetzt hätten. Man weiß doch, daß man als Besatzungsmacht besser lebt, denn als heimgekehrter Held. Die Griechen wählten eine andere Möglichkeit. Sie zerstörten die Hauptstädte Kretas bis auf den Grund, töteten (wahrscheinlich) die Mehrzahl der Männer oder jagten sie in die Berge, nahmen alles, was nicht niet- und nagelfest war, mit und segelten dann mit ihren und den kreti-

schen Schiffen zurück in die Heimat. Das Problem ihres unterentwickelten Landes war gelöst.
Von diesen Ereignissen, von allen diesen Dingen reden Mauern, Gräber, Ruinen, Gold und Silber, doch keine Inschrift und kein Wort. Die mykenische Zeit ist für uns stumm. Und dennoch glauben wir, sie gut zu kennen, dennoch ist sie uns so vertraut, wie keines der nächsten 500 Jahre. Wir wissen, wie die Menschen aussahen, wie sie lebten, wie sie dachten, fühlten, sprachen. Der Mann, von dem wir es wissen, lebte um 900 oder 800 vor Christus, also als Mykene längst wieder eine Ruine, die mykenische Kultur versunken und eine neue Epoche aufgegangen war.
Es ist Homer. Die Zeit, in der seine Ilias spielt, ist die Zeit Mykenes, die »heroische Zeit«, die »alte Zeit«, die Epoche von 1500 bis 1100. Was die lange Kette der Generationen von Mund zu Mund weitergegeben hatte, das fügte er sinnvoll aneinander und formte es zu einem großen Heldenepos. Wir haben lange gedacht, es seien Märchen. Es waren keine. Wir dachten es, weil sich die Griechen Homers so sagenhaft benehmen. Aber die Griechen haben sich ihr Leben lang sagenhaft benommen.

DAS ZWEITE KAPITEL

berichtet von der Ilias und der Odyssee, der »Bibel« der Griechen. Nach gründlichem Abstauben kommt unter der hundertjährigen Philologenschicht das pure Gold der Dichtung hervor. Wer Homer nun noch nicht liebt, der war in seinem Leben nie Hagen von Tronje und nie Old Shatterhand.

WENN IN DEN FLAUEN SOMMERMONATEN UNSERE NIMmermüden Zeitungen ihre berühmte Umfrage abhalten, welche drei Bücher man, auf eine einsame Insel verschlagen, um sich haben möchte, so lautet das Resultat immer: die Bibel, Homer und – jetzt folgt ein möglichst abwegiges Werk, das von der feinsinnigen Individualität des Befragten zeugt.
Die Bibel ist obligatorisch; Homer ist der Ausweis der Bildung. Man preist die herrlichen Verse, ohne die man schier nicht mehr auskommen kann, die hohe Ethik, die einem gar oft einen Halt gegeben hat, und die wunderbare Anschaulichkeit der Schilderung, zum Beispiel der Eroberung Trojas in der Ilias. Nun schildert aber Homer in der Ilias gar nicht die Eroberung Trojas; so weit ist er nicht mehr gekommen; und die Verse sind Hexameter, einfache Hexameter, reimlose, rhythmische Zeilen, 27 000 Stück.
Ich will Ihnen sagen, welche drei Bücher die meisten Menschen in Wahrheit auf der einsamen Insel bei sich haben möchten: einen Radioapparat, ein Motorboot und eine Kiste Zigaretten.
Nur wer heute noch Shakespeare lesen und einen ganzen Saal voll Rubens sehen kann, versteht auch Homer. Nur wem das gewaltige Grollen König Lears ein ebenso dröhnendes Theatergrollen in der eigenen Brust erweckt, nur wem sich vor der Amazonenschlacht des großen Flunkerers Rubens noch vor Spannung die Schultern zusammenziehen, nur wem – aus dem Museum oder dem Theater kommend – die Welt nun fade und tuntig erscheint, nur wem wenigstens 60 Sekunden lang die Gewißheit kommt, daß eben doch die Sonne um die Erde kreist und nicht umgekehrt, – der wird Homer verstehen.

Wenn Sie erlauben, erzähle ich Ihnen jetzt den Inhalt von Ilias und Odyssee, in der Reihenfolge, in der Homer von den Ereignissen berichtet.
Die Ilias (sie führt ihre Bezeichnung nach dem Wort Ilion, dem zweiten, ebenso gebräuchlichen Namen der kleinasiatischen Stadt Troja) – die Ilias beginnt wörtlich folgendermaßen:

Singe den Zorn, o Göttin, des Peleiaden Achilleus,
ihn, der entbrannt den Achäern unnennbaren Jammer erregte
und viele tapfere Seelen der Heldensöhne zum Hades
sendete, aber sie selbst zum Raub den Hunden hinlegte
und den Vögeln umher; so ward Zeus' Wille vollendet:
Seit dem Tag, als erst durch bitteren Zank sich entzweiten
Atreus' Sohn, der Herrscher des Volks, und der edle Achilleus.

Verstehen Sie ein Wort? Achilleus ist Achill, Peleiade bedeutet Sohn des Peleus, mit Achäern sind die Griechen gemeint, Hades ist die Unterwelt der Toten, Zeus ist der oberste Gott, Atreus' Sohn ist entweder Agamemnon oder Menelaos, er hatte zwei. Aber verstehen Sie ein Wort?
Und dennoch ist bereits der Anfang der Ilias herrlich. Sie brauchen nur zu wissen, wer Achill ist; er ist der Strahlende, der Silbergepanzerte, der Herrlichste von allen, der Siegfried der Griechen; und dieser leuchten-

de junge Held ist von rasendem Zorn erfüllt: das genügt. Das ist für jeden Griechen alarmierend, das ist eine Wonne! Zorn, Wut, Krach, Unrecht, Empörung, Worte hin Worte her, ein Speerwurf, Apoll läuft aus dem Olymp von der einen Seite herbei, Pallas Athene, die schwerbewaffnete jungfräuliche Göttin, klirrt von der anderen Seite heran – das ist für den Griechen ein Genuß wie für uns ein aus dem Fenster beobachteter knallender Verkehrsunfall mit schwerem Blechschaden. Dafür erbittet Homer von der Muse die rechten Worte. Das können wir nachfühlen.
Die Muse hilft ihm auch sofort; sie verhindert, daß er uns langatmig erklärt, wo wir uns befinden und wer gegen wen kämpft (denn das weiß in Griechenland jedes Kind: Seit zehn Jahren liegen die Griechen, ein Heer von erlesenen Helden, unter Führung von Agamemnon vor der Festung Troja, in der die geraubte Helena steckt). Homer beginnt: Eine Wanderjolle landet am Gestade, ein rüstiger Mann, der sich Chryses, Priester des Apoll, nennt, entsteigt ihr und läßt sich vor Agamemnon, König von Mykene und obersten Kriegsherrn des griechischen Heeres, führen. Er fordert von ihm seine Tochter zurück, die Agamemnon beim Anmarsch en passant geraubt hat. »Ich weiß«, sagt der gramgebeugte Priester-Vater, »als berufsmäßiger Seher, daß die Götter euch beschieden haben, Troja zu erobern und glücklich heimzukehren; darum sei milde und erfülle meine Bitte«. Agamemnon besinnt sich kurz, dann lehnt er, in Gedanken an die schönen wollnen Leibchen, die ihm die Chryses-Tochter strickt, ab. Halten Sie das bitte nicht für Fernausche Diktion, Homer läßt Agamemnon wörtlich sagen:

Daß ich niemals, o Greis, mehr bei unseren Schiffen dich treffe!
Weder jetzt noch hier zaudernd, noch wiederkehrend in Zukunft!
Kaum wohl dürfte der Stab und der Lorbeer Apolls dir dann helfen!
Jene geb' ich dir nicht, bis einst das Alter ihr nahet,
wenn sie in meinem Palast in Mykene, fern ihrer Heimat,
mir als Weberin dient und meines Bettes Genossin!
Gehe denn, reize mich nicht, daß wohlbehalten du heimkehrst!

Wenn Sie bei dem Wort »weben« nicht die warmen Unterhemdchen sehen; wenn Sie sich nicht entschließen, minutiös mit ausschweifender Phantasie zu lesen, werden Sie Homer nicht gerecht.

Priester Chryses zieht sich erschrocken zurück. Außer Reichweite fleht er Apoll an, seine Tränen zu vergelten. Und der sonst so lichte, strahlende Gott hängt sich Bogen und Köcher um und steigt herab, »düster wie Nachtgraun«, sagt Homer. Er setzt sich auf eines der entfernteren Schiffe und schießt Pestpfeile unter die Griechen, unter Mensch und Tier. Die hohen Tiere natürlich schont er noch, denn sonst wäre die Ilias zu Ende. Man bedrängt Agamemnon, der unter den vielen anwesenden Fürsten, »Königen« und Königssöhnen nur der Primus inter pares, nur der Führer, nicht der Gebieter ist, Chryses die Tochter zurückzugeben. Das kommt Agamemnon hart an. Er gesteht, daß sie ihm lieber ist als Klytämnestra (Klytämnestra ist seine Frau

im fernen Mykene), und bittet, ihm aus der gemeinsamen Kasse eine Entschädigung zu geben.
Hier begegnen wir zum erstenmal einem altgriechischen Charakterzug von märchenhaftem Ausmaß: der Beutegier. Es sind jene historischen Mykener, Tirynser und Amykläer, die Kreta ausgeraubt haben. Bei Homer, der selbst noch der frühgriechischen Epoche angehört, betritt niemand ein Zimmer, ohne sich sofort umzuschauen, was es Schönes gibt.
Agamemnons Ansinnen aber ist selbst Achill zuviel. »Du Habgierigster aller«, schreit er ihn an, fährt dann aber ruhiger fort:

Gut, wir ersetzen sie dreifach und vierfach, wenn uns einmal Zeus
gönnen wird, der Troer befestigte Stadt zu verwüsten.

Befriedigt von soviel Unvernunft, lesen wir weiter und sind vollständig verwirrt über den Ton, in dem Agamemnon antwortet. Er ist mißtrauisch, mißgünstig, höhnisch. Man sieht, wie er die Mundwinkel herabzieht und die Augen zusammenkneift, wenn er Achill mit »du tapferer, du gottgleicher« anredet und dann fortfährt, er möge ihn doch nicht beschwatzen und betrügen. Hier setzt ein unbeschreiblicher Tumult ein. Ohne Zweifel standen die Trojaner dicht gedrängt auf den Mauern, um zuzuhören, und im Olymp verfolgte man besorgt die Entwicklung dieser Affäre, wie Homer später ausdrücklich betont. In dem Streit Agamemnon-Achill folgt eine Ungeheuerlichkeit der anderen mit wahrhaft wollüstiger Zügellosigkeit, wörtliche Sätze wie:

Agamemnon:	*Weigert Ihr mir das Geschenk, so komme ich selber und nehm es.*
Achill:	*Ach, du mit Unverschämtheit Geputzter, Vorteilbesessener,* *immer die schwerste Last des tobenden Schlachtengetümmels* *trag ich mit meinem Arm; doch kommt zur Teilung es endlich,* *Dein ist das größte Geschenk, und ich? Heim mit den Schiffen jetzt fahr ich.*
Agamemnon:	*Fliehe nur, wenn dein Herz dir's gebeut! Nie werd ich dich anflehn!*
Achill:	*Du schamloser Mensch, du Ehrvergessener!*
Agamemnon:	*Mehr als verhaßt bist du mir. Und dein eigenes Ehrengeschenk, die rosige Tochter des Brises, ich hol' sie mir aus deinem Zelt.*

Das ist zuviel für Achill. Es zerwühlt ihm die Brust. Homer sagt »zottige Brust« in dem richtigen Gefühl, daß das die Vorstellung von dem vor zitternder Wut wankenden und schwankenden Bären erwecke. Achill packt den Schwertgriff, und Homer nennt diesen Moment sehr schön die Entscheidung, ob er Schwert und Scheide, die jetzt noch eins seien, trennen solle.
Da greift eine Hand in seinen braunen Haarschopf; er fährt herum und sieht (nur er allein) Pallas Athene, die Göttin.
Was geschieht? Versteinert er? Stürzt er nieder? Verbrennt er? Schlägt er die Hände vor die Augen?
Er? Der Sohn des Peleus, selbst Enkel einer Nymphe und des Zeus? Warum sollte er? Die Götter können

fürchterlich sein, gewiß, aber ist er ein Dreck? Er fragt die Göttin brummig, ob sie gekommen sei, sich seine Schande anzusehen? (Eigentlich ist Athene seine Tante, und er fragt sie auch ganz in dem Stil ›Es geschieht meiner Mutter ganz recht, daß ich mir die Finger erfriere, warum gibt sie mir keine Handschuhe‹.) Athene gebietet ihm in mildem Tone, nachzugeben, und tut nun ihrerseits das, was ihr Schützling gegenüber Agamemnon getan hat: Sie verspricht ihm für später dreifachen Lohn und Ruhm. Und Achill prolongiert den Wechsel, weil – wie er sagt – *wer dem Gebot der Götter gehorcht, den hören sie wieder.* Lesen Sie diese Stelle nicht falsch, sie heißt nicht: Wer Gott erkennt, den wird Gott wiedererkennen; sie heißt: Hast du ein Geschenk für mich, hab ich ein Geschenk für dich.
Achill gehorcht, aber das ändert nichts an seinen Gefühlen für Agamemnon. Gleich die ersten Worte, mit denen er ihn anredet, lauten wieder:

Trunkenbold mit dem hündischen Blick und dem Mute des Hirsches!

Er überläßt Agamemnon seine Sklavin Briseis, aber er schwört, nie mehr einen Schwertstreich in diesem Kriege zu tun, nie mehr für den Sieg eine Hand zu rühren.
Alle Dichter der Erde würden ihn jetzt erhobenen Hauptes abgehen lassen. Bewundern Sie Homer, belächeln Sie ihn, aber genießen Sie ihn: Er läßt Achill sich dort, wo er stand, auf den Erdboden setzen!
Stärker ist die Fermate nicht möglich! Aufreizenderes als ein Sitzstreik ist nicht denkbar. Agamemnon tobt, Homer nennt es »wüten«. Achill sitzt. Alles, was nun geschieht (und es geschieht Schreckliches), er-

eignet sich unter den Augen des untätig Dasitzenden. Die Tochter des Priesters Chryses wird freigelassen und mit ihrem Vater heimgeschickt. Man opfert Apoll ein Sühnemahl, der schwarze Bogenschütze verwandelt sich wieder in den lichten Gott und steigt zum Olymp zurück.

Jetzt läßt Agamemnon die »rosige Briseis« aus dem Zelt des Achill holen. Die beiden Boten treten vor den am Boden sitzenden Helden und wagen vor Ehrfurcht nicht zu gestehen, was sie herführt.

Nahet euch! spricht Achill sie gütig an, *ihr nicht seid mit Schuld beladen, nur Agamemnon,*
der euch beide gesandt um Briseis, die rosige Sklavin.
Auf denn, führe heraus das Mägdelein, edler Patroklos.
(Patroklos, sein Jugendfreund und Kampfgefährte, jung, schön, zart, schwärmerisch, gezeichnet wie ein Geliebter; jedoch steht im Homer nirgends eine Andeutung davon).

Dann fährt Achill fort, zur toten Mutter sprechend, indem er zu ihr, die einst eine Nereide war, in die dunkle Tiefe des Meeres hinab schaut:

> *Mutter! Siehe, des Atreus Sohn hat mich entehrt!*
> *Also sprach er betränt.*
> (Achill weint!)
> *Ihn vernahm die gütige Mutter,*
> *sitzend dort in den Gründen des Meeres, in der lichtlosen Tiefe.*
> *Eilenden Schwunges entstieg sie der finsteren Flut wie ein Nebel;*
> *und nun setzte sie nahe sich hin vor den Tränenbenetzten,*
> *streichelte ihn mit der Hand und sagte...*

Der Held ist wieder zum Kind geworden, das von der Mutter getröstet wird. Dazu gehört, wie bei allen Müttern auf der ganzen Welt, daß sie ihn fragt, warum er denn weine. Sie ist zwar als geborene Nereide eine Halbgöttin und weiß als solche, was geschehen ist, aber sie fragt, wie es sich für eine Mutter gehört. Und Achill *(Ach, Mutter, du weißt das alles; was soll ich es dir noch erzählen)* fängt noch einmal von vorn an und schluchzt ihr seinen Schmerz in 50 Versen vor. In der Odyssee werden Sie später noch oft weinende Männer erleben, aber achten Sie dann auf den Unterschied; in der Odyssee weinen sie aus einem anderen Grund als hier.
Achills Mutter ist entschlossen, den Achäern (Griechen) einen Denkzettel erteilen zu lassen; sie läuft zu Zeus und erbettelt von ihm, daß er den Trojanern so lange den Sieg schenkt, bis Agamemnon ihrem Sohn Abbitte geleistet hat.
Jetzt bekommen wir einen prächtigen Einblick in das olympische Leben. Genau wie auf Erden geht ein großes Hin und Her los, ein langes Für und Wider; Apoll, dem seinerzeit das Paris-Urteil viel Spaß gemacht hat, ist sowieso auf seiten Trojas; Athene, die ernste, die jungfräuliche, erinnert sich, wie sie damals mit Hera einem Schulmädchen gleich vor Paris stehen und erleben mußte, daß er Aphrodite den Apfel reichte. Sie hält zu den Griechen. Wie sie da alle im Olymp herumstehen und auf das Erscheinen von Zeus harren, sind Kräfte versammelt, die die Welt aus den Angeln heben könnten. Dennoch treten sie geduldig von einem Bein aufs andere und warten. Endlich tritt der »Herrscher im Donnergewölk«, der »Wolkenversammler«, der »Ordner der Welt«, der Kronos-Sohn Zeus ein. Er

geht – denn jetzt soll gespeist werden – zu seinem erhöhten Sitz, und sofort redet ihn seine Frau Hera an, genau in der Art, in der Frauen zu sprechen pflegen, die einflußreich und mächtig, aber der Gunst des Ehemanns nicht mehr ganz sicher sind: vorsichtig-forsch.

Wer hat, Schlauer, mit dir schon wieder heimlich einmal geratschlagt?
Merkwürdig, wie es dich freut, von mir hinweg dich entfernend,
heimlich ersonnenen Plan zu genehmigen! Hast du doch niemals
mir willfährigen Geistes ein Wort gesagt, was du denkest!

Würdest du mich freundlicherweise in Ruhe lassen, brummt Zeus, worauf Hera hoheitsvoll blickt und genau wie ein Menschenkind tiefbeleidigt den Vorwurf zurückweist:

Welch ein Wort, Kronion, Schrecklicher, hast du geredet!
Nie doch hab ich zuvor gefragt oder je mich erkundigt!
Gänzlich in Ruhe doch kannst du beschließen, was stets dir genehm ist.
Doch ich sorge mich eben und ...

Vertraute Worte aus einer Zeit vor 3000 Jahren. Die Antwort von Zeus würde heute jeder Psychologe genauso formulieren:

Immer hast du deine Vermutungen, immer belauerst du mich!
Doch nicht dient es dir im geringsten, sondern entfernter
wirst du im Herzen mir stets, was du noch einmal bereun wirst.

Hera erschrickt und schweigt. Die Stimmung ist gedrückt. Alle stochern lustlos in den Speisen herum. Da steht Hephästos auf, der hinkende Gott des Feuers, der »kunstfertige«, der Schmied göttlicher Waffen, der häßliche, ewig verlachte Sohn der Hera, oft betrogener Gatte der Liebesgöttin Aphrodite. Er reicht seiner Mutter einen großen Becher Nektar und tröstet sie. Dann rennt er mit der vollen Kanne hinkend, schwatzend, lachend, scherzend zu Zeus, zu Apoll, zu Athene, zu Ares (dem Kriegsgott), zu allen, immer wieder einschenkend (»rechts herum« betont Homer!) und Späße machend, und bald sind die Himmlischen wieder so sorglos fröhlich, daß

unermeßliches Lachen erscholl aus dem Munde der Götter,
wenn sie bloß sahn, wie Hephästos in emsigem Hinken umherging.

Das ist das berühmte »Homerische Gelächter«!
Ich ahne, daß Sie enttäuscht sind. Aber mehr steckt nicht dahinter. Das Homerische Gelächter erschallt noch ein paarmal, niemals ist der Anlaß erhabener. Es tut mir leid, Ihnen nicht mehr bieten zu können. Daß es so berühmt wurde, daran sind die Studienräte schuld und die Maler des vorigen Jahrhunderts, die das Thema oft gemalt haben.
In Wahrheit ist diese Szene jedoch ungeheuerlich! Homer ist der Mann, der zum erstenmal in der Welt seinen Gott schallend lachen läßt! Damit schuf er den Griechen ein für allemal ihren fröhlichen Himmel.

Von nun an, meine verehrten Leser, muß ich Sie Ihrem Schicksal überlassen; ich kann Homer nicht weiter kommentieren, weil, wie ich sehe, sonst eine neue

27 000zeilige Ilias und Odyssee entstünde. Ich zähle Ihnen nun die Ereignisse in wenigen Sätzen auf:
Die Ilias berichtet von nur 49 Tagen aus dem zehnten, dem letzten Jahr der Belagerung Trojas. Zeus hat beschlossen, Agamemnon einen Denkzettel zu erteilen. Die Trojaner greifen an und stürmen bis zu den Schiffen der Griechen vor. In der höchsten Not erlaubt Achill seinem Freunde Patroklos, mit seiner Myrmidonen-Schar einzugreifen. Die Trojaner werden zurückgeschlagen, aber Patroklos fällt von der Hand Hektors, des trojanischen Königssohnes und Heerführers (Bruder des Paris). Im Schmerz um den geliebten toten Freund gibt Achill jetzt seinen Schwur auf und greift zu den Waffen. Er sucht Hektor, entdeckt ihn im Kampfgetümmel, jagt ihn dreimal um die Mauern Trojas, stellt ihn endlich und ersticht ihn im Zweikampf. Den Leichnam schleift er mit dem Streitwagen vor den entsetzten Augen des alten Trojakönigs Priamos um die Stadt. Er will ihn den Hunden und Geiern hinwerfen, läßt sich aber durch Priamos, der den schweren Bittgang zu Achill angetreten hat, erweichen und überläßt ihm den Toten, den Apoll gütig vor Entstellungen und Verstümmelungen bewahrt hat. Achill hat sich, einem alten Schicksalspruch der Götter entsprechend, damit selbst den Zeitpunkt seines Todes gesetzt: *Bald, mein Sohn,* weint seine Mutter vor sich hin, *verblühet das Leben dir, denn nach Hektor ist dir dein Ende bestimmt.*

Hier schließt die Ilias. Von Achills Tod, von der List des Odysseus mit dem hölzernen Pferd, das die Trojaner als Beute in ihre Stadt ziehen, ahnungslos, daß in seinem hohlen Leib griechische Krieger verborgen

sind, von der Zerstörung Trojas, der Befreiung der geraubten Helena und der Heimkehr der Griechen – von allen diesen Ereignissen erfahren wir erst durch Erzählungen in der Odyssee etwas. Die Odyssee räumt, so gut es geht, noch nachträglich mit der Ilias auf. Behalten Sie diese Wahrnehmung im Gedächtnis, wir werden noch einen interessanten Schluß daraus ziehen!
Die Odyssee trägt ihre Bezeichnung nach Odysseus, einem der Großen unter den Griechen vor Troja, einem der Fürsten, der Berühmten, der Auserwählten der Götter. Er ist nicht so jung, nicht so strahlend, nicht so schön wie Achill, nicht so mächtig wie Agamemnon von Mykene oder dessen Bruder Menelaos von Sparta, aber an Zähigkeit, Härte, Klugheit und List allen überlegen. Seine Heimat ist die Insel Ithaka. Dort warten Penelope und sein inzwischen zu einem Jüngling herangewachsener Sohn Telemach seit 20 Jahren auf seine Rückkehr. Von den Schiffen des Odysseus und seinen Kriegern fehlt seit Ende des Krieges jede Nachricht. Er ist für die Welt verschollen, und Penelope kann sich der schmarotzenden Freier kaum noch erwehren.
Die Odyssee setzt, genau nach dem Vorbild der Ilias, im zehnten Jahr ein. Die Götter beschließen, die Irrfahrten des Odysseus zu beenden. Der »große Dulder«, wie ihn Homer von nun an nennt, befindet sich in diesem Augenblick als Gefangener auf der Insel der Zauberin Kalypso, die in Liebe zu ihm entbrannt ist und ihm vom Himmel hoch alles verspricht, um ihn Penelope vergessen zu lassen. Nun aber enden Kalypsos Hoffnungen, denn Hermes, der Götterbote, überbringt ihr den Befehl, Odysseus freizulassen; und sie gehorcht. Der »große Dulder« baut sich ein schwan-

kendes Floß und rudert aufs Meer hinaus. Schon sieht er neues Land in der Ferne, da entdeckt Poseidon, der Wellenbeherrscher, der »Erdumgürter«, sein unversöhnlicher Hasser und Peiniger, ihn wieder und zertrümmert *mit fürchterlich brausendem Sturm und entsetzlicher Woge* sein Floß. Mit letzter Kraft, nackt, rettet sich Odysseus schwimmend an den unbekannten Strand. Wieder ist es nicht Ithaka, sondern ein fremdes Land, die Insel der sagenhaften »glücklichen und schwelgerischen« Phäaken. Aber noch weiß er nicht, wo er sich befindet. Erschöpft steigt er ans Ufer, *küßt die fruchtbare Erde*(wunderschönes Bild) *und sinkt nieder in das Schilf*. So findet ihn Nausikaa, die Königstochter, mit ihren Mägden, gibt dem Fremdling Kleider und führt ihn zu ihrem Vater Alkinoos.

Als der dämmernde Morgen mit Rosenfingern erwachte (ein Caspar-David-Friedrich-Bild!) erhebt sich Odysseus gestärkt und mit neuem Mut. Beim Mahle, das der König gastfreundlich dem Fremdling gibt *(ich kenne ihn nicht, doch mein Herz gebietet's)*, singt ein phäakischer Barde vom Trojanischen Krieg und den Heldentaten des berühmten Odysseus – da übermannt den »großen Dulder« die Wehmut, *Tränen benetzen ihm Wimpern und Wangen*(Beachten Sie: In der Ilias weint man aus Wut, in der Odyssee aus Wehmut!), und er gibt sich zu erkennen. Die Freude der Phäaken ist ebenso groß wie ihr Mitgefühl, und sie versprechen, ihn sicher nach Ithaka zu bringen. Jetzt erzählt er selbst die Geschichte seiner zehnjährigen Irrfahrt, von dem menschenfressenden Riesen Polyphem, vom Zauberschlauch des Windgottes Äolos, von Kirke (man schrieb früher Circe, wovon unser Wort becircen kommt), von seinem Sühneopfer an der Pforte der

Unterwelt, wo ihm die Seelen Agamemnons, Achills und uralter Titanen erschienen und ihr Schicksal berichteten *(bleiches Entsetzen ergriff mich; fürchtend, es sende mir jetzt die Göttin Persephone tief aus der Nacht auch noch die Schreckensgestalt des gorgonischen Unholds, floh ich eilends zum Schiffe),*– von den blutdürstigen Sirenen und von der Fahrt zwischen den Seeungeheuern Skylla und Charybdis hindurch, die ihm den letzten Gefährten raubten. Auf den Trümmern von Balken rettete er sich an das Eiland der Zauberin Kalypso.

Also sprach er; und alle verstummten umher und schwiegen,
horchten noch nach, wie entzückt, im großen schattigen Saale.

Wunderbare Sprache.
Am nächsten Morgen rüsten die Phäaken ein Schiff und bringen Odysseus nach Ithaka. Die Insel ist von Athene in Nebel gehüllt worden, und der müde Held ist eingeschlafen. Sie betten ihn mit reichen Geschenken am Ufer und kehren heim. Sehr klug war es von Athene, Odysseus noch allen Blicken zu entziehen; die rohen, prassenden Freier hätten ihn sonst ermordet. Und noch ein anderer sollte unbemerkt landen: Telemach kehrt von der Suche nach seinem Vater aus dem fernen Sparta heim, wo er sich bei Menelaos und Helena erkundigt hat.
Nun naht das Ende der Odyssee. Als fremder Bettler verkleidet macht sich Odysseus auf den Weg zum »Palast«. Niemand erkennt ihn.

Aber ein Hund erhob von der Erde sein Haupt und die Ohren,
welchen noch einst der leidengeprüfte Odysseus aufzog.
Aber jetzt, da sein Herr weit fern war, lag er verachtet
auf dem großen Haufen vom Miste der Säue und Rinder,
welcher am Tore gehäuft war, von Ungeziefer zerfressen.
Dieser, da er nun endlich den nahen Odysseus erkannte,
wedelte zwar mit dem Schwanz und senkte die Ohren herunter,
aber er war zu schwach, sich seinem Herrn noch zu nähern.
Und Odysseus sah es und trocknete heimlich die Träne.

Furchtbar ist die Rache des »großen Dulders«. Die Schar der Freier stirbt von seiner Hand. Wie die schönen jugendlichen Verbrecher von seinen Pfeilen hingemäht werden, ist er schon selbst ein Halbgott, der Gericht hält!
Die Leiden des »herrlichen Dulders« sind zu Ende.

Und nun wollen wir die Fragen lösen, die um Homer selbst noch offen sind. Immer noch gilt der Dichter der Ilias und Odyssee als das große Rätsel.

DAS DRITTE KAPITEL

ist dem »Rätsel Homer« gewidmet. Viele Generationen haben sich schon über die Frage, wer er war und ob er gelebt hat, den Kopf zerbrochen, und da wir in diesem Kapitel sonst nichts vorhaben, können wir es auch noch einmal tun.

VON DER AUFKLÄRUNG BIS ZUM ENDE DES VORIGEN JAHRhunderts hielt man Homer überhaupt nicht für eine historische Gestalt. Sie dürfen mich nicht fragen, warum. Man hatte keine Lust. Obwohl das gesamte Altertum an der Existenz des Dichters nie gezweifelt hatte, schien er den Philologen neuerdings ganz unwahrscheinlich. Das Werk war ihnen zu umfassend, zu enzyklopädisch; der Mann zu groß. Er lag zu früh, um diese Vollendung zu haben; aber um das Kolorit der Vorzeit so gut zu kennen, lag er zu spät. Am besten, er lag gar nicht. Zweifellos – schloß man – war die Ilias weiter nichts als eine Zusammenfassung von alten Sagen, der Name Homer überhaupt nur das Ur-Wort für »Dichter«, und die Odyssee das Werk späterer Generationen, höfischer »Homeriden«, wie sie in der Nachfolge Homers in Kleinasien ja auch wirklich gelebt haben. Der Märchen-Charakter der Odyssee schien offenkundig, die Gestalten und Geschehnisse der Ilias waren zweifellos ebenso fromme Sagen.

Ein junger Mann namens Heinrich Schliemann glaubte das nicht. Nun haben Universitätsprofessoren in höherem Maße als alle anderen Menschen, ausgenommen Politiker, die Eigenschaft, keine Notiz von der Meinung anderer zu nehmen, wieder ausgenommen derer, die der gleichen Meinung sind. Hier lag nun der Fall besonders einfach, und zwar zweifach einfach: Schliemann war ein simpler Kaufmannslehrling, und er sagte nicht laut, was er dachte.

Dem jungen Schliemann blieb nur ein Weg übrig: sehr reich zu werden und Griechisch wie seine Muttersprache zu erlernen. Diese Kleinigkeit beschloß er.

Als er beides erreicht hatte, machte er sich zur griechischen Küste Kleinasiens auf, wo Troja gelegen haben sollte. Der Schutthügel von Hissarlik fiel ihm in die Augen; 1870 begann er zu graben. Er grub jahrelang, und Frau Schliemann, eine schöne junge Griechin, setzte sich ins Gras und sah zu. Vor ihren Augen geschah das Wunder, das ihrem Volke Homer wiederschenkte: Aus dem Hügel kam Troja heraus.

Schliemann fand mehrere übereinanderliegende Trümmerschichten einer immer wieder zerstörten und aufs neue aufgebauten Stadt, Schichten, die sich nach den Funden auf die Zeit von 500 vor Christus bis zurück zu 2500 vor Christus bestimmen ließen, darunter ein Troja, das in der mykenischen Zeit zugrunde gegangen war. Kein Zweifel: An diesem Gestade hatte Odysseus gestanden, hatte Hektor gekämpft und Achill sein Leben hingegeben. Hier hatten die »dunklen Schiffe« gelegen, auf denen sich Apoll niederließ, um die Pest unter die Griechen zu schießen.

1876 fuhr Schliemann, getreu den Weisungen Homers, auf der Route Agamemnons zur Argolis auf das griechische Festland zurück, »heim«, wie es der König getan haben sollte. In der Argolis standen mancherlei Burgruinen, leer, kahl, längst durchforscht, Sand, Geröll, zyklopische Mauerreste, die nichts mehr verrieten: keinen Namen, kein Leben, keine Zeit.

Schliemann setzte in Mykene den Spaten an – und grub die alten Könige aus. Da lagen sie, mit goldenen Masken auf den Gesichtern, und einer von ihnen war vielleicht Agamemnon.

Auf Mykene folgte Tiryns, auf Tiryns Orchomenos, dann Ithaka, Amyklai und schließlich Kreta. Die Steine brachen ihr Schweigen, die Erde verriet endlich ihr Geheimnis. Das war der Triumph des Glaubens an Homer. Es ging so weit, daß man in der sogenannten 4.

mykenischen Schachtgrube das genaue Gegenstück zu dem in der Ilias beschriebenen »Becher des Nestor« fand. Die Menschen, von denen Homer sang, waren also die Söhne und Enkel der Kreta-Zerstörer. Nun kannten wir sie, die Herren von Mykene, Ithaka und Amyklai: heroisch, wild, ohne Mitleid, maßlos, ruhmmanisch, gierig nach allem Glitzernden, hochfahrend, vor Wut weinend, in einem zornigen Bittverhältnis zu den Göttern, Arbeit verachtend, Krieger durch und durch, verfressen, aber hart, mit unendlichem Vergnügen am Schimpfen und Lachen, Höhnen und Witzeln. Menschen des Augenblicks, ohne Sinn für die Vergangenheit, ohne Ahnung von einer geschichtlichen Zukunft. Die Untertanen, das Volk, weit verstreut, lebte wahrscheinlich ziemlich sorglos und ohne Bedrückung in einfachen Hütten; die Fürsten in befestigten Höfen, vor denen noch die Misthaufen der Stallungen lagen; die »Könige« in Burgen. Mykene hatte jedoch keine Ähnlichkeit mit einer romantischen Ritterburg, Mykene und ebenso Tiryns waren Kasematten.
Und sie schmausten im schattigen Megaron, sagt Homer und denkt dabei an seine eigene, fortgeschrittene Zeit um 900. In Mykene war das schattige »Megaron« (der Rittersaal) ein bombensicherer, düsterer Bunker, in dessen Mitte ein Feuer brannte, an dem die immerwährenden Fressalien gebraten wurden, das Fleisch von Rindern, Schweinen, Schafen, Hasen, Wildenten, Gänsen und Bären (Fische waren ein Arme-Leute-Essen).
Die ständigen Kumpane dieser Gelage waren die Hunde. Sie sind für immer die Lieblinge und Freunde der Griechen geblieben, Jagdgenossen, Begleiter in den Kampf, Spielgefährten der Kinder. In Mykene hielt

man nicht den Spitz, wie in Troja und Kreta, sondern den »Molosser«, eine riesige Dogge.
So saßen die Helden mit ihren Vierbeinern zusammen, hatten die goldenen Schüsseln vor sich, die sie in Kreta und Troja gestohlen hatten, klöhnten und ließen sich von fahrenden Sängern die eigenen Taten und die neuesten Nachrichten der anderen zur Kithara oder Harfe vorsingen. Dann wurde ein bißchen der Streitwagen angeschirrt (Kreta kannte ihn nicht, er erscheint auf einem Grabrelief in Mykene zum erstenmal!), oder ein kleines Faustkämpfchen veranstaltet oder ein Bogenschießen oder ein Wettlauf, und wenn es ein festlicher Anlaß war, machte *das ganze Getümmel des Volkes* mit (vielleicht hundert Männer, Jünglinge und Hunde). Es wurde getanzt und Ball gespielt,

und sie nahmen sogleich den schönen Ball in die Hände,
welchen Polybos kunstvoll aus purpurner Wolle gewirket.
Einer schleuderte diesen empor zu den schattigen Wolken,
rückwärts wie eine Sehne gespannt. Der andere sprang hoch von der Erde,
sprang auf und fing ihn behende, eh' sein Fuß den Boden berührte.
Andere klappten dazu im Kreise, es stieg ein lautes Getös auf.

Homer beschreibt es wie eine Vogelwiese, und es ist wahrscheinlich, daß auf dies und nichts anderes der Ursprung der Olympischen Spiele zurückgeht.
Jedoch warne ich Sie, diese Menschen zu primitiv zu sehen; sie hatten die Neugierde und die Aufnahmefä-

higkeit junger Völker! Und sie waren gerissen. Die Mykener bereits sind es gewesen, die die Eroberung der kleinasiatischen Küste, an der ja auch Troja lag, versuchten und, als das zunächst nicht gelang, überall Faktoreien anlegten und mit den Hethitern herumschacherten. An diese Seefahrten und Kämpfe, das ist klar, erinnert sich auch Homers Ilias.
»Nicht die Spur!« höre ich hier die Gräzisten aufschreien. Ach, meine Freunde, lassen Sie sich sagen, es soll schon wieder alles nicht wahr sein! Die Argumente der Herren sind die alten – das Staunen über Schliemann ist also schnell überwunden.
Man hat sich wieder gefangen.
Ich zeige Ihnen nun einmal, wie herzerfrischend komisch die Lage ist.
»Die Zerstörung Trojas«, sagt der alte berühmte Historiker Professor Beloch, »ist zwar eine historische Tatsache, die Sagen aber, die den Kern der Ilias bilden, haben mit der Stadt nicht das geringste zu tun. Zugrunde liegt ein uralter Mythos von dem Kampfe der Geister des Lichts mit den Wolkengeistern; damit verbunden ist der Mythos vom Raube der Mondgöttin Helena. Es ist ganz müßig, nach dem Verfasser der Epen zu fragen; unzählige Dichter haben an der Ilias und Odyssee mitgearbeitet.«
»Homer«, sagt der nicht minder berühmte Historiker Professor Berve, »Homer ist aus dem Kreis der vielen Sänger der Zeit hervorgegangen. Er war es, der die Ilias schuf, indem er mit souveräner Kraft den gewaltigen Sagenstoff zu einem einheitlichen Werk gestaltete, ihn menschlich wundersam vertiefte und so dem Lebensgefühl der ionischen Herren strahlenden Ausdruck verlieh. Ihm folgte, von gleichem Geiste und kaum ge-

ringerer Dichterkraft erfüllt, wenig später der Schöpfer der Odyssee, in der das Altertum ein Spätwerk Homers erblickte. Diese *zwei* Großen...«

»Wir glauben wieder an den Dichter«, sagt der gleichfalls berühmte Altphilologe Professor Schadewaldt, »die Analyse selbst hat diesen Glauben mehr und mehr erhärtet. Homer hat sich der Homer-Wissenschaft am Ende doch als Person erwiesen. Er war als Dichter ein genialer Mensch, aber die Größe seines Werkes erhob ihn geradezu zu geschichtlicher Macht. Homer stiftete den Griechen die geistige Welt. Was er dichtete, war nichts Ausgedachtes. Aus alten Stoffen schuf er den Bau eines Groß-Epos – der Ilias. Und daß die Odyssee, das jüngere Epos, von letzter Hand eine geschlossene Einheit ist, kann nicht mehr bezweifelt werden.«

Die Lage ist, wie Sie nicht bestreiten können, einfach: Was Sie auch glauben, Sie haben auf jeden Fall Ihren Heiligen.

Ich würde Ihnen jetzt gerne meine eigene Meinung sagen, wenn Sie es noch aushalten.

Ich frage: Ist es wohl glaubhaft, daß ein Volk, das jede Quelle mit Nymphen und jeden Baum und Strauch mit Satyrn beseelt und alle Kunstfertigkeit und alle Gaben des Lebens auf die Götter als Erfinder zurückführt – ist es glaubhaft, daß ein solches Volk für seine zwei meistbewunderten und heiligsten Werke, für die Ilias und die Odyssee, einen sterblichen Dichter erfindet, wenn diese Werke anonym waren? Mir scheint es unzweifelhaft, daß die alten Griechen die beiden Dichtungen ganz bestimmt einem Gott oder Heroen zugeschrieben haben würden, wenn sie nicht *gewußt* hätten, daß der Dichter gelebt hatte und Homer hieß. Die Zeit, in der er lebte und schrieb, war genau die Zeit, in der alle

Welt zu schreiben begann. Es ist kein Zufall, daß damals auch in Palästina mit der Niederschrift der ersten Gesänge des Alten Testamentes begonnen wurde. Die Ilias ist eine Verdichtung von mündlich (und sicher sehr verschieden) überlieferten Heldenepen aus der mykenischen Zeit. Historische Ereignisse sind da mit mythologischen Sagen vermischt. Viele Dinge, viele Redensarten und Formulierungen hat Homer bereits nicht mehr verstanden; aber er hat sie getreulich in seiner Ilias verwendet.

Odyssee-Überlieferungen jedoch hat es nicht gegeben! Ich neige zu der Ansicht, daß die Odyssee derjenige Teil ist, der ganz allein Homers Werk und vollständig seine Erfindung ist.

In der Ilias tritt der Dichter vor der Überlieferung zurück, in der Odyssee ist er ganz er selbst.

In der Ilias versucht er, die mykenische Welt zu rekonstruieren, und nur unfreiwillig unterlaufen ihm fortgesetzt Anachronismen, Modernisierungen. In der Odyssee steckt allein seine Zeit...

In der Ilias weint Achill ohnmächtig und zornig – typisch archaisch; in der Odyssee weint Homers Zeit: gerührt, weich, sehnsüchtig...

Achill ist Schamgefühl unbekannt; Odysseus schämt sich seiner Nacktheit bei den Phäaken...

Klytämnestra, Agamemnons Frau, ergibt sich den Freiern und läßt den heimkehrenden Mann ermorden; Penelope, Homers Erfindung, wartet auf Odysseus zwanzig Jahre... Die Ilias, als Mosaik, ist lückenhaft, sprunghaft, nicht abgeschlossen als Geschichte; in der Odyssee – und das ist doch wohl ein sehr beachtlicher Punkt – holt Homer das alles nach, räumt auf (was Dichter-Generationen oder ein Fremder sicher nicht

getan hätten) und schließt mit eigener Erfindung die Lücken.
Mit der Ilias schrieb er sich frei, er wagte den Schritt zum Schöpfer und dichtete die Odyssee. Verzeihen Sie mir das saloppe Wort: Es wird damals nicht anders gewesen sein, als es heute ist, man schickt seinem Bestseller einen zweiten nach.
Die schönste geistige Schöpfung Homers steckt nicht in der Ilias, natürlich nicht, sondern in seinem originalen Werk, in seiner Odyssee: Es ist die Erfindung und Inthronisierung der in der Philosophie und Geschichte so berühmt gewordenen »Sophrosyne« – der Besonnenheit. Mehr bedeutet das Wort nicht; aber der Augenblick, als Homer diese ethische Schönheit entdeckte, war ebensogroß wie der, als Jesus das Wort Nächstenliebe fand. Der in der Ilias noch wortgetreue Berichterstatter der wilden mykenischen Zeit setzte damit in seiner ureigenen Dichtung, der Odyssee, dem ganzen griechischen Mythos den Sordino auf.
Verzückt haben die Griechen dem Worte Sophrosyne gelauscht, diesem schönen und für sie neuen Begriff, diesem weichen, auf der Zunge zergehenden Wort; daran gehalten haben sie sich nie.

IM VIERTEN KAPITEL

müssen wir von den Mykenern leider Abschied nehmen. Ganz neue Leute, die Dorer, kommen und machen mit den Enkeln der Ilias-Helden kurzen Prozeß. Die Art und Weise, wie sie das fertigbringen, ist beängstigend; und beängstigend bleiben sie fortan in der griechischen Geschichte: Es sind die späteren Spartaner, die »Preußen« unter den Hellenen. Oder sollten es die »Engländer« sein?

ZU HOMERS ZEITEN WAR MYKENE BEREITS UNTERGEGANGEN, Amyklai ein Schutthaufen und Tiryns ein Dorf mit einer Ruine. Geröll schloß die letzten Zugänge, Dornen überwucherten das »schattige Megaron«, und Ziegen weideten auf den grasbewachsenen Hügeln, unter denen die Könige mit ihren Goldmasken schlummerten. Schon Homer hat unter den Felstrümmern nicht mehr die Schatzkammer des Agamemnon geahnt. Die Spur war ausgelöscht, vom Winde verweht. –

Vom Sturm hinweggefegt. Es muß ein Sturm gewesen sein, der die zyklopischen Mauern einriß, denn die mykenische Epoche ist nicht langsam und sanft erloschen, sondern ebenso jäh beendet worden, wie die Mykener einst Kreta beendeten. Es ist erschütternd, an den Ruinen zu erkennen, daß die Befestigung von Mykene zum Schluß noch in aller Eile verstärkt und in Tiryns eine Fluchtburg angelegt wurde. Es muß damals eine furchtbare Gefahr im Anrollen gewesen sein, so schlimm, daß selbst die hartgesottenen Heldenenkel der Ilias zitterten. Kurz vor 1000 v. Chr. trat die Katastrophe ein.

Was war geschehen?

In der Ur-Heimat der Griechen, irgendwo im Weichsel-Donau-Gebiet, waren Völker in Bewegung geraten; vielleicht aus Not, aus Hunger, vielleicht aus der Unruhe des Herzens, wir wissen es nicht. Wir wissen nicht einmal, wer sie waren. Aber die rollende Woge prallte an andere Völkerstämme und setzte sie ebenfalls in Bewegung. Als der Wellenschlag im Norden Griechenlands angelangt war, war er bereits so stark, daß einige Stämme wie vom Katapult abgeschossen aus den Gebirgstälern herausflogen, vor allem zwei, die (fremdsprachigen) Thraker und die (griechischen) Do-

rer. Die Lawine der Thraker rollte nach Osten zum Hellespont, die Dorer brachen über die Landenge von Korinth in den Peloponnes ein.
Wer die Landkarte im Gedächtnis oder wenigstens vorn und hinten im Buch hat, weiß, daß es von Korinth nach Mykene nur noch ein Katzensprung ist. Die Dorer, schwindelfrei wie alle Habenichtse, machten ihn. Sie hätten ihn auch lassen können; der Gedanke liegt ebenso nahe. Sie hätten sich den Herren des Landes, den Mykenern, unterwerfen können. Was ein richtiger moderner Mensch ist, für den ist dieser Fall sogar sonnenklar. Handreichen, verhandeln, ein »gutes Gespräch« führen, Ko-Existenz. Wenn die Griechen überhaupt etwas von dieser unserer feinen Kunst gewußt hätten, hätten sie in ihrer ganzen Geschichte so einträchtig leben können wie die heutige Welt.
Die Mykener aber, wie die Dorer, waren überhaupt nicht fein. Lassen Sie sich durch die Odyssee, die so reich an Beispielen der Gastfreundschaft ist, nicht täuschen; da spricht Homers Zeit. In der alten mykenischen Epoche genossen nur vornehme, interessante Fremdlinge und Handlungsreisende Gastrecht; der Namenlose, der verirrte Einzelne wurde sofort kassiert. Genau das wollten die Mykener nun mit den wandernden Dorern tun. Daß die Dorer reine Griechen, Blutsbrüder, waren, störte sie dabei nicht im geringsten.
Viele Dinge sind uns heute bei diesem Vorgang rätselhaft. Warum vereinigten sich die achaischen Fürsten nicht, wie sie sich vor Troja vereinigt hatten? Warum schloß man nicht die Tür zum Peloponnes, die Landenge von Korinth? Es ist doch undenkbar, daß jeder auf seiner Burg wartete, bis die Reihe an ihn kam? Wie

konnte das geringe Material an Waffen und Handwerkszeug, das die Dorer bestenfalls mit sich führten, ausreichen, Mykene zu stürmen? Warum konnte Tiryns, die nächste Festung in Sichtweite, das nicht verhindern? Lauter unbeantwortete Fragen, wenn man sich der allgemeinen Meinung anschließt, daß die Dorer Jahrzehnte, vielleicht sogar ein Jahrhundert gebraucht haben, um den Peloponnes zu erobern. Schließt man sich aber dieser Meinung nicht an, dann wird die Sache sehr interessant!
Nichts hindert uns anzunehmen, daß zur Zeit der Dorischen Wanderung, also kurz vor 1000, die alten achaischen Fürstengeschlechter längst nicht mehr die Helden waren, die in der Ilias besungen werden. Die goldenen Schüsseln, meine Freunde, die goldenen Schüsseln! Es ist der Lauf der Welt: Vor den Untergang haben die Götter die goldenen Schüsseln, nicht die Kohlrüben gesetzt! Der letzte Herr von Mykene, Urenkel Agamemnons, hatte zu hohen Blutdruck, das ist alles. Vieles hatte sich verändert in den letzten hundert Jahren der mykenischen Epoche. Hundert Jahre sind eine lange Zeit, genug zum Niedergang; heute schafft's manches Volk sogar schon in zehn. Das mykenische Königtum war verstädtert, und Verstädterung bedeutet bei jedem Feudalsystem Aufweichung, daran ist kein Zweifel. Uns ist zum Beispiel bekannt, daß um das Jahr 1200 die ursprüngliche Vasallensiedlung am Fuß der Festung Nauplia eine Stadt geworden war und an Reichtum und Einfluß die fürstliche Burg längst überflügelt hatte. Man mag dieses Bild mit unserer Vorstellung von den alten Helden nicht vereinen, aber wenn wir ihre Urenkel richtig sehen wollen, so müssen wir sie uns auf ihren Burgen schon fast verlas-

sen vorstellen. Es ist leider so; Urenkel *sehen* so aus, nicht nur in Hellas. Mit Mykene ging das Königtum ja überhaupt zu Ende; es wiederholte sich in der griechischen Geschichte nie mehr. Schon Homer konnte sich eine Monarchie alten Stiles nicht mehr richtig vorstellen. Ist es nun noch unerklärlich, daß Mykene, Tiryns, Nauplia, Midea, Larisa, Amyklai nacheinander und einzeln von den Dorern überrannt wurden?
Und wenn wirklich noch etwas unklar ist, will ich Ihnen sagen, wer die Dorer waren: Es sind die späteren Spartaner! Die Preußen unter den Griechen – das Wort stammt zum Glück nicht von mir.
An dieser Stelle angelangt, wollen wir uns ein Sternchen und eine kleine Atempause gönnen, denn ich kann Ihnen beruhigend versichern, daß für die folgenden 500 Jahre ähnliche Springfluten oder Katastrophen von der Art, wie sie die Historiker aus sicherer Entfernung »Blutauffrischung« zu nennen pflegen, nicht mehr zu erwarten sind. »Die Welt ist hingegeben«, die griechische Erde ist nun unter lauter Griechen verteilt; alle Darsteller befinden sich auf der Bühne, das Spiel kann beginnen.
Wie bei den Griechen nicht anders zu erwarten, begann es *nicht*.

*

Kein Homer berichtet von der »Dorischen Wanderung« und von dieser Jahrtausendwende riesiger Umwälzungen. Wir wüßten, wenn nicht die Archäologen und Gräzisten in mühevoller Kleinarbeit die Spuren gefunden hätten, nichts. Nur in der Sage von der »Rückkehr der Herakliden« erinnerte sich das Volk dunkel an die Vorgänge. Die Dorer in Gestalt der Söhne des Herakles zu sehen, ist ein Zeichen, wie sicher die Volksseele das Bild vergangener Gestalten erahnt. Es waren wirklich Herakliden; und die Spartaner, die Prototypen der Dorer, haben ihr Leben lang die Arbeit des Herakles fortgesetzt: den Versuch, den Stall auszumisten. Wer die menschliche Natur kennt, weiß, daß es ihnen nicht geglückt ist. Das ist wohl gut so. Das Leben mag Mist gern. Daher kommt es, daß man Sparta bewundert, aber Athen liebt. Doch das ist weit vorgegriffen. Zunächst müssen wir uns einmal darüber klarwerden, wie jetzt die Landkarte eigentlich aussieht. Im Vorübergehen verständigen wir uns dann noch über einige Dinge, die dazugehören.

Die Landkarte –

Ach, zuvor muß ich Ihnen noch etwas sagen: Sie sind sich doch hoffentlich bewußt, von welch winzigem Fleckchen Erde wir sprechen? Es nennt sich zwar »Wiege der Menschheit« und Schauplatz dessen, was wir mit »Geschichte des Altertums« bezeichnen, aber wir wollen nicht zu laut davon reden. Tatsächlich macht sich die abendländische Geschichtsschreibung fast lächerlich mit ihrer verzerrten Perspektive. 1000 v. Chr., als Griechenland gerade die Geburtswehen überstanden hatte und sich langsam anschickte, in die Weltgeschichte einzutreten, hatte Ägypten schon dreitausend Jahre hinter sich und trat in den Herbst seines Lebens ein; China zählte zehn Millionen Menschen, und die lange Kette seiner Kaiser war im 50. Glied angelangt; das babylonische Reich blickte auf eine viertausendjährige Geschichte und zweitausendjährige Macht zurück. Jedes dieser Reiche hätte genügt, Hellas zu diesem Zeitpunkt noch mit zwei Fingern zu zerdrücken.

Tatsächlich?

Tatsächlich. Aber – und das ist die geheimnisvolle Doppelgesichtigkeit der Geschichte – ebenso tatsächlich ist das große Reich der Hethiter in Kleinasien von den (seinerzeit zusammen mit den Dorern) katapultierten Thraker-Horden überrannt und zerschlagen worden. Wer also wagt zu sagen, in welche Himmelsrichtung wir uns zu verneigen haben, wenn wir unser Abendgebet sprechen?
Zurück zur Landkarte. Die Landkarte Griechenlands sieht kurz nach dem Jahre 1000 aus, wie alle Landkarten von Völkern auszusehen pflegen, die im Werden sind. So hat einmal Deutschland ausgeschaut, genauso Frankreich, genauso England. Man könnte die Karte mit vier oder fünf Farben ausmalen; sie würden die Siedlungsgebiete der einzelnen großen Volksstämme grob umreißen. Mehr zeichnete sich noch nicht ab. Und die Hoffnung – soweit kennen Sie ja die griechische Geschichte –, daß sich das alles einmal zusammenschweißt zu einer Nation wie Deutschland, Frankreich oder England, diese Hoffnung ist vergeblich. Genießen Sie daher den gegenwärtigen schlichten Zustand der griechischen Landkarte, später findet sich kein Mensch mehr zurecht.
Im Süden des Peloponnes und in der Argolis bis hinauf in die Nähe Athens saßen die Dorer. Sie saßen auch in Kreta, und da sie auf ihrer Wanderung gerade so schön im Zuge gewesen waren, hatten sie auch gleich noch Kleinasien einen Besuch abgestattet und sich an der Südküste festgesetzt.
Auf dem Peloponnes, »links« von den Dorern, lebten noch die alten Achaier. Sie saßen in Arkadien, Elis, Achaia und Messenien; vor allem aber saßen sie auf dem Pulverfaß, denn sie brauchten keine Hellseher zu

sein, um sich eines Tages unter spartanischer Herrschaft zu sehen. Da sie sozusagen nicht zur Straßen-, sondern zur Hofseite hinaus (in Richtung des noch ganz uninteressanten Italien) wohnten, hatte es ihnen an Gelegenheit gebrochen, sich ebenfalls einen Ableger in Kleinasien zu sichern. Um der Wahrheit die Ehre zu geben: Sie wollten auch gar nicht. Sie waren die Schweizer Griechenlands.

Ein dritter Stamm, die Ionier, siedelte schon seit der Mykener Zeit in Attika, der athenischen Halbinsel, und auf der nördlich vorgelagerten großen Insel Euböa. Ob dieser Stamm von der Dorischen Wanderung unberührt geblieben ist, oder ob die Dorer an den Mauern der Akropolis gescheitert sind, wie 1683 die Türken vor Wien, wissen wir nicht. (Wie komme ich gerade auf Wien? Merkwürdig, wie der Vergleich Athen mit Leben erfüllt!) Hinter der Weichheit der Athener hat sich immer Stärke verborgen. Kaum hatten sie gehört, daß die Dorer sich eine Kolonie in Kleinasien geschaffen hatten, setzten sie auf ihrem Breitengrad ebenfalls über und rissen das Mittelstück der Küste an sich – das beste aus dem zuckenden Körper des sterbenden Hethiter-Reiches. Jetzt war also die Küste mit ihren vielen vorgelagerten Inseln schon bis Smyrna hinauf griechisch.

Der vierte große Griechen-Stamm saß in dem Landstrich um die starke Festung Orchomenos, die noch lange die Krone Böotiens war, ehe Theben dort die Führung übernahm. Dieser Stamm war also der Nachbar Athens. Aber er saß auch noch weiter nördlich, in der thessalischen Ebene. Es waren die Äoler; wahrscheinlich eng verwandt mit den mykenischen Achaiern, zumindest ebenso alteingesessen; ein Volk, das

später in dem verstädterten Böotien weltmännisch wurde, in der weiten thessalischen Ebene aber weiter wie baltische Landbarone lebte. Thessalien war nie reich und wurde bald von seiner Schwester Böotien weit überflügelt, aber es war ein herrliches Land, das letzte Paradies der Pferde; seine Herren waren immer etwas hinterwäldlerisch, aber Grandseigneure. Nicht von Thessalien, sondern von Böotien ging wahrscheinlich der Anstoß aus, ebenfalls im Zuge der Kolonisation um die Jahrtausendwende nach Kleinasien überzusetzen. Auch sie, die Äoler, faßten Fuß und verlängerten die griechische Küstenkolonie noch einmal um hundert Kilometer nordwärts bis zur Bucht der Insel Lesbos.
Westlich von Böotien und Thessalien, also abermals mit dem Gesicht in Richtung Italien, saßen Reste der Achaier und Splitter uralter Stämme, zum Teil schon mit Nichtgriechen vermischt. Sie haben nie eine Rolle gespielt. Einst aber, in der vormykenischen Zeit, als Kreta noch blühte, da war dieses schroffe, unzugängliche Land der Herd der ersten Unruhe gewesen. In den tiefen Schluchten von Epirus lag Dodona, das sagenhafte Heiligtum der Ur-Griechen.
Die Landkarte hatte sich verändert – so nennt man, wir wissen es gut, das Fazit von Blut, Tränen, Brand, Mord, verzweifelter Landsuche und wütender Landverteidigung. Was aber die alten Reiche wie Babylon und Ägypten am meisten erregte und aus dem Schlaf fahren ließ, war der Zusammenbruch des großen Hethiterreiches in Kleinasien. Griechen saßen jetzt an der Küste, Thraker im Innern.
Bei dieser Geschichte gab es nun noch etwas Geheimnisvolles: Im Zusammenbruch des kleinasiatischen

Reiches war auch Chalybía gefallen. Chalybía lag an der Schwarzmeerküste und war das »Peenemünde« der Hethiter gewesen! Beide Namen, Chalybía wie Peenemünde, bedeuten Zeitenwenden. Als Peenemünde fiel, gelangte die ganze Welt in den Besitz des Geheimnisses der Raketenwaffen; als Chalybía fiel, war das einst sorgsam gehütete Geheimnis der Hethiter, die Eisengewinnung und Verarbeitung, gelüftet und nun in aller Munde. Die Völker griffen zu und begannen mit der militärischen Umrüstung von Bronze auf Eisen! Die weichen Kupferschwerter wichen eisernen, die brüchigen Bronze-Dolche waren veraltet gegenüber den neuen stählernen Klingen; die mannshohen ledernen oder silberbeschlagenen Schilde mußten durch eiserne ersetzt werden, wenn sie nicht sinnlos sein sollten. Die eisernen aber waren so schwer, daß sie nur klein sein konnten. Da sie nun klein waren, schützten sie Beine und Arme nicht mehr, und man erfand die eisernen Schuppen und Schienen. Jetzt erst, von diesem Zeitpunkt an, bekam der griechische Krieger sein klassisches Gesicht und sah so aus, wie er in unserer Vorstellung lebt und unsterblich geworden ist: den nackten, nur vom kurzen Chiton geschützten Körper stahlgepanzert und mit wehendem Helmbusch.
Die Welt hatte einen Ruck bekommen, eines griff ins andere, es war eine Umwälzung, die in die Geschichte eingegangen ist als Beginn der »Eisenzeit«. Das Wort Eisenzeit hat einen urweltlichen Klang, einen Klang nach Sage und längst Vergangenem, jedoch bis gestern lebten auch wir noch in ihr! Und es gibt hier nichts milde zu belächeln; die Geburtsstunde der Eisenzeit war damals nicht weniger einschneidend und das Wort nicht weniger unheimlich und drohend als das dunkle,

schwere Wort »Atomzeitalter«, das über unserem Jahrhundert steht.
Nach solchen Ereignissen pflegen die Barometer auf Sturm zu zeigen.
Nun, ich sagte es schon: Wie bei den Griechen nicht anders zu erwarten, folgte das Gegenteil. Eine Windstille legte sich über das Land. Die Geschichte von Hellas versinkt ab 1100 für fast 400 Jahre im Dunkel. Ist eine größere Überraschung vorstellbar? Welch ein Gedanke drängt sich da für uns auf! Freunde! Sollte das Schicksal stumpfsinnig genug sein, sich zu wiederholen? Lasset uns abermals ein Sternchen machen und in einer Pause schwelgen!

*

Das Dunkel, in das die griechische Geschichte von 1000 bis fast 600 vor Christus zurückfiel, ist ein angenehmes Dunkel, ein sympathisches Dunkel. Mir persönlich ist es so sympathisch, daß ich es, ganz entgegen der üblichen Meinung, überhaupt nicht als Dunkel empfinde. Es war die Zeit der stillen inneren Verwandlung. Die stacheligen Helden puppten sich ein, die Kokons sahen ebenso leb- wie belanglos aus; aber da drinnen entfaltete sich ein Wunder an Farben und Formen, um eines Tages den schillernden Schmetterling an das Sonnenlicht zu entlassen. Es war die Zeit der Reife, gewiß nicht ohne Härte und gewiß nicht ganz ohne Waffenklirren; aber nur Berufsmusiker vermissen hier Fanfaren. Homer lebte in dieser Zeit!
Hier schrieb er die Ilias und Odyssee, die »Bibel« der Griechen, mit der er ihnen die Götter, den Himmel, den Glauben, die Helden, die Ahnen und die (ihr ganzes Leben erfüllende) Sehnsucht nach Schönheit gab. Er war es, dem die Griechen verdankten, daß sie inmit-

ten von Schuld und Tragik unschuldig wie die Tiere blieben und niemals den Begriff »Sünde« kannten. Ihre Sprache hatte nicht einmal ein Wort dafür.
Homer war es, der jenes Wunder vollbrachte, das alle anderen Religionen so gerne vollbringen möchten: den Menschen zum Ebenbild Gottes zu machen. Die Griechen waren das einzige Volk, das in diesem unsagbar stolzen Bewußtsein leben durfte. Als Homer (ein einzelner, einsamer Mann in Smyrna, ein Schriftsteller, ein Sänger) ihnen diesen Glauben stiftete, vollbrachte er eine geistige Tat, die so seltsam, so merkwürdig und zugleich so gewaltig ist, daß er, wenn er es bewußt getan hat, das Herz eines Erlösers gehabt haben muß. Er hat die Frage nach dem Sinn der Schöpfung, unseren heutigen furchtbaren, nagenden Zweifel, für die Griechen aus der Welt geschafft! Merken Sie wohl auf: Er hat die Frage nicht etwa beantwortet, er hat sie verhindert, er hat sie mit der Wurzel ausgerissen. *Seine* Götter – sie mögen oft rachsüchtig, ärgerlich, zänkisch sein – seine Götter haben die Menschen *nicht* geschaffen, um sie in quälerische »Versuchung« und sinnlose »Erbsünde« zu stoßen. Sie gönnen ihnen das gleiche Leben wie sich selbst. Homers Götter sind mächtig und unsterblich – nur dies unterscheidet sie von den Menschen, sonst nichts. Denn das »Gesetz der Welt« liegt nicht in den Göttern, auch nicht in Zeus; es liegt als Kraftfeld unsichtbar mitten unter ihnen. Es liegt in keiner Hand, es ist die Summe, der Schwerpunkt, um den sie sich alle drehen, die Menschen im Wirbel, die Unsterblichen in langsamer Gravität.
Homer war es, der dem klassischen Griechenland die Begriffe Gut und Böse gegeben hat; aber nicht als Ethik, sondern als Ästhetik! Sehen Sie die Kühnheit

dieses Schrittes? Das Strahlende dieser Idee? Das Unerhörte des Maßstabes? Die Götter zu verehren ist nicht »fromm« – es ist klug. Das Gute ist nicht »moralisch« – es ist schön. Die Wahrheit ist schön, die Treue ist schön, die Tapferkeit ist schön, die Aufrichtigkeit ist schön, die Gerechtigkeit ist schön, alles das ist voller Schönheit, voller Eleganz, voller Harmonie, voller Kunst. Mord, Diebstahl, Betrug sind häßlich, unästhetisch, Stückwerk, Disharmonie, Abwesenheit von Schönheit, verlorene, entgangene Genüsse.
Verlogen – ehrlich, treulos – aufopfernd, faul – ehrgeizig, zänkisch – tolerant, das war eine Frage der Wahl, der Ästhetik, des Schönheitssinns, der persönlichen Kultur, des Feinschmeckertums. Kein anderes Volk hat soviel gelogen wie die Griechen; sie trugen es nicht als Sünde, sie trugen es wie schmutzige Fingernägel.
Jetzt wird auch klar, wie sich die Dinge einmal überraschend verkehren können: Die gigantischen Lügen des Odysseus gegenüber Polyphem zum Beispiel können herrliche Kunstwerke sein, Leistungen von höchster Schönheit verglichen mit dem plumpen und unästhetischen Belogenen, und Homer ist nur konsequent, wenn er Athene bewundernd ausrufen läßt, dies zu übertreffen würde selbst Göttern schwerfallen!
Das ist ein Wort, wofür ihr jeder Grieche Rosen zu Füßen gelegt hätte.
Homer hat den Griechen die Qual der »Letzten Fragen« erspart. Erst in der späteren Zeit wurde ihre Religion komplizierter, dunkler, mystischer.
Eine Qual aber hat ihnen Homer nicht ersparen und abnehmen können: die Unabwendbarkeit und Endgültigkeit des Todes. Der Gedanke an die Sterblichkeit war die wahre Tragik der griechischen Seele. Sie haben

die Götter glühend beneidet. Dafür hat ihnen dann Homer einen Triumph über sie gegeben, einen entschädigenden Gedanken von einmaliger Tröstlichkeit und Weisheit: Götter haben kein Schicksal –
Und da können sie einem ja wohl wirklich leid tun!

Das also war die »dunkle« Zeit nach der Jahrtausendwende. Das Mysterium der Verwandlung war in vollem Gange. Ilias und Odyssee flogen als Gesänge über alle Länder, wo Griechen wohnten. Zum erstenmal fühlte man, daß man *ein* Blut, *eine* Geschichte und *einen* Himmel hatte, zum erstenmal fühlte man sich als »Volk«, und zum erstenmal sprach man eine gemeinsame Sprache. Das Ionisch von Smyrna, das Homer sprach, wurde das klassische Griechisch, wie Luthers Sächsisch das klassische Deutsch wurde. Und um diese Zeit geschah es auch, daß der Name »Hellenen« auftauchte, eigentlich die Bezeichnung eines winzig kleinen Stammes um das alte Heiligtum Dodona. Auch dieses Wort fand plötzlich den Weg in alle Herzen.
Die griechische Schrift, dieses erste Wunderwerk an Vokalen, wurde erfunden. Es war die Tat eines einzelnen Mannes, eines Genies. Er muß kurz vor Homer gelebt haben, aber wir wissen nichts von ihm.
Das erste griechische Geld wurde geprägt.
Die ersten Gesetze formuliert.
Die Zeit war reif.
Wofür –
Wofür?
Jeder Grieche hätte die gleiche, die einzig richtige Antwort gegeben: Zu gar nichts Besonderem; zum Leben; zu irgendeinem, aber *großen* Schicksal!
Es wurde eins.

IM FÜNFTEN KAPITEL

werden wir einen Bummel durch Athen machen, das zu dieser Zeit noch eine kleine Stadt ist und ganz anders aussieht, als wir es uns vorzustellen pflegen. Bleiben wir einem athenischen Herrn auf den Fersen, der gerade zu »Aal grün« und Schlagsahne nach Hause geht. Sie kennen ihn übrigens.

DIE GESCHICHTE DES KLASSISCHEN HELLAS BEGINNT! EIN feierlicher Satz; aber er kann gar nicht feierlich genug sein.
Es gibt viele Beginne: mit dem Lärm und Gerassel einer Schlacht, mit der Fanfare eines Sieges, mit den dumpfen Trommeln einer Niederlage, mit dem Federstrich eines Königs oder dem Wutausbruch eines Kaisers. Es gibt Beginne aus dem Einzelnen und aus der Masse, und seit dem 20. Jahrhundert auch aus dem Brei. Immer aber, wenn man den Scheinwerfer auf den Ausgangspunkt richtet, sieht man das gleiche Bild: Kampf, Tod, Zerstörung. Es ist, als ob die Archäologie »Leben« nicht anders beweisen könne als durch Rückschlüsse: Wer auf dem Soldatenfriedhof liegt, muß einmal gelebt haben.
Ganz anders beginnt Griechenlands klassische Zeit. Sie beginnt mit einem Mann, auf dessen Leben Sie den Scheinwerferstrahl, wohin auch immer, richten können, ohne daß Sie erbleichen oder er erröten müßten. Sie werden zugeben, daß das fast ein Wunder ist. Ich kenne nur zwei Menschen der alten Welt, bei denen das zutrifft: ihn und Otto den Großen.
Ich könnte Ihnen nun einfach seinen Namen nennen. Das würde bei Ihnen etwas auslösen, was die Zoologen sehr treffend den »Aha-Moment« nennen. Es würde Ihnen alles einfallen, was Sie auf der Schule gelernt haben; und da sei Gott vor.
Der Mann, von dem wir sprechen, war Athener. Athen war damals, im Jahre 593 v.Chr., noch nicht die glänzende, große, lichte Stadt. Sie ist um diese Zeit zwar schon die beherrschende von Attika, aber das ist kein großes Kunststück; das Hinterland ist arm. Ein paar tausend wehrfähige Männer, ein paar tausend fast

unsichtbar in den Häusern lebende Frauen und einige tausend Hörige und Sklaven wohnen innerhalb der Mauern, die sich wie ein verbeulter Kreis um die Akropolis ziehen. In zehn Minuten durchwandert man Athen von einem Ende bis zum anderen. Athen hat eine Patrizier-Regierung, es hat keinen König, keinen Kaiser, keinen Diktator, keinen Fürsten, keinen Heiligen, das heißt also – da dies die einzigen wären, die mit der Welt Versteck zu spielen pflegen – jeder Mann ist irgendwann einmal auf der Straße. Man bekommt jeden zu sehen, und es ist gar keine Schwierigkeit, dem Manne zu begegnen, von dem wir sprechen.
Er geht zum Beispiel jetzt, am Spätnachmittag, über die Agorá, den Marktplatz; er ist von einem zahmen Wiesel begleitet, das alle zehn Schritte auf die Schulter seines Herrn springt, wenn es vor den zottigen Pelzen der fremden Bauern erschrickt oder wenn ein Molosser-Hund seinen großen Schädel aus einem Hauseingang steckt. Diese Häuser sind schlicht, auch wenn einige schon marmorverkleidet sind, denn Marmor ist billig; die Wände sehen von der Straße aus wie überdachte Mauern, denn fast alle Fensteröffnungen gehen auf einen Innenhof oder ein Gärtchen. Am Kerameikos-Markt, wo die berühmten athenischen Export-Töpfer sitzen und das Menschengewühl groß ist, haben die Häuser natürlich ein anderes Gesicht; es sind Fachwerkhäuschen, hundert Drachmen das Stück.
Der Mann mit seinem Wiesel überquert den Kerameikos und wendet sich dem Villenviertel zu. Die Akropolis, auf der noch keiner der späteren Tempel steht, sondern eine düstere, zyklopische Festung, liegt in der Abendsonne. Es ist Zeit zur Hauptmahlzeit. Der Mann schlägt mit einer schönen Geste das faltige weiße

Manteltuch enger um die Schultern und tritt vor ein reliefgeschmücktes Tor. Das Wiesel ist mit einem schnellen Satz über die Mauer. Der Mann erwidert den Gruß Vorübergehender und sieht lange einem Knaben nach, der mit sehnigen hohen Beinen das Gäßchen hinuntergeht, auf dem Wollkopf einen Korb balancierend, eine Weidenflöte spielend und sich ab und zu nach dem am Tore Wartenden umschauend. Bevor er um die Straßenecke biegt, wirft er noch einmal einen ehrfürchtigen Blick zurück. Der Mann am Tor betätigt nun den bronzenen Klopfer, während er mit krauser Nase den Duft von würzig gekochten Aalen einsaugt und auf einen Klang horcht, der aus dem Mageireion, der Küche seines Hauses, kommt und den er liebt: Eine Sklavin schlägt Schlagsahne. Dann öffnet man die Tür; nicht der Diener ist es wie sonst, sondern die Herrin des Hauses selbst, und sie sagt: »Grüß dich, Solon!«
Sie glauben es nicht? Ich ahnte es. Ich hätte sagen müssen: »Bei Zeus! Du bist es? Tritt ein, o Solon, mein Gemahl!« denn, so haben Sie gelernt, die alten Griechen waren klassisch, und klassisch ist getragen, hoheitsvoll, fremdartig, priesterlich, denkmalshaft.
Ich weiß nicht, wer diese irrsinnige Meinung zum erstenmal aufgebracht hat; anscheinend waren sich alle einig. Seit Goethes »Iphigenie«, seit Winckelmann und seit dem Auffinden der griechischen Plastiken hat man die Menschen des alten Hellas zu überirdischen Wesen gemacht, denen die Banalitäten des Alltags offenbar gänzlich unbekannt waren. Da gibt es niemanden, der niest, niemand hat einen hohlen Zahn, niemand juckt sich, niemand ist häßlich, oder wenn doch, dann ist diese Tatsache eine solche Sensation wie bei Sokrates; kein Schuster flucht; kein Bäcker schwitzt; man ißt

nicht, man schmaust; man geht nicht, man schreitet; man schnarcht nicht, man ruht; nie ist ein Kamin verstopft, nie zählt jemand sein Kleingeld, nie bekommt jemand eine Ohrfeige. Alle wohnen zwischen Säulen, entzünden Feuer oder tragen als Selbstzweck Dramenrollen in der Hand, und abends sitzen sie wie Feuerbachs »Medea« am Meer und überwinden eine große Blutschuld.

Wie konnte man Griechenland so mißverstehen! Was hatte man von diesem gespenstischen, versteinerten Wunderland? Wie konnte man vergessen, daß Goethes »Iphigenie« die Dichtung eines Mannes war, der längst nicht mehr, wie einst in seiner Jugendzeit, die Welt der Wirklichkeit zeigen wollte, sondern eine verklärte Welt? Wie konnte man die Hymne »Iphigenie« für ein Abbild des griechischen Alltags halten? Wie kam man nur auf den Gedanken, in Praxiteles einen Photographen und in seinen Gestalten die Norm jener Menschen zu sehen? Wie konnte man aus jedem Kleiderfetzen, aus dem simplen Chiton-Hemd, aus dem harmlosen kleinen Mantel oder dem einfachen rechteckigen Himation-Tuch ein geheimnisvolles Kunstwerk machen? Wie konnte man in dem spaßigen, friedlichen Symposion ein olympisches Gelage sehen? Wer übersetzte den alten griechischen Gruß χαῖϱε mit »O freue dich«? Das ist wahrhaft bodenlos; er heißt »Grüß dich« und »Guten Tag«.

Aber, meine Freunde, werden Sie es vertragen, daß ich Ihnen das klassische Hellas so profaniere? Ich kann Ihnen als Ersatz dafür nicht mehr bieten, als die totäugigen Marmorbüsten zum Leben zu erwecken. Ich will dem Marmor die Farben zurückgeben, mit denen er einst wirklich bemalt war.

Solon, meine Freunde, war also ein Mensch aus Fleisch und Blut, der Knabe mit dem Korb war aus Fleisch und Blut, die Wiesel waren die Hauskatzen Athens, und die Schlagsahne hieß ἀφρόγαλα, Schaumblasenmilch. Die Bauern brachten die Milch morgens auf ihren Karren nach Athen, man konnte die braungebrannten Gestalten schon an ihrer obligatorischen Kleidung erkennen, an dem dürftigen Lendenschurz und dem Fell, das sie als »vom Lande« kennzeichnen sollte; die Bauern und Fuhrknechte waren auch die einzigen, die immer und ewig ihre speckige Filzkappe auf dem Kopf hatten. So sah man sie mit Sonnenaufgang von den Gehöften aufbrechen, im Magen nichts als etwas Brot, in Wein getaucht, im Mund unter der Zunge einen kupfernen Obolos, den Notgroschen »für alle Fälle«, und im Herzen Sorge, denn die Zeit war schwer. Auf den Feldern, wo der Weizen unter Weinreben und Feigenbäumen sich mühsam durch die ausgetrocknete, brüchige Erde zwängte, standen oft, so weit das Auge reichte, steinerne Tafeln, die »Schuldsteine«, und sie vermehrten sich von Jahr zu Jahr; bald würden die Bauern ihr Land ganz los und die athenischen Patrizier die Herren Attikas sein. Die Stadt zahlte Schleuderpreise, im Hafen lagen die Handelsschiffe dicht an dicht am Kai und schütteten, was das Ausland bot, in die Stadt, die Bauern kamen nicht nach, die Hypotheken kosteten zwölf Prozent und machten, wenn sie Haus und Hof geschluckt hatten, auch vor den Menschen nicht halt: Der Gläubiger konnte sie zu Sklaven machen – ein Wort, das viele Bauern nicht mehr schreckte. Sklaven hatten es gut; es war noch keiner verhungert. Wenn man nur nicht in die Fremde verkauft wurde...
Eine böse Zeit. Selbst Pan hatte keinen Spaß mehr, und

nur noch selten und in abgelegenen Gegenden erschien er um die Mittagsstunde (die griechische »Geisterstunde«) bocksbeinig und mit Spitzohren dem einsamen Hirten, um ihn zu erschrecken und seinen Schabernack zu treiben.
So zogen die Bauern mit ihren zweirädrigen Karren, bepackt mit tönernen Milchgefäßen, Käseballen und Olivenöl-Krügen (Butter aß man nicht) auf den holprigen Wegen zur Stadt. Äcker, Weinhänge und steinige Olivenplantagen wechselten mit weiten Strecken voll niedrigem Gehölz, von Hunderten von Ziegenherden kahlgefressen. Nordwärts, auf den Bergen, standen noch Bäume, ein dünner, lichter Nadelwald, der der Sippe des Atheners Krissos gehörte (oder wie immer er hieß). Dort lagen auch seine Kohlenmeiler. Und was nicht Krissos gehörte, gehörte den Medontiden (von denen auch Solon stammte), die das Holz für die staatlichen Werften lieferten und das Harz, mit dem die Weinkellereien den griechischen Wein verharzten. Alle Koniferenwälder bluteten; eines Tages würden sie sterben und Griechenland kahl sein und die Schrate und Nymphen verschwunden.
Je näher man der Stadt kam, desto lebhafter wurde es. Junge Athener machten auf gestriegelten und geputzten thessalischen Pferden ihren Morgenritt, den kleinen Mantel um die Hüften, nackt auf den Tieren sitzend; oder sie drehten auf der südlichen Pnyxstraße, die zum Meer führte, mit ihren Rennwagen Trainingsrunden. Herrlich sahen sie aus, die Jungen, wenn sie die Pferde zügelten und sich wie ein gespannter Bogen weit zurückbeugten, die Arme wie Pfeile vorgestreckt, die schlanken Schenkel zitternd vor Erregung im verspielten Kampf mit den Tieren. Dann rollte ein Zug

von Wagen vorüber, der die athenischen Töpferwaren zu den Schiffen brachte. Die Krüge, Schüsseln und Amphoren, bemalt und farbig gebrannt, sahen aus dem Stroh heraus, herrliche Stücke; vielleicht gehörten sie Lykedamis, dem reichen Exporteur, oder den Alkmaioniden, von denen niemand wußte, was sie alles im geheimen besaßen, obwohl sie seit ihrem Eidbruch und Frevel am Athene-Tempel verbannt waren. Die Götter, dachte der Bauer, mögen mich schützen, einem von ihnen je zu begegnen, sicherlich tragen sie das Zeichen der Erinnyen, der Rachegeister, auf der Stirn. Einmal aber, wenn der Fluch gelöst sein wird, werden sie zurückkommen, vornehme, stolze Herren, und die Zeit wird noch schwerer werden.
Jetzt tauchten die Stadtmauern auf. Ein blauer Teppich begleitete die Straße rechts und links bis zum Tor; es waren die berühmten athenischen Veilchenfelder, schattige Plantagen; im Süden und Osten Veilchen, im Norden Rosen und Krokus; der Duft zog sich, wenn sich ein Windhauch erhob, wie ein Ring um Athen.
Noch ganz trunken von dem Anblick und voll von dem Duft, den man so liebte, schreckte unseren kleinen Bauern, sobald er in das Gewirr der Kleine-Leute-Straßen eintrat, der vertraute Ruf auf: »Obacht!« und ein Bottich voll Schmutzwasser und Unrat ergoß sich in den Gassenrand. Zugleich entwischten durch die offene Tür zwei feiste Schweinchen, wie sie viele Athener noch mitten in der Stadt hielten. Die ganze Straße rannte den Ferkeln nach; der Schuster, der im offenen Torbogen gehämmert hatte, ergriff den Lederhaken, der Schneider sprang von seinem Dreibein, auf dem er seine Straßenwerkstatt betrieb, und schwang die Maßschnur, der Färber versuchte mit seinen safrangelben

Händen die Sterze zu erwischen; da tauchte im richtigen Augenblick die Mannschaft der Straßenreinigung auf und drosch mit ihren Besen die Tiere in den Stall zurück.

In der Seitengasse lag die große Färberei, die Krissos gehörte. Ein reicher Mann, dieser Krissos, ein glücklicher Mann; welche Farbenpracht konnte er täglich sehen, und wer hinderte ihn, sich alle Gewänder purpurn färben zu lassen, was sich sicher nur die Götter leisten konnten.

Purpur, ach Purpur, die Leidenschaft eines ganzen Volkes! Alljährlich kaufte Athen von den phokischen Fischern Millionen von Purpurschnecken, denn so wie eine Muschel nur eine Perle, so schenkte jede Schnecke nur *einen* Tropfen der glühenden Farbe.

Die Bauern blieben stehen, wenn sie vorüberkamen, und bewunderten die zum Trocknen aufgehängten Stoffe, diese Träume von zartestem gelbem Hauch über Grün und Blau bis zum homerischen »Purpur der Nacht«. Ihr Götter, war das Leben schön! Und vielleicht gelang es, das Schicksal der Knechtschaft noch einmal abzuwenden.

Wenn der Karren abgeladen, wenn Milch, Käse und Öl abgeliefert waren, dann konnte man, ehe man zurückfuhr, noch einen Sprung auf den Markt machen. Jetzt war die Stunde, zu der Athen einkaufte. Da kamen die Haushofmeister mit ihren Sklaven und die Männer aus dem einfachen Volk, die ihr Zickel- oder Schweinefleisch, das kleine Stück gepökelten Thunfisch und die Feigen im Mantelzipfel selbst nach Hause trugen. Wie viele Mäuler mußten in manchen Häusern sein! Da gab es Hofmeister, die kauften zehn Weizenbrote, fünf Käse, drei Wasserhühner, drei Hasenpfeffer mit Ge-

würzen, fünfundzwanzig Knackwürste, einen Beutel Erbsen und drei Krüge Wein! Ja, die Stadt, man konnte nur staunen. Aale aus Böotien, Honig aus Phokis, Pferde aus Thessalien, Marmor aus Paros, Holz aus Makedonien. Liebeslieder aus Lesbos:
Die du thronst auf Blumen, du schaumgeborene Tochter des Zeus, ach, wenn du mich doch fragtest: Was beklemmt deine Brust, wen soll ich ins Netz dir schmeicheln, welchem Liebling schmelzen den Sinn?

– Sappho! Daß eine Frau so etwas dichten konnte! Vielleicht war sie Athene oder Artemis selbst.
...wen soll ich ins Netz dir schmeicheln? Wie schön diese Worte! Ach, du schaumgeborene Tochter des Zeus, den Knaben dort drüben, wenn es dir recht ist! Er sieht dem Treiben zu, als sei er der Herr dieser Menschen. Wenn man nicht wüßte, daß er Peisistratos heißt, aus der Familie des Nestor stammt und der Geliebte Solons ist, könnte man ihn für einen Gott halten. Leb wohl, junger Apoll, ich muß zurück zu meinem Karren! Wenigstens haben meine Augen dich verschlungen. Bringe Solon Glück, damit auch er uns Glück bringt. Ganz Attika denkt in diesen Tagen an ihn.

Ganz Attika dachte in diesen Tagen an Solon.
Der athenische Bürger Solon war zu diesem Zeitpunkt 47 Jahre alt. Stellen Sie sich einen Mann vor wie – erschrecken Sie jetzt nicht über die hautnahe Wirklichkeit – einen Mann wie Ernst Jünger, zu weise, um noch Ambitionen zu haben, ein Ikarus im Gehäuse, Pour-le-mérite-Träger und Dichter. Stellen Sie sich, wenn Sie können, vor, daß ein ganzes Volk, Feudal-Adel

und Industriekapitäne, Landjunker, Bankiers, Kaufleute, Handwerker, Beamte und Arbeiter zu diesem Mann kommen und ihr Schicksal ohne Bedingung in seine Hände legen – und Sie werden ermessen, welche Größe beide Partner, der eine wie der andere, besaßen; wenigstens einen entscheidenden Augenblick lang.

Im Jahre 594 berief man Solon zum Archonten, zum Regenten, und beauftragte ihn – ja, womit? Die Philologen pflegen sich anzuschauen, was Solon gemacht hat, und schließen daraus, daß es genau das war, was er machen *sollte*. Also Gesetze.
Das ist ein Musterbeispiel von steriler Geschichtsbetrachtung. Der Kurzschluß ist verblüffend!
Wahr ist vielmehr, daß kein Athener eine Vorstellung hatte, was überhaupt zu tun sei. Nicht, daß der Staat vor dem Ruin stand; wie hätte das damals aussehen sollen? Nein, die Griechen waren noch gesund genug, den Alarm viel früher zu spüren: Das Handwerk starb erschreckend ab, die Rechtsprechung versagte, das Geld ballte sich so einseitig zusammen, daß es fast nicht mehr umlief, die Bauern verarmten, die Söhne wanderten aus – die Gemeinschaft war nicht mehr liebenswert, der Staat war verächtlich. Nicht verbrecherisch und nicht bankrott: Er war einfach eine Fehlkonstruktion. Als die Athener zu Solon gingen und ihm die Blanko-Unterschrift des ganzen Volkes überbrachten, machten sie die Augen fest zu und warteten auf den Knall, der kommen würde. Es ist möglich, daß man sogar so weit gehen kann zu sagen: Solon hätte sich zum König machen können. Man kann gar nicht genug Spannung und Dramatik in den Moment legen, in dem Solon den Schwur Athens entgegennahm.

Nicht weniger erstaunlich ist die Haltung der alten reichen Familien, der sogenannten Eupatriden, der »Männer mit guten Vätern«. Es kann kein Zweifel darüber bestehen, daß sie, die in wenigen Generationen fast das ganze Land Attika mitsamt dem toten und lebenden bäuerlichen und handwerklichen Inventar verschlungen hatten, genug Söldnermacht besessen hätten, die gärenden Unruhen niederzuschlagen. Auch die Gegnerschaft untereinander ist da kein Hindernis; wir wissen: Trusts einigen sich schnell. Wenn die Eupatriden dennoch nicht zum Schwert griffen, sondern die Hände sinken ließen, so beruhte das auf einer Liebe zum Staatsleben, wie sie heute ausgestorben ist. Zehn große Familien und der Rest Sklaven – welchen Konzernpräsidenten würde das heute schrecken? Haha, das wäre ein Fressen, meine Herren, was? Das Leben als Lohnbuchhaltung und Bachs Kunst der Fuge auf der Registrierkasse – sind das Aspekte?
Athen erwartete von Solon, daß er den Staat vor diesem Kältetod bewahren würde.
Solon war aus altem Geschlecht und reich, er war Truppenführer gewesen und siegreich heimgekehrt, und er war ein gefeierter Dichter. In Hunderten von Elegien hatte er, etwa wie Walther von der Vogelweide, seine Zeit angeklagt. Man zitierte seine Verse auf der Straße, man kannte sie auswendig.
Nach den Versen sollte er nun Geschichte schreiben.
Was er beschloß, war von jener Einfachheit, wie sie allergrößte Staatsmänner und allergrößte Dilettanten gemeinsam haben.
Er verkündete als erstes die Aufhebung aller auf Arbeit, auf Grund und Boden und auf Leibeigenschaft gemachten Schulden und verbot für alle Zukunft das

Beleihen des Körpers. Alle in Leibeigenschaft Geratenen waren sofort freizulassen, alle ins Ausland Verkauften auf Staatskosten sofort zurückzuholen.
Die Eupatriden waren über Nacht um Millionen ärmer geworden; sie nahmen den Schlag hin, ohne mit der Wimper zu zucken. Das zweite Gesetz verordnete eine Währungreform und eine Normung der Maße und Gewichte.
Das dritte entmachtete den Familientrust. Jeder, der kinderlos war, konnte seinen Besitz jetzt testamentarisch ohne Rücksicht auf andere Verwandte jedem beliebigen Bürger vererben. Und jeder, der Kenntnis von einem Unrecht hatte, konnte Anzeige erstatten, auch wenn der Kreis der Betroffenen sich einig war und selbst keine Klage erhoben hätte.
Das vierte Gesetz verbot den Export aller Bodenprodukte, die lebenswichtig, aber zu knapp waren.
Ein anderes Gesetz galt der Förderung des rapide aussterbenden Handwerks. Interessanterweise versuchte Solon hier gar nicht erst, etwas zu befehlen, sondern er setzte einfach die Eltern unter Druck. Niemand sollte im Alter und in der Not Anspruch auf Unterstützung durch die Söhne haben, wenn er es nicht für nötig befunden hatte, sie in der Jugend ein Handwerk lernen zu lassen.
Schon diese Gesetze greifen zum Teil in den Bereich der Verfassung über; nun aber folgten zwei, die an den Nerv der Staatskonstruktion gingen. Solon schuf einen »Rat der 400« – aus dem Volk durch das Los bestimmt –, eine Art Unterhaus als Gegengewicht gegen den seit alter Zeit bestehenden »Areopag«, das bisher allein rechtsprechende und aufsichtführende Oberhaus der Eupatriden. Ferner setzte er fest, daß über Krieg und

Frieden und über die Berufung der höchsten Staatsbeamten die Versammlung des gesamten Volkes zu entscheiden habe. Noch einmal kommt hier Solons große Menschenkenntnis und zugleich seine Bitternis zum Ausdruck: Das Gesetz verlangte bei Volksentscheidungen, daß jeder Bürger sich klar und eindeutig auf eine Seite stellen und zum Ja oder Nein bekennen sollte. Wer es nicht tat, verlor das Bürgerrecht.
Es war die Geburtsstunde des demokratischen Bewußtseins. Ich möchte fast behaupten, daß die Schaffung dieses Bewußtseins und das Haltmachen einen Schritt *vor* der tatsächlichen Demokratie Solons größte Leistung als Staatsmann war. Die Mauer, durch die die Griechen vor diesem utopischen Schritt bewahrt werden sollten, schuf er in einem neuen Grundgesetz:
Vor der Volksversammlung und vor dem Volksgericht waren alle Bürger gleich; ging es aber um das Staatswesen, so schien es Solon unbedingt nötig, die Stimmen derer, die »nichts zu verlieren« hatten, auszuschalten. Solon faßte Athen zum erstenmal als eine Art Liegenschaft oder als Aktiengesellschaft auf. Er teilte die Aktionäre nach der Größe ihrer Aktienpakete in drei Gruppen ein, in die sogenannten 500-Scheffler (Boden- oder Geldertrag pro Jahr), die 300-Scheffler und die 200-Scheffler. In dieser Abstufung und ohne Rücksicht auf Adel und Herkunft waren ihnen die entscheidenden Staatsämter vorbehalten. Wer weniger verdiente, also vielleicht gerade seinen Lebensunterhalt, hatte sich als ein »Bürger ohne Kaution« zu bescheiden. So schätzte Solon das Wesen eines Stadtstaates ein. Und so schätzte er die Griechen ein. Sein Gedanke ist als eine der möglichen Ordnungsprinzipien in der Welt bestehen geblieben – offen oder geheim.

593 war das Werk Solons vollendet. Die Gesetze wurden auf drehbare Tafeln geschrieben, die Grundgesetze in die steinernen Säulen der alten Königshalle eingemeißelt.
Eines Tages war es so weit. Die Sonne Homers stand über Athen, ein Meer von Menschen auf der Agora, ein Mann, in den feierlichen purpurnen Himation gekleidet, vor der Säulenhalle, Χαῖρε, Σόλων! (Chaire, Solon!)
Das Volk hob die Hand zum Schwur.
Es gelobte, niemals einen Buchstaben an dieser Verfassung zu ändern, ohne Solon gefragt zu haben.
Ein großer Augenblick.
Fürwahr! Der größere aber, der unvergleichlich größere, kam erst jetzt: Solon ging nach Hause, packte die Koffer und verließ, um *nicht* gefragt werden zu können, Athen.
Und hier nun, meine Freunde, wollen wir uns nicht länger beherrschen, sondern gestehen, daß uns der blasse Neid packt. Nicht jede Zeit – das wissen wir – kann einen Solon haben, aber jede Zeit hat Koffer.

DAS SECHSTE KAPITEL

behandelt ein heikles Thema, das aber der Schlüssel zum Herzen der Griechen ist: die Paiderastía. Es ist das Angenehme an Fremdwörtern, daß sie von Kindern unter 18 Jahren nicht verstanden und von Kindern über 18 Jahren wenigstens verwechselt werden. Das drückt sich auch in den heutigen Strafgesetzen aus, die Paiderastía für eine Art Steuerhinterziehung halten.

ZWEIERLEI HATTE SOLON ZURÜCKGELASSEN: DEN KNABEN Peisistratos und die Alkmaioniden.

Das alte, herrschsüchtige Geschlecht der Alkmaioniden, vor einer Generation wegen einer eidbrüchigen Bluttat verbannt, war von Solon begnadigt und durch die Priester vom Fluch gelöst worden. Da waren sie nun wieder, die Alten und die Jungen, Onkel und Neffen und Vettern, sie gingen durch die Stadt, groß und schön, herrlich anzusehen. Sie nahmen von allem aufs neue Besitz, nur von den Staatsgeschäften hielten sie sich fern. Das Unheil umwitterte sie noch. Daß ihre Stunde wiederkommen würde, davon waren sie überzeugt, und Sie dürfen es auch sein.

Für ganz uninteressant dagegen hielten die Griechen den etwa 14 oder 15 Jahre alten Knaben Peisistratos. Und das hätten sie nicht tun sollen! Wenn es ihnen schon nicht eine kurze Überlegung sagte, so hätte es ihnen ein alter Volksglaube sagen müssen.

Das muß ich erklären.

Ich tue es mit einiger Scheu; ich tue es aber auch mit ebensoviel Vergnügen. Bei dem, was nun folgt, vergessen Sie bitte nicht, daß ich von Dingen berichte, über die sich damals jedermann ganz offen unterhalten hätte. Wir sollten ausführlich und in Ruhe darüber sprechen. Im Augenblick ist nichts wichtiger.

Sie wissen natürlich, wovon wir zu reden haben: Von der Paiderastía, der Knabenliebe. Das wäre nicht schwer. Es könnte auf die einfache Mitteilung hinauslaufen, und Sie könnten die Tatsache hinnehmen wie ein Faktum, über das die Menschen sich als abwegige, unnatürliche Erscheinung im klaren sind. Aber die Dinge liegen anders. Sie liegen bedrückend anders. Wir müssen uns darüber im klaren sein, daß die heutige

Zeit diese Dinge nicht etwa »ablehnt« oder »mißbilligt«, sondern sie als »verbrecherisch« bezeichnet! 1952 schrieb der spanische Philosoph Ortega y Gasset: »Es ist mir versagt, eine wenn auch noch so kurze Analyse des Liebesgefühls bei den Griechen zu versuchen. Das Muckertum des Landes, in dem ich lebe, und des Landes, in dem Sie atmen, versagt uns leider, diese tiefsten menschlichen Probleme mit der schuldigen Klarheit zu behandeln.«

Wir werden es erleben, daß diese Frage unserer sogenannten Wahrhaftigkeit Ohrfeigen versetzen wird.

Schalten Sie noch einmal alles aus, was Sie wissen –, doch Sie werden es nicht können. Deshalb muß ich Sie zuerst in Ihrer Sicherheit erschüttern. Ich werde Sie mit banalen Beispielen aus dem Alltag schockieren. Beginnen wir so:

Eine Vase ist eine Sache, ein Ding, das eine natürliche Bestimmung hat; die Bestimmung ist so selbstverständlich, daß es eine Perversion wäre, sie zu bestreiten. Das ist klar.

Eine Kupferkasserolle ist ein Ding, das ebenso genau und klar in unserer Vorstellung seinen Platz hat, das einem Zweck dient und geradezu aus diesem Bedürfnis heraus geschaffen ist. Das ist klar.

Ein Speichenrad, das hölzerne Rad eines Wagens, wunderbare und elementarste Erfindung des Menschen, ist schlechthin das Symbol eines Naturgesetzes, und die Leistung des Rades ist schlechthin die Belohnung des Menschen für sein Lauschen auf den Willen der Gesetze. Auch das ist klar.

Aber obwohl das nun alles so klar ist, nehmen wir eine Vase, verschließen ihre Öffnung, schrauben eine Glühlampe ein und setzen einen Lampenschirm dar-

über. Geschickte Hände machen aus der Kasserolle eine bäuerliche Wanduhr, punzen den Boden als Zifferblatt und stecken schöne, altgeschmiedete Zeiger auf den Dorn des Gehwerks, das im Innern der Kupferpfanne verborgen ist. Und wie ich höre, gibt es nichts Sinnigeres, als in Gaststuben Wagenräder als elektrische Lichtkränze aufzuhängen. Dies geschieht nicht aus Not, denn es herrscht kein Mangel an Lampen und Uhren; es geschieht, um die Schönheit einer Sache, auch unter Außerachtlassen ihrer natürlichen Bestimmung, zu genießen. Bitte, machen Sie es sich recht deutlich, was hier vor sich geht, denn es ist nichts Geringes. Es ist, um die banalen Beispiele auf eine abstrakte Formel zu bringen, die Ignorierung der Einsicht, die Ignorierung der Logik und der Überlieferung zugunsten eines ästhetischen Genusses.
Nun gibt es Menschen, die noch heute Vasen nur als Vasen benutzen. Alle früheren Jahrhunderte haben es getan. Aber Sie werden mir recht geben, daß das nichts besagt. Es ist eine Frage der Ästhetik; mehr noch: Es ist eine Frage der Befreiung vom Zwang der Vorstellungen. Menschen, die eine schöne Delfter Vase als Lampe genießen, haben keineswegs allen Blumenvasen abgeschworen; sie sind ganz offensichtlich nicht verrückt, sondern befinden sich – nach unserer heutigen wohlüberlegten Auffassung – in dem Zustand einer paradiesischen Freiheit.
Es ist nicht notwendig, daß Sie in diese Beispiele viele Parallelen hineindeuten, auch Zynismus lag mir ganz fern; ich wollte nur dreierlei: erstens Ihnen unsere merkwürdige Situation klarmachen, in der wir uns infolge erstaunlicher Zwangsvorstellungen über Natur und Unnatur befinden; zweitens Ihnen zeigen, wie be-

hende wir aber doch Hürden überspringen, wenn es sich um ein gefahrloses Gebiet handelt; und endlich drittens: Sie auf den Gedanken hinlenken, ja, fast möchte ich sagen, Sie das Gefühl kosten lassen, wie das ist, wenn der Schönheitssinn – die grenzenlose Schönheitssehnsucht, nicht der Übermut! – von den Göttern plein pouvoir, freie Hand, hat.

Die Griechen hatten dieses plein pouvoir; natürlich, die Götter waren ja ihre eigenen Abbilder. Zeus entzündete sich an dem Knaben Ganymed, erhob ihn in den Olymp, um ihn in ewiger Jugend als Geliebten um sich zu haben. »Und es freute der Gott sich«, dichtete Goethe. Damit dokumentiert uns der Gott persönlich, was zu dokumentieren war: Nicht erotischer Überdruß oder Perversion, sondern Trunkenheit vor dem Schönen, paradiesische schwindelfreie Genußsucht waren die Quellen der griechischen Paiderastía. »Wie schön bist du, Pantarkes«, ritzte Pheidias heimlich in die Fingerspitze seiner goldenen Monumentalstatue des Zeus von Olympia ein. Pantarkes war ein Knabe in Athen.

Die Griechen liebten den männlichen Körper als ästhetische Schöpfung abgöttisch. Die schlanken hohen Beine, die sich beim Spiel in den Gymnasien reckten, spannten, spreizten, im Lauf wirbelten und beim Ringkampf sich umeinander klammerten – welch ein Anblick! Die schmalen Hüften; der ruhige Leib; die knabenhafte, erst langsam erstarkende Brust mit dem kaum merklichen Auf und Ab der Muskeln und Rippen! Die langen Arme, an denen bei jeder Bewegung die Sehnen in der weichen Beuge und in den schlanken Gelenken hervorsprangen! Die den tastenden Händen und den modellierenden Augen unvergeßliche phallische Plastik, sich unerschöpflich variierend, bald ein Jambus, bald ein Epigramm oder eine Elegie! War das nicht Musik? Eine Melodie beim Mann – dagegen eine Pause bei der Frau, eine fallende, entgleitende Leere, ein »Medén« der Augen, ein »Nichts«. (Die Griechen haben an der Frau dem Antlitz, Haar, Augen, Lippen, Gestalt, Brust, Schenkel und Gesäß, nie aber dem »langweiligen« Schoß Beachtung geschenkt. Die Plastiken sind ein beredtes Zeugnis dafür.)

Kein Zweifel: Wenn die Griechen vom »schönen Geschlecht« sprachen, meinten sie das männliche. Es begann mit dem Knaben, dem halberwachsenen, dem Pais; es begann von dem Augenblick an, da seine Pubertät vollendet war. Das geschah in Hellas früh; wann immer aber es sein mochte, dieser Zeitpunkt bildete die selbstverständliche Grenze, die niemand überschritt, eben weil nicht die Perversion ein Kind als Opfer suchte, sondern die Ästhetik den gleichempfindenden Partner.

Ja, empfanden sie denn gleich, der Ältere und der Pais? Treten Sie ans Fenster und blicken Sie auf die Straße hinaus; welche Vokabel fällt Ihnen, wenn Sie nicht gerade das Glück haben, eine Ausnahme zu sehen, beim Anblick der Halbwüchsigen ein?: Bengels. Und glauben Sie, daß die Vokabel bei denen, die zu Ihnen heraufblicken, schöner ausfällt? In diesen kleinen, ungehobelten, primitiven, protzigen Köpfen wohnt außer routinemäßigen Sohnesgefühlen kein Gedanke an den erwachsenen Mann.

Diese Geschöpfe, die in dem größenwahnsinnigen amerikanischen »Junior« gipfeln, müssen Sie vollständig aus dem Gedächtnis streichen, wenn Sie an Hellas denken. Niemals wieder ist das seelische Verhältnis er-

reicht worden, das im alten Griechenland zwischen den knabenhaften Jünglingen und den Erwachsenen bestand.
Der griechische Knabe besaß eine seelische Frequenz, die um eine Schwingung reicher als heute war: Es war die Fähigkeit, sich (es ist schwer zu formulieren) als Knappe zu fühlen; es war die Sehnsucht, bei dem Einen, Erwachsenen, alle anderen ihm Nahestehenden zu verdrängen und an ihren Platz zu treten; es war die Ahnung, wie schön es sein kann, durch einen Liebenden, einen Hochvertrauten, in das Leben eingeführt zu werden; es war – und das ist nicht die unwichtigste Seite – der Knaben-Instinkt für »Verschworensein«.
Mit dieser Frequenz ausgestattet, stand der Pais dem Manne sehr leicht und sehr schnell als begehrlicher Bewunderer gegenüber. Wenn ihm der Erwachsene dann noch die Heimlichkeit und Unzulänglichkeit der Knaben-Sexualität abnahm, so verfiel der Pais dem von ihm bewunderten Manne und der leichten, spielerischen Handhabung seiner erwachten Sinnlichkeit sofort.
Das Körpergefühl der Griechen, vor allem das Strotz-Gefühl des eigenen Körpers, ist uns kaum noch vorstellbar. Das nervöse Tastvermögen, das Linear-Empfinden, die Augenlust der Griechen, schon in der Jugend, ist mit unserem heutigen Verhältnis zum Körper nicht mehr zu vergleichen. Die monotheistischen Religionen mit ihrer hochmütigen Gleichgültigkeit gegen die Natur haben dem ein Ende gemacht. Am stärksten soll man – ich weiß es nicht – noch in Japan an dieses Körpergefühl der alten Griechen erinnert werden. Ich könnte es mir denken: Dort gibt es noch die Scheidung zwischen Frauen- und Männerwelt; das Verschwöreri-

sche dieser Trennung; die Wechselbeziehung von Gefolgschaft und Beherrschen zwischen Jüngling und Mann; das Genießen des Körperlichen; die selbstverständliche, aber deshalb noch keineswegs unerotische Unbefangenheit vor der gleichgeschlechtlichen, männlichen Nacktheit; die Sauberhaltung der Haut, was nicht ganz dasselbe ist wie »Schmutz abwaschen«; die Kultivierung der Geishas zur Höhe der Hetären; das fröhliche Wohlgefallen an Phallus-Abbildern als gutem, kraftvollem Omen. Der Japankenner Herbert Lewandowski geht sogar so weit, zu fragen, ob die weißen Ureinwohner Japans, die heutigen »Ainu«, nicht vielleicht Nachkommen trojanischer Auswanderer unter Äneas sind. (Wenn sie es sind, haben sie offenbar einst die östliche Route eingeschlagen; Europa haben sie jedenfalls nicht berührt.)
Der griechische Knabe trat, sobald er dem Kindesalter und dem Elementarunterricht entwachsen war, sofort und endgültig in die Männerwelt ein. Das Air, das ihn dort umgab, war seltsam. Er war nicht einen Moment lang das, was die Amerikaner, anscheinend mit kolossaler Befriedigung, in ihren Söhnen sehen: die perfekte, drollig-tyrannische Spielzeugausgabe »fabelhafter«, zukunftsträchtiger »Kerle«. Der Pais war Lehrling. Seine unreife Welt wurde weder bestaunt noch belächelt; sie wurde einfach ignoriert. Er wurde mit Macht in die männliche Gedankenwelt gerissen, so, wie es Homer mit der größten Selbstverständlichkeit vom Knaben Achill berichtet: Vom Spielzeug weg wird er Knappe zwischen Helden und mit dem nächsten Sprung selbst Held. Einen Knaben vollständig in den Bann der Männerwelt, in den Bann des Nacheiferns und Geliebtseinwollens zu ziehen, bringt keine heuti-

ge Pädagogik fertig. Diese Macht liegt in der Koppelung von Geistigem *und* Sexuellem. Das mag uns erschrecken, aber es ist die Wahrheit. Nur diese Verbindung verhindert, daß sowohl bei dem Mann wie bei dem Knaben in der Gemeinsamkeit eine Lücke, ein Restgebiet bleibt, auf dem nicht ebenfalls beide sich ausfüllten.

Nun liegt einem auf der Zunge, zu sagen: Um jedem Knaben seinen persönlichen Mentor zu geben, müßte die halbe Nation Lehrer sein. Sie war es.

Da es in jener frühen Zeit in Griechenland keine höheren Schulen und keine Universitäten gab, hing es vom Milieu und vom reinen Zufall ab, womit der Knabe in Berührung kam. Es war also geradezu unerläßlich, daß er einen Führer fand. Daß es oft der Vater selbst war – wobei dann natürlich von Erotik keine Rede war –, das müssen wir annehmen. Ebenso wie wir sicher sein können, daß ein kleiner Prozentsatz von Knaben, vielleicht gerade diese Söhne, ohne Paiderastía ausgekommen sind und das ganz normale Liebeserwachen zu einem jungen Mädchen erlebt haben. Die Regel war das nicht. In Sparta war es, wie wir sehen werden, sogar ausgeschlossen.

Ein Knabe konnte also nichts Besseres hoffen, als die Aufmerksamkeit eines Mannes und seine aufopfernde Freundschaft zu erringen. Es gab Fälle, wo ein Pais in der Illusion nach einem bestimmten Mann und in der Sehnsucht, sich ihm und seiner Welt nähern zu dürfen, fast verging. Und es gab zahllose Fälle, wo ein Mann jahrelang vergeblich um die Zuneigung eines Knaben warb, in dem er geistig und körperlich seinen Wahl-Sohn ersehnte.

Tatsächlich war die halbe Männerwelt der Griechen

auf diese Weise verbunden. Jede freie Minute verbrachte der Mann mit dem Knaben. Zwischen seiner Berufsarbeit und den nötigsten häuslichen Pflichten gehörte die Zeit dem Pais. Sie verbrachten Stunden im Gespräch, Stunden beim Lernen, viele Stunden auf dem Sportplatz des Gymnasions, dort alle in völliger Nacktheit; der Knabe begleitete seinen Mentor, er hörte dessen Gespräche mit anderen, er durfte ihm auf der Reise folgen, er wurde in Sitzungen und Beratungen als Zuhörer (und zugleich Adjutant) mitgenommen, er wurde in das Haus eingeführt, und er wohnte den Symposien bei, jenen abendlichen Freundestreffen, die wir ganz zu Unrecht als Saufgelage auffassen. Zu einem Symposion, dem gemeinsamen »Schöppele-Trinken«, wie der Schwabe sagen würde, fanden sich drei, vier, auch zehn oder zwölf Freunde zusammen, lagen auf ihre Ellbogen oder Kissen aufgestützt, behaglich um den Tisch, tranken langsam und genießerisch den wasserverdünnten Wein, knabberten Süßigkeiten, ließen sich Musik vorspielen und redeten über Gott und die Welt. Die Kienfackeln knisterten, die Öllämpchen blakten, der Rauch zog durch die Vorhänge zwischen den Pfeilern und Säulen des Peristyl-Gartens hindurch ins Freie und hundertfach über ganz Athen zum sternenübersäten Himmel hinauf. Bei solchen Symposien waren die Knaben oft zugegen; sie umsorgten ihren Mentor, übernahmen das Amt des Mundschenks, musizierten, wurden in Colloquien und Debatten hineingezogen und zitterten bei dem Gedanken, dem Manne, den sie verehrten oder liebten, Schande zu bereiten. Und der Mentor zitterte bei der Vorstellung, seine Erziehungsaufgabe in den Augen seiner Freunde nicht erfüllt zu haben. Alle alten Doku-

mente geben Zeugnis davon, wie sehr der Ehrgeiz und der Ernst dieses Verhältnis bestimmten.
Man nahm es todernst. Der Mann schenkte dem Pais alles an Wissen, alles an Gedanken und Erfahrung, was er besaß; er hatte keinen größeren Wunsch, als ihn zum καλὸς κάγαθός (kalos kagathos), dem »Vollendet an Leib und Seele« zu erziehen. Dabei hatte er nicht eine Sekunde lang ein schlechtes Gefühl bei dem Gedanken an die Paiderastía.
Nach Ansicht der Griechen übertrug er dem Knaben sogar in der körperlichen Vereinigung seine Kraft. Der Volksglaube lehrte, daß der Pais mit dem Sperma auch das Wesen des Mannes kommunizierte.
Und damit sind wir wieder bei dem Knaben Peisistratos angelangt und bei dem Satz: »Das hätten sie nicht tun sollen.«

IM SIEBENTEN KAPITEL

tritt der Mann auf, der Athen mit dem Dornröschen-Kuß erweckt: Peisistratos! Er ist einer der Größten, die Griechenland hervorgebracht hat, und man würde ihn heute noch viel mehr bewundern, ja man würde ihn geradezu lieben, wenn er nicht einen Beruf gehabt hätte, der ganz in Mißkredit geraten ist.

UM DAS JAHR 565 FÜHRTEN DIE ATHENER EINEN KLEINEN KRIEG gegen das benachbarte Megara, denn Kriege hatte Solon nicht verboten. Der Führer des siegreichen athenischen Heeres hieß Peisistratos.

Da ist er.

Nach langer Zeit taucht sein Name wieder auf. Aus dem Knaben ist ein Mann geworden. Peisistratos ist hier etwa 40 Jahre alt. Aber in dem Augenblick, da man ihn fassen zu können glaubt, verschwindet sein Name schon wieder aus den Annalen.

Nach fünf, sechs Jahren hören wir von einem ganz merkwürdigen Ereignis. Auf dem Marktplatz von Athen erschien eines Tages ein Maultiergespann im Galopp, der Wagen hielt, einer der angesehensten Bürger sprang herab, er war verwundet und blutete. Die Menge drängte sich um ihn, zuerst neugierig und erstaunt, dann, als sie seine ersten Worte hörte, erregt und schließlich schäumend vor Empörung. Der Mann berichtete von einem Überfall, den man auf ihn verübt hatte; Athener sollten es gewesen sein! Auf der Fahrt zu seinen Landgütern hatten sie ihn grundlos, aus politischer Verblendung, ermorden wollen.

In ungewöhnlicher und unverständlicher Eile und unter Verzicht auf alle verfassungsmäßigen Vorbeschlüsse wurde eine Volksversammlung einberufen, der ein ebenso ungewöhnlicher Antrag vorgelegt wurde: Die Versammlung sollte dem Überfallenen eine bewaffnete Leibstandarte, eine private Streitmacht von 50 Keulenträgern genehmigen. Die Volksversammlung tat es, denn der Verwundete war ein großer Sohn der Stadt, Sieger bei Megara.

Es war Peisistratos.

Eine seltsame Geschichte; für uns mehr noch als für die

Zeitgenossen. Was ging da in Athen vor sich? Anscheinend gab es politische Strömungen, die sich bekämpften. Vielleicht war, 25 Jahre nach Solons Gesetzgebung, der alte Kampf zwischen Stadt und Land erneut ausgebrochen. Oder die Kampflust des Kapitals, das die gestrichenen Schulden nicht vergessen konnte? Wie man es dreht, klar ist, daß es zwei Lager gab, zwei Situationen, und jedermann steckte automatisch in einer von ihnen. Das leuchtet ein. Die einen wollten sich *unter* den Solonischen Gesetzen erholen, die anderen *von* den Solonischen Gesetzen. Der Unterschied der beiden Wörtchen ist minimal, aber leider weltbewegend.

Oder war das Attentat auf Peisistratos überhaupt fingiert? War es in Szene gesetzt? Gab es das? Das gab es, und wenn etwas schön in Szene gesetzt war, hatte es stets Erfolg. Peisistratos – das werden wir noch sehen – war ein begeisternder Schauspieler. Auch der Pomp der 50 »Keulenträger« zeugte davon.

So glaubte jedenfalls Athen. Und das hätte es abermals nicht tun sollen. Hätte man genau nachgezählt, so würde man festgestellt haben, daß nicht 50, sondern 300 »Keulenträger« in seinen Diensten standen und daß sie nicht nur Keulen trugen. 300 Mann Militär in einer Stadt von 20 oder 25 000 Einwohnern, das war eine Streitmacht! Es muß auch finanziell für Peisistratos keine Kleinigkeit gewesen sein. Denn er bezahlte sie. Eine teure Eitelkeit oder Ängstlichkeit.

Aber Peisistratos war weder eitel noch ängstlich. Eines Morgens bewies er zumindest das letzte. Die Athener wachten auf und sahen, daß er die Akropolis besetzt hatte. Auf den Mauern der Festung standen seine Schwerbewaffneten; er selbst befand sich ebenfalls in

der Burg, mit ihm wahrscheinlich, freiwillig oder nicht, wenigstens einer der regierenden Archonten.
Die Kunde davon muß sich wie ein Lauffeuer verbreitet haben, denn sofort war ganz Attika ein aufgeregter Bienenschwarm. Auch *was* die Tat bedeutete, wußte man offenbar sofort, und Sie werden es ebenfalls wissen, wenn Sie sie in die heutige Zeit übertragen und sich vorstellen, daß die Leibgarde eines Mannes plötzlich Regierungsgebäude, Post, Radio und Presse besetzt und die Bahnhöfe sperrt.
Die Reaktion war beschämend und total verblüffend: Bei Nacht und Nebel verließen die Alkmaioniden zum zweitenmal Athen, und alle politischen Führer stürzten ihnen nach. Das hat sich in der Weltgeschichte dann gar manches Mal noch wiederholt und hängt, wie Sie einsehen werden, mit der Unersetzlichkeit von Politikern zusammen.
Sobald die Gegner das Feld geräumt hatten, stieg Peisistratos inmitten seiner Leibstandarte in die Stadt hinab, und es wird wohl ganz Athen auf den Beinen gewesen sein, um zu sehen, was nun passieren würde. Inzwischen ritten die Boten in das Land und verbreiteten die Kunde, daß Athen »Tyrannis« geworden war. Da ist es also zum erstenmal, das berühmte Wort!
»Tyrannis« klingt wie ein Peitschenhieb, wie ein Trompetensignal; aber es klingt nur für *unsere* Ohren so. Den Griechen klang es damals ganz vertraut. Viele Städte hatten »Tyrannen«, Korinth, Megara, Sikyon, schon seit Generationen. Jenes Ereignis, das das Wort Tyrann mit dem ewigen Makel behaften sollte, lag noch in weiter Ferne. Jakob Burckhardt hat die Periode der Tyrannis sogar eine entscheidende Entwick-

lung zur Demokratie, ja, wörtlich eine »antizipierte Demokratie« genannt. Und damit ist unsere Verwirrung komplett.

Nun gibt es in solchen Fragen einen bewährten Ratschlag aus Volkesmund: »An ihren Früchten sollt ihr sie erkennen«. Leider versagt er hier zunächst, denn ehe Peisistratos es sich versah, hatte man ihn bereits wieder vertrieben. Wie das vor sich gegangen ist, wissen wir leider nicht, und ich bitte Sie, sich bei dieser Frage auch nicht lange aufzuhalten, wenn Sie die Ereignisse nicht verpassen wollen: Peisistratos ist schon wieder da!

Wie *das* vor sich gegangen ist, wissen wir: Drei Jahre – können wir vermuten – waren die Alkmaioniden nun schon wieder aus der Emigration zurück, herrischer denn je, ungeschickter und unbeliebter denn je, und das Volk, das Peisistratos unter Gelächter hatte ziehen lassen, bildete wieder finster Spalier, wenn der regierende Archon Megakles, Senior des Hauses der Alkmaioniden, durch die Straßen ging. Da faßte Megakles in einer wahrhaft abenteuerlichen Regung den Entschluß, dem Peisistratos die Hand seiner Tochter anzubieten. Der kleine Probetyrann sollte zurückkehren und für ihn das tun, was sich ein noch halb verfemter Alkmaionide nicht eigenhändig erlauben durfte: die Zügel hart anziehen.

Der verwegene Plan gelang; Peisistratos erschien! Das Volk staute sich wieder einmal in den Straßen und harrte der Dinge, die da kommen sollten. Jetzt würde man also eine Tyrannis erleben. Aber, meine Damen und Herren, weit gefehlt – Peisistratos ist schon wieder draußen!

Sie empfinden es allmählich als eine Komödie; das ist

verständlich. Die Philologen würden Ihnen allerdings heftig widersprechen, ich aber neige zu der Ansicht, daß Sie fast das Richtige getroffen haben. Ganz bestimmt haben die Griechen das Spektakel dieser Jahre trotz des Ernstes vorzüglich genossen. Zwar war es eine hochpolitische Sache, freilich, freilich, und es gab Bevölkerungsschichten wie die Arbeiter, die Bauern und die Kapitalisten, für die es fast unerläßlich war, sich auf die eine oder die andere Seite zu stellen, aber änderte das etwas daran, daß es ein herrliches Schauspiel war?

Was die Athener daran so fesselte, war etwas ganz Bestimmtes, etwas Besonderes, geradezu eine Delikatesse für den frühgriechischen Geist: der Alleingang eines Individuums. Das entzückte diese Anbeter des Individualismus auf das höchste. Ein einzelner brach durch, ein Geist, ein Herz!

Woran Peisistratos' zweiter Versuch scheiterte, ist unbekannt. Sicher ist, daß sich der alte Megakles in ihm verrechnet hatte, er fand kein gehorsames Werkzeug und mußte ihn sofort wieder loswerden.

Zum zweitenmal zog Peisistratos nun in die Fremde. Athen hatte immer noch nicht genau erfahren, wie er die Sache mit der Tyrannis gemacht hätte. Nicht einmal seine Parteigänger – es gab so etwas wie eine Peisistratos-Bewegung – hätten zu sagen vermocht, worin die politische Konzeption einer Tyrannis eigentlich bestand. Wenn man sich fragend nach Sikyon oder Korinth umblickte – seltsam, ihre Vorzüge waren verschieden, ihre Fehler verschieden; hier bekämpfte man dies, dort jenes, hier vertrieb man die Fremden, dort holte man sie zurück, hier schloß man Bündnisse, dort löste man die bestehenden auf, hier baute man Tempel,

dort baute man Schiffe, hier unterstützte man die Bauern, dort die Handwerker, hier lehrte man auf der Schule Geschichte, dort verbot man sie; gemeinsam hatten sie nur eins: Den Einen, den Mann im Hintergrund. Er steuerte bald so, bald so, er zog bald hier an, bald ließ er dort wieder locker. War das das Geheimnis einer Tyrannis? Die Alkmaioniden ließen *nie* locker.
Inzwischen tat Peisistratos das Vernünftigste, was er tun konnte: Er wurde sehr reich. Er war nach Thrakien gegangen, hatte Bergwerke gepachtet und riesige Mengen Silber gefunden. Der nächste Schritt war, das Silber in Drachmen zu prägen. Man munkelte, daß er der Einfachheit halber gleich das athenische Hoheitszeichen, die Eule, aufdrücken ließ. Sicherlich munkelte man richtig: die Eule ist ein sehr netter Vogel, und die Münzen hatten das richtige Gewicht.
Dann pirschte sich Peisistratos erneut langsam an Attika heran. Je weiter er vordrang, desto sicherer wurden die Nachrichten, daß in Athen Unruhen herrschten. Der große Augenblick war da. Peisistratos hob die versilberte Hand – und besaß ein Heer.
An diesen Vorgang ließe sich eine schöne Meditation über den Sitz der menschlichen Seele im allgemeinen und der militärischen im besonderen anknüpfen. Aber wir täten zumindest den vielen jungen Adligen und Patriziersöhnen Euböas und Böotiens, die sich Peisistratos anschlossen, unrecht. Sie wußten wirklich, warum sie es taten, und der Grund war höchst einfach: Sparta versuchte, seine Herrschaft über ganz Griechenland auszudehnen, hatte bereits die Tyrannis von Korinth beseitigt und durch ein gehorsames Regiment ersetzt, hatte Ägina zum Bündnis gezwungen, war in Megara auf keinen Widerstand gestoßen und stand nun bereits

ein paar Kilometer vor Attika – nicht etwa mit einem Heer, o nein, nur mit seinen Unterhändlern. Das Heer klirrte inzwischen in Sparta, und eine Flotte kreuzte zwischen Ägina und Megara. Wenn das schon genügte, müssen die Früchte ziemlich reif gewesen sein. Reif war auch – und das ist die Erkenntnis der euböischen und böotischen Herren gewesen –, reif war auch Athen. Die habgierigen Alkmaioniden und ihre Clique hatten es heruntergewirtschaftet; der Schacher auf der einen Seite und die Hoffnungslosigkeit auf der anderen hatten dem Volk das Rückgrat gebrochen. Athen war ein Gummilöwe geworden, ein immer noch großer, aber leerer Luftballon. Wer ihn aufpustete, der hatte Mittelgriechenland in der Hand! Es gab nur zwei, die das konnten: Sparta und Peisistratos. Peisistratos war Mittelgrieche wie sie. Sie griffen zu.
In allen Geschichtsbüchern werden Sie nun eine feierliche Würdigung dieses Schrittes finden. Welch politischer Weitblick! Sogar Theben, das doch der Tyrannis völlig fernstand, schloß sich Peisistratos an – welch staatsmännische Klugheit! Denn – wie Sie bereits ahnen werden oder wissen – Peisistratos kam an die Macht, und die durch Sparta bedrohte Freiheit war gerettet.
Ich aber muß Ihnen sagen: Das scheint mir eine klägliche Deutung. Wenn 2000 Jahre Distanz uns den Blick immer noch nicht geweitet haben, dann weiß ich nicht, warum wir uns mit Geschichte beschäftigen.
In Wahrheit war der Augenblick, als Peisistratos sich erhob, ein Moment von großer geschichtlicher Tragik. Und die Tatsache, daß dieser Mann auch noch ein glänzender, ein geradezu legendärer großer Herrscher wurde – das ist das I-Tüpfelchen auf der tragischen Iro-

nie, das Gelächter der Nemesis. Für uns heute, die wir den ganzen Bogen der griechischen Geschichte überblicken, ist es erschreckend zu sehen, wie sich die Wahrheit den Griechen damals verbarg und wie ihnen ihre kurzen Gedanken und Wünsche lückenlos richtig schienen. Alle Überlegungen fügten sich so glatt aneinander: Sparta wollte »die Vorherrschaft« – ein Wort, das in aller Welt geächtet ist; kein Mensch weiß, warum. Sparta stand »schon vor der Tür« – ein Wort, das immer alarmiert. Die »Freiheit« war in Gefahr – hier bedarf es nun überhaupt keiner Begründung mehr, das Wort ist heilig, wie immer es auch mißbraucht werden mag.

Vaterland, Freiheit, Selbständigkeit, Entweder-Oder: Diese Fragen können alle echt sein; dann ist es geschichtlich richtig, wenn sie die Herzen mobilisieren und die Völker aufstehen lassen. Hier aber, 540 v. Chr. in Hellas, waren sie ein Kurzschluß. Athen war kein »Vaterland« und Sparta war kein »Feind«. Diese blinden Kurzschlüsse haben sich in der Weltgeschichte tausendfach wiederholt. Manchmal haben starke Menschen sie nachträglich mit Blut und Eisen korrigiert – Lincoln, Elisabeth I., Cavour, Bismarck –, wenn nicht, gab es eine »verpfuschte« Historie. Die griechische wurde eine. 540 hätte Hellas ein Staat werden können. Sparta war der vom Schicksal Beauftragte, der Stärkste, der Gesündeste. Alle anderen Triebe des griechischen Baumes hätten beschnitten werden müssen. Sparta war die große Dogge, die gefüttert werden mußte. Aber die kleinen Spitze wollten das Gegenteil, und als 200 Jahre später der Wolf aus dem Norden kam, zerfetzte er sie alle.

Eines aber ist wahr: Ohne diese Fehlentscheidung gäbe

es kein perikleisches Athen. Die Perle Griechenlands wurde damit bezahlt.

*

Nun – im Augenblick sah alles ganz anders aus.
Die Nachrichten aus Athen sprachen von Verarmung, Arbeitslosigkeit, Ungerechtigkeiten, Depression, Unruhen. Der solonische Versuch war gescheitert. Nicht an der Verfassung. Nicht an den Gegnern. Sondern? Wir wissen über jene kurzen Jahre nicht sehr gut Bescheid, aber wahrscheinlich war es die ganz persönliche Schuld einzelner Regenten, eine charakterliche Schuld, vor allem die Schuld schlechter Charaktere aus dem Hause der Alkmaioniden.
Die Regierung von Athen war völlig überrascht, als die Schreckensnachricht eintraf, daß Peisistratos mit einem Heer Euböa verlassen habe und bei Marathon gelandet sei. In aller Eile stoppelte man ebenfalls ein Aufgebot zusammen; die Patrizier und ihre Söhne schwangen sich auf ihre Rösser, hoffend, es möge nicht ernst sein; die Wachkompanie, das Landkontingent, einige hundert Bürger, Söldner und Hörige schnallten die Sandalen fester, hoffend, es möge ernst sein. Bei dem Dörfchen Pallene, kaum 15 Kilometer von Athen entfernt, erblickten die Athener die von den Hügeln in die Ebene herabsteigenden Krieger des Peisistratos. Und die von oben Herabkommenden sahen die Athener in der Ebene herannahen. Beide Parteien machten halt. Das Signal zum Bruderkrieg zu geben, ist nicht leicht. Die beiden kleinen Heere lagerten; es wurde Abend und Nacht.
Endlich besann sich Peisistratos darauf, weshalb er hier war. Er befahl den Angriff, den ersten Nachtangriff der abendländischen Geschichte.

Herodot berichtet, daß die Überraschung vollständig war. Die Athener machten sofort kehrt. Peisistratos schickte ihnen seine eigenen Söhne mit der Botschaft der Amnestie hinterher. Die Verwirrung war bei den Soldaten gering, aber um so größer bei den Führern. Die Alkmaioniden, die Philaiden und andere führende Geschlechter verließen sofort die Stadt. Der Trubel hielt die ganze Nacht an, es war ein unheimliches Gerenne, Getrappel der Pferde, Rollen der Wagen, Pakken, Flüchten. Alles war übernächtigt, als der neue Tag anbrach, aber das Volk war wieder vollzählig zur Stelle und strömte zum Osttor – Peisistratos entgegen. Peisistratos ritt sorglos ein, und Athen bereitete ihm einen jubelnden Empfang. Mit ihm ritt – und das konnte nun auch der Gläubigste nicht vermuten – der Genius der griechischen Seele ein und wählte Athen von nun an für immer zu seiner Residenz.

14 Jahre hat Peisistratos um die Macht gekämpft, 12 Jahre hielt er sie in den Händen, und es ist ein Vergnügen, zu verfolgen, wie er vorging.
Das Wort Vergnügen, das ich eben gebrauchte, ist nicht gewöhnlich. Ich sagte nicht: Es ist interessant oder es ist bewundernswert. Ich sagte Vergnügen. Das ist in der Geschichte ein so ungebräuchliches Wort, daß man sogleich spürt: Hier spielt eine besondere Freude mit; eine große menschliche Befriedigung.
Wir kommen damit Tieferem auf die Spur, als etwa nur der Tatsache, daß der Mensch, um den es sich hier dreht und der uns anfangs doch wahrlich etwas zwittrig erschienen war, sich als anständig entpuppte; Tieferem auch als etwa der Tatsache, daß dieser Mensch, der bisher seine Person als einfaches Rezept kaum glaub-

würdig machen konnte, sich als sehr klug erwies. Wir kommen etwas viel Elementarerem auf die Spur:
Das Studium eines vorbildlichen Regenten wie Peisistratos holt aus dem tiefsten Brunnenschacht unseres Wissens eine aus der Welt absichtlich verstoßene Erkenntnis herauf, die Erkenntnis nämlich, daß ein Mensch von den Eigenschaften des Peisistratos Diktator sein *muß*, daß er *nur* als Tyrann herbeigefleht werden darf. Ist er der Unerhörte, der Kluge und Gute, so kann jeder Macht-Mitanspruch eines anderen die Qualität der Herrschaft nur mindern. Der Einwand, daß es solche Menschen nicht gibt, ist eine uralte Lüge. Wir stoßen auf sie schon zu einer Zeit, als noch niemand böse Erfahrungen geltend machen konnte. Sogar ein so kluger und selbstloser Mann wie Solon hat es nicht fertiggebracht, über seinen Schatten zu springen: Als Peisistratos den ersten Staatsstreich versuchte – wohlgemerkt auf der Basis der solonischen Gesetze –, rief er sofort zum Widerstand auf, böse und erbittert, ohne Grund, gegen sein besseres Wissen, nur von der Chimäre »Freiheit« hypnotisiert. Man sollte einmal untersuchen, ob die Magie des Wortes »Freiheit« und die Schreckwirkung des Wortes »Tyrann« nicht wirklich atavistische Erinnerungen sind.
Wenn es eine »unbewältigte Vergangenheit« für das Menschengeschlecht gibt – *hier* liegt sie. Und ich würde sagen, sie stammt aus der Crô-Magnon-Zeit.

Peisistratos war, als er an die Macht kam, über 60 Jahre alt. Er hatte Zeit gehabt, sich die interessante Tatsache klarzumachen, daß die Menschen eine Abneigung gegen ein »Ich« in der Staatsführung haben und ihr ganzes Vertrauen dem »Wir« schenken. Peisistratos war entschlossen, dieser Vorstellung so weit wie möglich entgegenzukommen. Nur seine erste Tat war die eines reinen Diktators: Er setzte mit einem Federstrich neue Archonten ein. Damit schien die Revolution aber beendet. Tatsächlich vertraute er, mit dieser gesicherten Spitze, die nächsten Schritte – alle Berufungen, Richtersprüche und Entscheidungen – wieder dem Volk an; wie das solonische Gesetz es befahl. Das Leben ging weiter. Wir müssen vermuten, daß die erste große Wandlung nichts weiter war als ein Personalwechsel, der Wechsel zu integeren Männern.

Das Volk merkte zunächst von dem Tyrannen nicht viel. Ein alt gewordener Mann saß auf der Burg, mit Frau und Kindern, umgeben von einem Wachbataillon, in der Stadt kaum in Erscheinung tretend. Die spätere Historie, geschrieben in einer Zeit, als das Wort Tyrannis schon mit dem Odium des Fluchwürdigen behaftet war, berichtet übereinstimmend von seiner Klugheit, seiner Bescheidenheit, seiner ungewöhnlichen Freundlichkeit und seiner Güte gegen alle, auch seine Feinde. Es gibt kein wesentliches Unrecht, keine besondere Gewalttat, keine Blutschuld in seinem Leben; man hat sie ihm nicht einmal angedichtet. Aber die auffallendsten Züge an ihm als Griechen sind seine Uneigennützigkeit und seine Sachlichkeit.

Unter ihm wurde Athen Großmacht. Hätte er das nicht gewollt – es wäre einfach eine Begleiterscheinung seiner Regentschaft gewesen.

Seine erste Sorge war die Gesundung der wirtschaftlichen Lage, die Entschuldung der Bauern, die Beschäftigung der Handwerker, die Verteilung von Land an die kleinen Leute, die Besteuerung des Großgrundbesitzes, der Export, der Geldumlauf. Alte Gedanken, alte Pläne; jetzt konnte er sie endlich vollenden. Ein selbstloser alter Mann, der nichts für sich oder sein Haus wollte, hatte die hartgesottenen, erbarmungslosen Klüngel abgelöst. Peisistratos war reich, und er scheint aus dem Ertrag seiner thrakischen Minen noch ungeheure Gelder in den Staat hineingepumpt zu haben. Das Volk hat sicher nichts davon gewußt. Wozu auch? Ich glaube nicht, daß Peisistratos sich falsche Vorstellungen vom Plebs gemacht hat.

Als die wiedergenesenen Athener sich zu recken und zu strecken begannen, war die Zeit gekommen, ihnen das Fenster in die »große Welt« aufzustoßen. Athenische Schiffe begannen in bisher nicht gekanntem Maße das Meer zu bevölkern, Jahr für Jahr liefen zahllose neue Dieren vom Stapel und stachen unter vollen Segeln und mit rauschendem Ruderschlag in See, jedes ein Botschafter, alle in Richtung nach Norden oder zur kleinasiatischen Küste und den Inseln, zu den »Brüdern«, den anderen Ioniern. Das Band spannte sich, die Ionier sammelten sich. Miltiades, der Onkel des späteren Heerführers, kolonisierte den Hellespont. Damit war auch der Norden Kleinasiens in der Hand eines Atheners. Da sich alles im ionischen Raum abspielte, sah Sparta untätig zu. Am Chersones entstand eine Tyrannis, auf Naxos half Peisistratos nach, Sigeion folgte und Delos stellte sein Apollon-Heiligtum unter den Schutz Athens. Peisistratos nahm es sofort an – nicht nur wegen Apoll; Delos besaß die größte Handelsmesse und regulierte die Versorgung der Kykladen-Inseln. Der Ring schloß sich, wie Peisistratos es sich vorgestellt hatte. Und da wir gerade von »Ring« sprechen: Polykrates, Schillers Polykrates, wurde an den sanften Drähten des Peisistratos in Samos auf den unsichtbaren Thron gehoben, in Samos, der großen, der beherrschenden Insel vor Milet; der stärksten Seemacht der kleinasiatischen Küste.

Er stand auf seines Daches Zinnen,
er schaute mit vergnügten Sinnen
auf das beherrschte Samos hin.

Schiller hätte auch dichten können: »Und schaute mit beherrschten Sinnen auf das vergnügte Samos hin«, Polykrates war nämlich ein guter, beliebter Herrscher und keineswegs der zu belächelnde Potztausend-Fürst, er war ein bedeutender Mann, der Schöpfer einer Flotte von hundert Fünfzigruderern, Herr der östlichen Ägäis, königlicher Kaufmann (und ein ganz klein bißchen Seeräuber), Begründer des Wohlstandes der Inseln, Besitzer unermeßlicher Reichtümer, die er dazu verwandte, den Hafendamm, den Tunnel der Wasserleitung, neue Wohnbezirke und Tempel zu bauen und Dichter und Denker nach Samos zu ziehen. Der große Lyriker Anakreon lebte dort wie ein Fürst neben dem Fürsten.

Was Peisistratos langsam und zäh schuf, war der Friede. Er lag in der Schaffung eines »Supermarket«, nicht eines Reiches. Er lag in der Glaubwürdigkeit des athenischen Staatsmannes. Niemals hat Peisistratos versucht, einem seiner Bundesgenossen das System der Tyrannis mit Waffengewalt aufzuzwingen. Und niemals hat Peisistratos einen Schritt in die Einflußsphäre Spartas getan. Er ignorierte alle Fußangeln, die Sparta ihm legte. Es war eine bismarckisch anmutende Grundregel seiner Politik, um keinen Preis, auch um den verlockendsten nicht, die beiden entscheidenden Bundesgenossen Theben und Thessalien, Bismarcks »Rußland«, zu verlieren.

Die größte Mühe hat Peisistratos darauf verwendet, die Tyrannis von dem Verdacht der Willkür freizuhalten. Sorgfältig hat er im Volke das Bewußtsein wachgehalten, daß auch er selbst vor dem Gesetz nicht mehr war als jeder andere Bürger.
Die Generation nach ihm, das heißt nach dem Sturz seines Sohnes, hat, wie das der Lauf der Welt ist, alles getan, um die Überlieferung und die Erinnerung an ihn zu verwischen, und erst hundert Jahre später setzt mit Herodot die Berichterstattung aus dem Gedächtnis ein. Das Gedächtnis der Griechen war phänomenal. Sie müssen wissen, daß es damals Μνήμονες gab, Staatsangestellte, die keine andere Aufgabe hatten, als alle Vorgänge, Bestimmungen, Daten, Gerichtsentscheidungen und Rechtskommentare in Erinnerung zu behalten und jederzeit wörtlich wiedergeben zu können. Ihre Gehirne waren die »Staatsarchive«. Sie haben Herodot auch das unverfälschte Bild des großen Tyrannen bewahrt. Durch sie wissen wir von seinen Reformen, hochmodern anmutenden Taten wie:
Abschaffung der willkürlichen »Gutsherrn-Gerichte« und Einsetzung von »Landrichtern«.
Verbot der unkontrollierten Münzprägung des Adels und Schaffung einer Staatsmünze.
Befreiung der Handwerker und Arbeiter von direkten Steuern.
Staatszuschüsse bei bäuerlicher Notlage.
Landschenkung in den Kolonien an Auswanderer.
Bau des Straßennetzes und des großen Wasserversorgungsnetzes, aus dem Athen noch im 19. Jahrhundert getrunken hat.
Gesetz zur Arbeitsbeschaffung.
Strafgesetz gegen den Müßiggang der Jugend.

Verkündung einer allgemeinen Sozialrente – lauter Grundpfeiler der späteren Demokratie!
Peisistratos war auch ein geistreicher, ein fröhlicher, musischer Kopf. Wenigstens davon sind unzerstörte Zeugnisse bis auf unsere Zeit überkommen: die »Hermen«. Die Hermen, einer seiner liebenswertesten Einfälle, waren Hermes-Köpfe auf hohen Steinpfeilern, sie standen an den Kreuzungen der Landstraßen und hatten den gleichen Sinn, den heute unsere blechernen Scheusale von Wegweisern haben. An Straßensternen gab es Pfeiler mit drei und vier Hermes-Köpfen, sie blickten in die Richtungen, für die sie die Namen und Entfernungen angaben. Präzision ist die Leidenschaft der Diktatoren. Vielleicht gab es auch »Volkswagen«, wir wissen es nicht.
Peisistratos besaß jene heitere Frömmigkeit, von der Ernst Jünger gesagt hat: »Fromm sein heißt, vom Wunder der Welt erfaßt werden. Das ist kein Zeichen, keine Folge von Religion, sondern deren Voraussetzung. Dem folgt Verehrung unmittelbar, auch Heiterkeit. Es ist wahrscheinlicher, daß die Heiterkeit den Ursprung der Religionen bildet als die Furcht, wie viele Theorien annehmen. Auch heute ist jede Frömmigkeit verdächtig, die sich auf Furcht gründet und der die Heiterkeit fehlt.«
Unter Peisistratos begann Athen zu strahlen.
Die Akropolis, die so düster und schwer über der Stadt gelegen hatte, hellte sich auf, die Fassaden zur Burg wurden mit weißem Marmor geschmückt; um den alten Athene-Tempel stiegen jetzt ringsum Säulen hoch; den Westen der Akropolis krönte ein riesiger neuer Bau: Das Prachttor, die »Propyläen«; und im Osten, zu Füßen des Berges, wuchs das Olympieion, der

Tempel des Zeus, aus dem Boden – den Zeitgenossen schien er so groß wie eine ganze Stadt.
Athen begann zu leuchten. Ein bis dahin noch nie gespürtes Air lag über der Stadt des Peisistratos. Weithin sah man, daß die Athener »Herren« geworden waren. Der Geistesadel begann, den Geburtsadel in den Schatten zu stellen. Gymnasien schossen aus der Erde, Ilias und Odyssee wurden auf Befehl des Tyrannen Schulbuch, man lernte das Kaloskagathos wie im 19. Jahrhundert das Klavierspielen, Bäcker und Töpfer luden zu Symposien wie einst die Geschlechter, und ihre kleinen Bäckersöhne und Töpferneffen kredenzten Wein und anderes als Pais. Man hielt sich Pferd und Wagen, man reiste zu den Spielen nach Olympia, und eines Tages geschah es, daß der erste Athener aus dem einfachen Volk als Olympiasieger heimkehrte. Von dieser Sensation können wir uns heute nur noch eine Vorstellung machen, wenn wir den Fall setzen, eine Hebamme würde den Nobelpreis für Medizin bekommen.
Ja, die Athener waren fast so etwas wie »Weltbürger« geworden. »Der muß aus Athen sein«, sagte man, wie man heute »die ist sicher aus Paris« sagt.
Eine alte Quelle nennt Peisistratos auch ausdrücklich als Begründer der Panathenaien-Feste. Die Athenaien waren bis dahin ein Sportfest mit Pferderennen der Adelsfamilien. Die kleine Vorsilbe Pan bedeutet »Ganz« oder »Gesamt«, das heißt, von nun an war ganz Athen aufgerufen. Das Volk wird gejubelt haben! Das verhaßte Privileg war gebrochen, die Athener strömten in die Bahn, nicht mehr allein auf die Tribünen, und der Anblick der Jugend des ganzen Volkes berauschte die Stadt. Auf der Empore waren die Preise

aufgestellt, eintausend große Amphoren! Schon als Bild unbeschreiblich; als Staatsauftrag Zeichen höchsten Wohlstandes. Sechs Tage lang dauerte der Trubel der Festzüge und Wettkämpfe.
Sie fanden alle vier Jahre zwischen den Olympiaden statt. Die Olympischen Spiele waren damals schon 200 Jahre alt und standen in voller Blüte. Ein olympischer Sieger war zwar ein Halbgott und ein Panathenaien-Sieger nur ein Mädchenschwarm, für uns aber überstrahlen sie Olympia, denn sie haben uns ein wunderbares Geschenk hinterlassen: Sie haben der Nachwelt Homer erhalten! Als in Olympia noch kein Dichter auftrat, wurden auf Befehl von Peisistratos während der Panathenaien die gesamte Ilias und Odyssee vom ersten bis zum letzten Wort dem Volke vorgetragen. Die vier Männer, die mit der endgültigen schriftlichen Aufzeichnung betraut waren, sind uns namentlich überliefert. Schon die griechischen Historiker wußten also, was diese Tat bedeutete, und kein Tyrannenhaß hat die Erinnerung daran tilgen können.
Athen war erblüht.
»...so daß man oft hören konnte, die Tyrannis des Peisistratos sei wie das Leben im Goldenen Zeitalter gewesen« – Aristoteles, 200 Jahre später.

Peisistratos ist mit Cosimo dei Medici verglichen worden, mit Karl August von Weimar, mit den Gracchen, mit Perikles, mit Bismarck.
Nur der Vergleich mit dem Medici stimmt. Zwei alte, weise gewordene Männer, aus dem Kampf um die Macht ohne Verbitterung herausgegangen, die Menschen lieben müssend und verachten wollend, in ihrer Vaterlandsliebe fast lästig, verständnislos gegen das

Animalische, verstrickt in die schönen Ideen, selbstlos, mit vollen Händen gebend, zurückzuckend vor dem Plebs, skeptisch, milde, gut. Beide hielten die Macht fest in den Händen bis an ihr Ende. Beide starben friedlich. Beider Lebenswerk sollte von zwei Erben weitergeführt werden. In beiden Fällen wurde der eine ermordet. Von einem Verhetzten, Verblendeten aus dem Volke. Beide wußten, das Volk ist keinen Schuß Pulver wert, aber herrlich.
Und dieses »aber herrlich«, das ist's!
Alle Großen fallen darauf herein.

DAS ACHTE KAPITEL

ist beinahe eine kriminalistische Studie. Sie zeigt, wie die politischen Ereignisse in der Gunst und Ungunst der Deutungen schwanken und wie der Haß verfälscht. Wer stürzte die athenische Tyrannis? Wer befreite wen? Wer ermordete wen? Haben Denkmäler immer recht?

PEISISTRATOS STARB 528. IN DIE NACHFOLGE – WOBEI MAN SICH erinnern muß, daß es eine offizielle Stellung der Familie gar nicht gab – teilten sich gleichberechtigt seine Söhne, Hippias und Hipparch. Hippias wird als ein tatkräftiger, kühler, zurückhaltender Mann geschildert, Hipparch als ein weltaufgeschlossener, liebenswürdiger und künstlerisch-temperamentvoller Mensch.

Ich müßte Sie jetzt, wollte ich Ihnen die Tyrannis der beiden Brüder schildern, mit einer Wiederholung langweilen, wäre nicht im gleichen Jahre noch etwas geschehen, was seltsamer ist, als es die Geschichtschreibung allgemein wahrhaben will. Es passierte folgendes:

Kimon, ein Athener aus altem Adel, Stiefbruder des auf dem Chersones regierenden Kolonisators Miltiades, hatte 536 das Wagenrennen in Olympia gewonnen. Peisistratos bereitete ihm einen großen Empfang. 532 siegten die Pferde Kimons zum zweitenmal. Peisistratos bereitete ihm einen noch größeren Empfang. 528 siegte Kimon zum drittenmal. Die Athener waren außer sich; sie gebärdeten sich, als hätten sie einen Halbgott zu empfangen. Peisistratos war tot; kein alter, würdiger Herrscher war da, dessen Umarmung immer noch die Ehrung durch einen Größeren bedeutete und die Dinge zurechtrückte. Die Söhne waren nicht der Vater, das zeigte sich deutlich. Hippias und Hipparch erlebten, daß sie in diesem Augenblick gegen Kimon nur Schatten waren. Von dieser Erfahrung, so sagen die Historiker, aufs höchste betroffen, faßten die Söhne »wohl aus staatsmännischer Vorsorge« einen Entschluß von ungewöhnlicher Grausamkeit:

Sie ließen Kimon ermorden.

Und damit setzt, wie Sie in allen Geschichtswerken unserer Zeit nachlesen können, die Wende der Tyrannis ein. Das Maß war, so heißt es, voll, die Erhebung begann. Und zum Beweis stellt man folgende Liste auf:
525, drei Jahre nach Kimons Ermordung, wurde Lygdamis, Tyrann von Naxos, gestürzt.
523 wurde Polykrates, Tyrann von Samos, beseitigt.
515 verloren die Peisistratiden ihre Silberminen in Thrakien.
514 ereignete sich bei den Panathenaien-Festspielen das in der Weltgeschichte berühmt gewordene Attentat auf die Peisistratiden. Hipparch wurde ermordet, Hippias konnte sich retten. Die beiden Verschwörer, Harmodios und Aristogeiton, spätere Nationalhelden, mußten dafür ihr Leben lassen. Harmodios fiel im Kampf, Aristogeiton wurde hingerichtet. Von da an begann die Schreckensherrschaft von Hippias, die das Wort Tyrann mit dem ewigen Makel versehen hat.
510 wurde Hippias endgültig vertrieben. Das Volk hatte sich befreit.
Der Fall scheint klar. Was halten Sie davon?
Nun – wir wollen uns die Sache doch noch einmal ansehen. Wenn Sie erlauben, wiederhole ich Ihnen jetzt die ereignisreichen Daten aus der Hippias-Zeit, diesmal allerdings mit kleinen Zusätzen, um zu untersuchen, wie das Volk tatsächlich zur Tyrannis stand und wie die Ereignisse in Wahrheit abliefen. Wir werden sehen, wie die Tyrannis von außen systematisch torpediert wurde.
528 wurde Kimon von unbekannten Tätern ermordet. In Athen hörte »man«, daß die Peisistratiden die Anstifter waren. Herodot berichtet allerdings, daß die Tyrannen die Tat stets weit von sich gewiesen haben.

Nun, das kostet ein paar Worte, nicht mehr. Aber Herodot, der aufmerksame Historiker, fügt hinzu, daß das freundschaftliche Verhältnis zwischen den Peisistratiden und den Kimoniden auch danach nie eine Trübung erfahren hat. Merkwürdig, nicht wahr? Kimon hat nachweislich seinen Sieg in Olympia auf den Namen des Tyrannen, honoris causa, ausrufen lassen. Eine freiwillige spontane Geste. Das deutet auf Freundschaft. Auch sind Hippias und Hipparch *nach* dem Sturz der Tyrannis von Kimons Familie selbst nie des Mordes beschuldigt worden.
Wer ist dann aber der »man«, der das Gerücht in Umlauf gesetzt hat? Der Mörder selbst? Jemand, der ein Interesse hatte, die Tyrannen in Schwierigkeiten zu bringen?
Hier muß ich Sie nun auf eine bescheidene Tatsache aufmerksam machen, die erstaunlicherweise immer verschwiegen wird: Die Alkmaioniden befanden sich zu diesem Zeitpunkt in Athen! Hippias und Hipparch hatten aus Anlaß des Todes ihres Vaters die Rückkehr gestattet. Die Herren gingen jedoch – »wir kennen weder den Zeitpunkt noch den Grund« – wieder außer Landes. Interessant.
525, drei Jahre später, wurde Lygdamis, Tyrann von Naxos, gestürzt. Er wurde nachweislich nicht vom Volk, sondern von Sparta mit Gewalt beseitigt. Die Tyrannenfeindlichkeit Spartas war ohne Rücksicht auf die Güte einer Regierung »grundsätzlich« (Professor Cornelius).
523 stürzte Polykrates. Nicht durch das Volk, sondern abermals durch Einwirkung von außen. Die Perser lockten ihn nach Kleinasien und ermordeten ihn.
519 geschah etwas, was neu auf diese Liste gehört. Die

kleine Stadt Platää, 20 Kilometer südlich von Theben, wünschte aus Abneigung gegen Theben dem Peloponnesischen Bunde Spartas beizutreten. Ein verlockendes Angebot für Sparta! Aber jetzt kommt die Überraschung: Sparta lehnte ab. Es empfahl, sich Athen anzuschließen. Hippias, Hipparch und der athenische Rat schlossen, von allen guten bismarckschen Geistern verlassen, tatsächlich ein Bündnis mit Platää. Die Quittung erhielten sie stehenden Fußes. Theben kündigte Athen die Allianz und wurde sein heimlicher Feind. Die Rechnung Spartas war aufgegangen.
515 verloren die Peisistratiden die thrakischen Minen. Nicht durch die Thraker, sondern durch den persischen König Dareios, der mit der Besetzung Thrakiens den Vorstoß gegen Griechenland begann.
Immer noch standen Hippias und Hipparch fest, »denn sie waren in ihrer Herrschaft über das Volk nie drückend, sondern übten sie auf tadellose Weise« (wörtlich Thukydides, achtzig Jahre später). Athen war in Ordnung, die Geschichte weiß von keiner Unzufriedenheit und keinem Gewaltakt, obwohl »die Tyrannen für jedermann leicht zugänglich waren« (Thukydides).
514 erfolgte nun aus heiterem Himmel das Attentat durch Harmodios und Aristogeiton in Athen!
Freunde! Wenn es jetzt keine Dolchstoßlegende gäbe – sie müßte geradezu erfunden werden! Es schreit danach.
Und es *war* ein Dolchstoß.
Harmodios und Aristogeiton, ein in Athen bekanntes Liebespaar, waren nicht, wie man so hartnäckig lehrt und wie damals in Athen die nach dem Umsturz heimgekehrten Emigranten fleißig verkünden ließen, die

Exponenten einer Volkserhebung. Das sind Lügen, wie man sie in der Weltgeschichte auf Schritt und Tritt findet. Herodot, Thukydides und Aristoteles sagen nichts davon. Sie berichten etwas ganz anderes: Harmodios und Aristogeiton vollführten den Mord an Hipparch (und nur *er* war gemeint) aus privaten, persönlichen Motiven, und als Motiv wird übereinstimmend eine unangenehme Einmischung Hipparchs in das paiderastische Verhältnis der beiden Männer angegeben. Andererseits sagen die gleichen Quellen, Aristogeiton habe auf der Folter eine Verbindung zu anderen Verschwörern zugegeben. Also doch Verschwörer?

Jeder Kriminalassistent im ersten Dienstjahr wird angesichts dieses »Widerspruchs« sofort zu der Lösung kommen, die der Schullehre bis heute offenbar tief verborgen geblieben ist: Harmodios und Aristogeiton, in eine private Rache gegen Hipparch verstrickt, wurden von Agenten der Emigration als die idealen Werkzeuge ihrer Ziele betrachtet. »Die Tyrannen waren für jedermann leicht zugänglich« – was nützte das, wenn das Volk keinen Grund zum Haß hatte? Für Harmodios und Aristogeiton aber gab es einen Grund! Als »man« davon hörte, setzte »man« sich mit den beiden in Verbindung. Sie wurden Handlanger. Wessen?

Fahren wir in der Liste der Ereignisse fort; sie beantwortet die Frage.

Nach dem Attentat fielen die Alkmaioniden mit einer Söldnerstreitmacht von Böotien aus in Attika ein. Hippias schlug sie.

511 griff Sparta an! Es hatte lange gezögert, aber jedesmal, wenn es der Sitte gemäß das Heilige Orakel von Delphi befragte, erhielt es die Antwort, Apoll erwarte

die Befreiung Athens. Diese heilige Ansicht ist erstaunlich, nicht wahr? Aber vielleicht finden Sie sie nicht mehr so erstaunlich, wenn ich Ihnen sage, daß Delphi das Hauptquartier der Alkmaioniden war und daß die Alkmaioniden den Priestern soeben einen prächtigen neuen Apollon-Tempel gestiftet hatten.
Sparta kam zur See. Hippias warf die Invasion ins Meer zurück.
510 kamen – Delphi und die Alkmaioniden ließen nicht locker – die Spartaner mit dem gesamten Heer unter Führung ihres Königs Kleomenes. Hippias wurde geschlagen und verschanzte sich auf der Akropolis, an der alle Angriffe scheiterten. Aber da seine Kinder in Gefangenschaft geraten waren, kapitulierte er gegen freien Abzug. Er ging nach Kleinasien.
Das Volk jubelte (nun tatsächlich mit Recht), weil das Ende der Schreckensherrschaft von Hippias gekommen war – na, und überhaupt, weil alles mal wieder so herrlich im Fluß war. Auf diesem Fluß kamen in alter Frische auch die Alkmaioniden angeschwommen; die Befreier.
Und nun, nachdem die Athener sich die Hände in Unschuld und wir sie uns nach solcherlei Geschichten in Seife gewaschen haben, wollen wir uns nach Sparta, dem großen Gegenspieler, begeben. Denn es ist Zeit.

IM NEUNTEN KAPITEL

sind wir also in Sparta. Obwohl es viel Ähnlichkeit mit dem Potsdam des Soldatenkönigs hat, ist der Besuch, selbst für Leser mit Gardemaß, bedeutend ungefährlicher; man sieht uns lieber gehen als kommen. Sparta war schon für die Griechen eine geheimnisvolle Stadt: ohne Mauern, ohne Luxus, ohne Villen, ohne Ausgelassenheit, ohne Liebenswürdigkeit, ohne Privatleben. Aber: von höchster Musikalität, höchstem Formgefühl, höchster Arbeitsscheu, höchster Geldverachtung und höchster Freizügigkeit der Mädchen.

SPARTA – SIE ERINNERN SICH: DORER ÜBERRENNEN MYKENE, Tiryns, Amyklai, die ganze homerische Welt – Sparta lag, wie es das heute noch tut, im Süden der Peloponnes-Halbinsel, in dem breiten, trockenen Eurotas-Tal, auf den letzten Ausläufern der Taygetos-Berge; damals eine Stadt von etwa 30 000 Einwohnern. Unbefestigt, das war das aufreizend Arrogante!

Wenn Sie sich Sparta im Geiste vorstellen wollen, so müssen Sie an ein als Stadt getarntes Heerlager denken oder an eine riesige soziologische Versuchsanstalt oder an einen stark an normale Menschen erinnernden »vernunftbegabten Bienenstock« – wie Plutarch es schon nannte. Aber eine recht hübsche Stadt, etwas dürftig vielleicht, hell wie ein Labor, sauber wie Potsdam, und nicht unmusisch. Auch in Sparta legte man Apoll Rosen zu Füßen, aber natürlich ordentlich ausgerichtet.

Wenn ich Ihnen nun sagen sollte, was Sparta eigentlich war – es müßte als »grundsätzlicher« Tyrannenhasser naturgemäß eine Demokratie sein, ist es aber nicht –, so gerate ich in Schwierigkeiten. Kennen Sie die Geschichte mit dem ungarischen Gesandten in USA nach dem Ersten Weltkrieg? Man brachte ein Hoch auf die Republik Ungarn aus; darauf der Gesandte: »Ungarn ist keine Republik.«

»Ah – sondern?«

»Königreich.«

»Oh – wie heißt Ihr König?«

»Wir haben keinen König.«

»Ah – einen Thronprätendenten.«

»Wir haben auch keinen Thronprätendenten.«

»Ach! Sie haben also nur einen Staatspräsidenten?«

»Wir haben keinen Staatspräsidenten. Exzellenz von Horthy ist Reichsverweser.«

»Aha. Wohl ein General?«
»Nein, ein Admiral.«
»Ein Admiral? Sie sind also eine Seemacht?«
»Nein, wir besitzen keine Flotte.«
»Aber Sie liegen natürlich am Meer?«
»Nein, wir sind ein Binnenland und haben nirgends eine Küste.«
»Ja, aber...wie...wie nennt man so was?«
»Ungarisch.« –
Natürlich lagen in Sparta die Verhältnisse klarer; jedenfalls schien es den Spartanern so. Sparta war, es wird Sie etwas überraschen, Königtum. *So* klar lagen die Verhältnisse aber wiederum nicht, daß Sparta nun einen König oder, wie Ungarn, keinen König gehabt hätte: es hatte zwei. Stets zwei gleichzeitig; nicht etwa Gegenkönige, sondern gemeinsam regierende. Das heißt, regieren taten sie eigentlich nicht. Sie waren die Vertreter des Volkes gegenüber den Göttern, die obersten Priester, die höchsten Würdenträger und im Kriege gegebenenfalls die Heerführer. Regieren durften sie erstaunlicherweise nicht. Dazu waren fünf »Ephoren« ausersehen, Männer, die vor den Königen »nicht aufzustehen brauchten«, obwohl sie nicht aus den beiden alten königlichen Familien, sondern aus dem Volk stammten. Ihre Macht war fast absolut. Sie konnten beispielsweise, ohne Rechenschaft ablegen zu müssen, von einer Minute auf die andere über Leben und Tod der Heloten entscheiden, – Sie müssen jetzt nur noch wissen, wer die Heloten sind.
Das sind die sogenannten Staatssklaven. Das sagt Ihnen natürlich auch nichts, Sie denken an eine Schar von Straßenfegern und Bürodienern, aber das waren sie nicht. Heloten waren ganze Völker in Bausch und Bo-

gen; zum Beispiel die benachbarten Messenier; aber auch ein großer Teil der Lakonier rings um Sparta; etwa 50 000, über die die fünf Ephoren Gewalt hatten. Xenophon, Plato und Aristoteles haben sie geradezu »Tyrannen« genannt. Sie waren es auch. Jedoch liegt der Fall auch hier etwas ungewöhnlich: Die fünf Ephoren wurden alljährlich neu gewählt. Das ist ein schöner demokratischer Zug. Das heißt, sehr demokratisch war er nun eigentlich auch wieder nicht, denn von den hunderttausend Menschen, die in dem Staatswesen Spartas lebten, besaßen nur die sogenannten Spartiaten Wahlrecht, und das waren kaum mehr als achttausend Männer.

Nicht, daß diese Achttausend ihr Recht von der Tatsache abgeleitet hätten, sie seien die einzigen Nachkommen der dorischen Eroberer. Nein, reine Dorer gab es fünfmal soviel; man nannte sie Periöken – »Umwohner«. Sie stammten aus ebenso alten Familien, sie hatten einst ebenso Mykene und Amyklai gestürmt, sie besaßen oft große Güter, sie waren mitunter sehr reich, sie genossen alle Freiheiten, nur hatten sie von Anfang an einen grundlegenden Fehler begangen, der sie in den Augen der Spartiaten und wohl auch in ihren eigenen Augen etwas unwürdig machte: Sie arbeiteten. So erklärt sich sicher auch die ganz seltsame Überlieferung, daß ein Spartiat, der seinen Pflichtbeitrag für den Unterhalt der »Staatsjugend« und die Krieger-Speisung nicht mehr zahlen konnte, zum Periöken deklassiert wurde. Wer nicht liquid war, bei dem stand offensichtlich die Arbeit drohend vor der Tür, und er sollte sich nun auch offen zum Periökenstand bekennen. Das alles hinderte die Spartaner nicht, sich “Ομοιοι” zu nennen, ein Wort, das berühmt geworden ist, es heißt

»die Gleichen«. Diese Gleichheit sollte sich, vorsichtigerweise, freilich nur auf die Spartiaten beziehen. Aber auch hier entdeckt man erstaunliche Methoden: Die Abgabe für die Speisung und den Unterhalt der Kadetten war für jeden gleich hoch angesetzt, ob er nun ein alleinstehender Millionär war oder ein mäßig begüterter Familienvater von zehn Kindern.

Was nun die Speisung anlangt, so ging über die damals in aller Welt bekannte spartanische »Schwarze Suppe« in Athen der Witz um: »Wer sie einmal gegessen hat, versteht, warum die Spartaner so gern in den Tod gehen.« Das Einzigartige an diesem Witz ist übrigens – wenn man ihn einmal genau betrachtet –, daß das Wahrscheinliche unzutreffend und das Unwahrscheinliche zutreffend war: Die Suppe war in Wahrheit vorzüglich, und die Spartaner gingen tatsächlich gern in den Tod. Und damit sind wir bei einem Mysterium angelangt, das zu erklären ich versuchen will, aber am Ende doch nicht können werde.

Wenn wir nicht so genaue Kenntnis über Sparta hätten, wäre die Lage offengestanden einfacher. An Hand von einigen Bruchstücken und an Hand der Kriegsgeschichte würden wir uns ein griechisches Preußen, ein friderizianisches Berlin ausmalen mit »Langen Kerls«, mit Kommißbrot und Garnisonkirche, mit Heiratsbefehlen, mit Adelsfräulein und Kameralräten, mit Ziethen und Seydlitz, mit schlechten Talern und verschlissenen Ehrenröcken. Es stimmt alles; dennoch ist es gefährlich, an dieses Bild zu denken, denn auf jeden Vergleich, der hingehen mag, kommen zehn Einzelheiten, die dem ins Gesicht schlagen. Verglichen mit den Spartanern waren die Friderizianer Abc-Schützen an Unkompliziertheit. Auch das andere Griechenland hat die

Spartaner niemals ganz begriffen. Es hatte allerdings auch keine Lust dazu. Wir aber haben Lust und müssen es probieren.
Spartas Verfassung führten die Griechen auf einen mythischen großen Gesetzgeber zurück, an dessen Existenz die meisten heutigen Forscher zweifeln: auf Lykurg. Er soll um das Jahr 800 gelebt haben, und wenn Sie mich fragen: er hat. Er bildet ungefähr das Gegenstück zu Athens vorsolonischem Gesetzgeber Drakon, den ich Ihnen der Einfachheit halber bisher verschwiegen habe. Auch seinen Solon hat Sparta dann gehabt, es war vermutlich der Ephore Cheilon, den man später zu den Sieben Weisen zählte. Von ihm soll auch das berühmte Wort »Erkenne dich selbst« stammen, und ich habe ihn in Verdacht, daß er es u.a. als Antwort auf die Versuche, Sparta zu begreifen, gefunden hat. Dieser Cheilon muß ein bedeutender Mann gewesen sein, wie wir uns die Ephoren überhaupt als erfahrene Staatsmänner vorzustellen haben. Vielleicht hat überhaupt erst Cheilon diese Machtstellung der Ephoren geschaffen, denn zu Lykurgs Zeiten waren sie noch die Garnisonpriester der fünf Siedlungen (oder Dörfer oder Bezirke) gewesen, aus denen die Stadt Sparta entstanden ist.
Ich habe absichtlich »Garnison« gesagt; das erklärt besser als die Worte »Dorf« und »Siedlung«, woher wahrscheinlich die spätere Vorrangstellung der Spartiaten kommt: Im Gegensatz zu den Hunderten von anderen Siedlungen werden diese fünf Niederlassungen eben von vornherein keinen zivilen Charakter gehabt haben. Hier, um die Ruine Amyklai, hat sich die militärische Macht zusammengelagert. In diesem Sinne ist also Sparta immer etwas ganz anderes gewesen als

Athen oder Theben oder Korinth, kein groß gewordenes Dorf, sondern die Garnisonsstadt für ein ganzes Land, anfangs für das Kernland Lakonien, bald aber für den ganzen Peloponnes. Das zu wissen ist deshalb interessant, weil man jetzt begreift, warum nur Sparta imstande gewesen wäre, Griechenland zu einen: Es war der einzige, dem das Denken in überstädtischen Dimensionen im Blut lag. Ob Sparta begriffen hat, was Volk und Nation sind, wissen wir nicht. Zur Zeit des Hippias-Sturzes war es zu spät, man hatte sich auseinandergelebt. Von da an hat sich Sparta auch ganz auf den Peloponnes konzentriert; also auf die geographische Festung. Etwa wie England. Aber Kolonien interessierten es sehr, und auf das Gleichgewicht der Flotten achtete es lange Zeit ängstlich (die spartanischen Kapitäne verstanden vom Seekrieg gar nichts), und stets war es moralisch entrüstet, wenn auf dem Festland sich eine Konsolidierung oder eine starke Persönlichkeit abhob. Dann unternahm es etwas. »Grundsätzlich«. Ομοιοι, »die Gleichen« ist dasselbe Wort wie das lateinische Pares und das englische Peers!

Das entscheidende Erlebnis Spartas ist der sogenannte Zweite Messenische Krieg um 660 gewesen. Er lag also zu dem Zeitpunkt, an dem wir im vorigen Kapitel bei Hippias' Sturz haltgemacht haben, schon 150 Jahre zurück, war aber unvergessen. Messenien, die große, fruchtbare und schöne Landschaft im Westen, seit dem 8. Jahrhundert schon unterworfen, erhob sich damals gegen Sparta. Der Aufstand war gut vorbereitet. Argos, Arkadien und Pisatis – damals nur in losem Zusammenhang mit Sparta – waren die geheimen Verbündeten der Messenier. Von seiten der Messenier wurde der Kampf sofort mit der Erbitterung von Sklaven geführt. Die Spartaner – Spartiaten wie Periöken – wußten, daß es um Tod und Leben ging. Ihre kleine Schar, zahlenmäßig den Messeniern weit unterlegen, rückte aus, von den Knaben bis zu den Greisen, in schrecklicher Entschlossenheit, zu sterben oder zu siegen. Unter ihnen der Dichter Tyrtaios, dessen wilde, heroische Lieder auf uns überkommen sind. Er war der geistige Führer der Spartaner, er war ihre Fahne, ihre Standarte, ihr Schwur.

Wenn wir fallen sollen,
laßt euch, meine Jünglinge,
nicht in der Reihe nach den Alten
liegend finden –
bewahrt uns vor dieser Schande.
Die erste Reihe soll die strahlendsten Glieder sehen.
Beißt die Lippen zusammen,
stemmt den Fuß in die Erde,
und keine Gnade!

Schritt für Schritt kämpften sich die Spartaner in Messenien vor. Als die Schlacht am »Großen Graben« geschlagen war, zogen sich die Messenier in die nördlichen Berge nach Hira zurück. »Keine Gnade«, sang Tyrtaios. Auf beiden Seiten wurde mit dem Mut der Verzweiflung gekämpft. Hira fiel. Damit war das Schicksal der Aufständischen besiegelt. Wer nicht gefallen war, erlebte jetzt erst, was »Sklave sein« hieß. Argos, Arkadien und Pisatis kapitulierten.
Die Festung Peloponnes gehörte wieder Sparta.
Die Spartaner haben diesen Schreck, am Rande der eigenen Versklavung gestanden zu haben, nie überwunden. Er hat aus ihnen Berufssoldaten gemacht. So

vollendete Berufssoldaten, daß Xenophon schrieb, der Unterschied zu den anderen Griechen sei wie der von Artisten zu Dilettanten.
Nun ist das Wort Berufssoldat aber etwas irreführend, denn sie standen nicht im Staatssold. Vielleicht hätte ich sagen sollen: Ordensritter.
Der Orden, das heißt der Staat, entschied schon bei der Geburt eines spartanischen Kindes, ob es am Leben bleiben oder ausgesetzt werden sollte. In Preußen hätte man die bläßlichen Exemplare wenigstens Dichter und Denker werden lassen. Sparta aber sah in kränklichen Kindern eine Gefahr für das Spartiatentum, für das Gefüge, den Bau, die Konstruktion. Die Spartaner haben für diesen Staatsbegriff einen Ausdruck gehabt, den wir heute auch noch kennen: Kosmos. Ein schönes Wort, aber ein schreckliches Wort, wenn man es so anwendet, wie sie es getan haben. Auf diesem Altar hat Sparta für sich eine der schönsten leuchtendsten Blüten des Griechentums geopfert: den Individualismus.
Sie waren reine Außenseiter, wenn man die anderen zum Maßstab nimmt. Die alten Geschichtsschreiber allerdings nennen sie die »reinsten« Griechen.
Mit sieben Jahren wurden die Knaben dem Elternhaus weggenommen; sie wurden Kadetten. Sie lebten nun in großen »Horden« zusammen. Die Kindheit war vorüber, die harte Erziehung begann. In den kleinen Köpfen sollten schon alle Gedanken um Pflicht, Gehorsam und Ehre kreisen. Führer waren ältere Knaben und, wenn sie mit vierzehn Jahren selbst »Jungspartiaten« geworden waren, erwachsene Krieger und Lehrer der Dichtung, Musik und Mythologie. Mit zwanzig Jahren war ihre Ausbildung abgeschlossen. Sie waren Männer.

Das waren sie sicher. Erstaunlicherweise waren sie aber auch Menschen geblieben. Sie haben (wenigstens damals noch) Dichter, Sänger, Bildhauer und Baumeister hervorgebracht; die dorischen Tempel und ihre Säulen zeugen von dem herrlichen Maß ihrer Augen, der erhabene Apollon-Thron von Amyklai für die Demut ihrer Herzen; viele kleine Züge zeugen von liebenswerten menschlichen Schwächen, sie liebten wie alle Griechen Farben und schöne Kleidung, aber ebenso gern gingen sie in betont zerschlissener Feldkleidung herum – die fixe Idee aller »alten Kämpfer« in der Welt.

Rührend war ihr Verhältnis zu den Eltern, vor allem zur Mutter; ganz ungriechisch. Und rührend ihre Ehrfurcht vor dem Alter. Allerdings liefen spartanische Greise auch nicht ewig jammernd und klagend herum wie die athenischen, die sich in der Rolle von alten Katern gefielen.

Mit dreißig Jahren trat im Leben des Mannes ein Wandel ein: er durfte jetzt zu Hause wohnen! Das ist fürwahr eine Großzügigkeit, die an den Alten Fritz erinnert.

Dreißig Jahre waren also, so kann man schließen, das Alter, in dem die Spartiaten zu heiraten pflegten. Sie scheinen es nicht gern getan zu haben, obwohl die spartanischen Mädchen sehr schön waren. Manche behaupten, sie seien *sehr* schön gewesen, aber ich habe die Ahnung, daß es lauter Fünfkampfmeisterinnen waren. Sie werden gewesen sein, was man »prachtvoll« nennt. Für einen athletischen Spartiaten kein Grund zur Furcht natürlich. Daher starb Sparta nicht aus.

Das spartanische Mädchen hatte ebenfalls eine höchst merkwürdige Erziehung hinter sich. Sie sollte zwar

dereinst die Herrin des Hauses werden, aber eine »Despoina«, eine »Gebieterin«, die für die Arbeit Sklaven und Diener hatte. Sie verbrachte also ihre ganze Jugend auf dem Sportplatz. Sie war die einzige Griechin, die Zutritt zu den Sportfesten hatte, und wenn sie gedurft hätte, wäre sie auch zu den Olympischen Spielen geritten. Sie war ohne Scheu, und es war kein Kunststück, sie nackt zu sehen. Für das ganze übrige Hellas war das etwas Außerordentliches, worüber man sich auch ständig das Maul zerriß. Sie war auf der Straße und an allen Ecken und Enden zu sehen und ist eigentlich die letzte Erbin der homerischen Frauenwelt gewesen. Artemis, die Jägerin, und Hera, die »Despoina«, wurden in Sparta hochverehrt.
Dennoch sah – wir wissen es vom 6. Jahrhundert an – der Staat mit Sorge auf die jungen Mädchen und die Nachkommenschaft, und ich muß sagen, ich auch. Ich weiß, wie staatserhaltend ein hochgeschlossenes Kleid und wie fruchtbar Ungewißheit ist. Der »guten Kameradin« jedoch schlägt man die Hand auf die Schulter, aber sonst nichts vor.
Der spartanische Staat hatte Nachwuchssorgen. Er belegte die Junggesellen mit Strafe, er verlangte Kinder, er wünschte – sicher wissen wir es zumindest von der ärmeren Periökenbevölkerung –, daß ein kinderlos gebliebener Ehemann sich seines Bruders oder Freundes als Ehehelfer bediente. Man erlaubte große Freiheiten; die Mädchen trugen Kleider, die oft bis zur Hüfte hinauf aufgeschlitzt waren (die Athener waren entrüstet über die »Schenkelzeigerinnen«), man erlaubte alljährlich die zehn Tage dauernden »Gymnopaidiai«, das Tanzfest der nackten Jünglinge.
Von einer Gepflogenheit aber, die man für den »Kos-

mos« höher als alles schätzte, ist Sparta nie abgegangen: von der Pflege der Paiderastía.
Sparta war die Hochburg der Knabenliebe. Und da Sparta eine einzige große Ordensburg war, war auch die Paiderastía dort nicht mehr der (wie man in der modernen Nationalökonomie sagen würde) »freien Marktwirtschaft« anheimgestellt, sondern wurde eine feste Ordensregel. »Jeder Versuch gegen die Knabenliebe hätte in Spartas hoher Zeit umstürzlerisch gewirkt und wäre als ungesund und volksverräterisch aufgenommen worden« (Theodor Däubler). Der spartanische Staat wünschte, daß jeder Jüngling durch erotische Bande fest an einen vorbildlichen Mann gekettet und daß jeder Krieger durch die gleichen Gefühle zu einem Pais, einem Knaben, zu höchstem Vorbild aufgestachelt würde. Die Spartaner opferten vor dem Gang in die Schlacht dem Eros. Sie waren nicht nur überzeugt, sondern sie hatten Beweise dafür, daß »die Liebe der Seite an Seite kämpfenden Freunde ein großer Garant für den Sieg« sei. Die Geschichte ist voll von Beispielen, oft erschütternden.
Die Griechen waren von Natur – ich verbessere mich: Die Griechen waren natürlich bisexuell. (Der Hermaphrodit war, allen anderen Deutungsversuchen zum Trotz, weiter nichts als ihr verblüffend offener Wunschtraum.) Die Paiderastía hat sich nie ehefeindlich ausgewirkt, sie war sicherlich auch in Sparta nicht die Ursache der Sorgen. Es gab so viele andere Dinge, die es gewesen sein können.
Vielleicht war es die »Autarkie«, die die Spartaner so weit trieben, daß sie die Inzucht vorzogen und den Spartiaten Heiraten mit »Fremden« verboten. Sie übertrieben die Autarkie auf allen Gebieten, sie wiesen

Ausländer nach einer bestimmten Zeit aus, sie untersagten jede Auswanderung, ja, sie gingen so weit, daß sie den Besitz von Gold und Devisen verboten und ihr Leben lang am uralten Eisengeld festhielten – nicht, weil sie so altmodisch waren, wie die spöttelnden Athener meinten, sondern weil es ihnen gefiel, daß außerhalb der Grenzen kein Spartaner etwas mit seinem Gelde anfangen konnte.

Der Bienenstock war perfekt.

Nur die Züchtung einer Bienenkönigin ist ihnen nicht gelungen.

DAS ZEHNTE KAPITEL

steht vor der Tür, und immer noch tritt die griechische Geschichte »auf der Stelle«. Das kommt davon, wenn man keine anständigen Kriege führt, sondern allerlei andere Dinge im Kopf hat.

AN DIESER STELLE WÄRE EINE GEWISSE UNGEDULD UND DIE Frage zu verstehen: Wann kommen denn endlich die Perser? Es ist wahr, die ganze Sache ist vorläufig noch nicht richtig im Schwung. Man sieht Athen und Sparta, Korinth und Theben, links eine Stadt, rechts eine Stadt, oben eine, unten eine, links eine Tyrannis, rechts eine Volksvertretung, in Ephesos eine latente Monarchie, in Thessalien Feudalherrschaft, in Delphi Priesterdiktatur, in Lokris (50 Kilometer weiter) die »Hundert Geschlechter«-Wirtschaft, in Syrakus Plutokratie, in Chalkis Militärprimat, 6 »Staaten« auf Lesbos, 22 in Phokis, 100 auf Kreta; man sieht Apollon-Tempel, Zeus-Tempel, Athene-Tempel, Hermen, Akropolis, Gymnasion, Marktplatz, Säulen, Mauern, Marmor, Gärten, Knaben, Homer, Harzwein, Ziegen, Segel, Trierenschlag, Küsten, Sonne, Lügen, Lachen, man sieht dieses und jenes, aber man sieht »Griechenland« nicht.
Genauer gesagt: Man sieht Griechenland nicht in *Bewegung*. Geschichte wird offenbar erst durch Bewegung sichtbar. Daher haben zum Beispiel die Schweizer auch keine Geschichte mehr. Aber sie tragen es wie andere Leute den Verlust des Blinddarms.
»Wann kommen denn endlich die Perser?« – das ist ein Satz, der zweierlei verrät. Erstens, daß Sie ein vorzügliches Gedächtnis haben, und zweitens, daß Ihr Gefühl Griechenland gegenüber vollständig richtig ist: Alles wäre sofort anders, wenn etwas hereinbräche, wenn die Bäume, vor denen man den Wald nicht sieht, im Sturm lebendig würden.
Das ist unbedingt wahr. Dareios, der zu dieser Zeit als dritter Großkönig nach Kyros und Kambyses über das neuerstandene persische Reich herrschte, war sich die-

ser Wahrheit ebenso bewußt, aber mit seiner Rüstung für den 3000 Kilometer langen Weg noch nicht fertig. Das ist mir sehr lieb, denn ich muß unbedingt noch eine Sache nachholen, ohne die Sie das plötzliche Auftauchen ausgerechnet von Persern nicht verstehen würden –, obwohl ich zugebe, daß es für das plötzliche Auftauchen von Generälen irgendwo eigentlich keiner besonderen menschlichen Erklärung bedarf.

Wir waren in Sparta und verlassen es mit den Gefühlen, mit denen man einst Potsdam nach einem Pflichtbesuch beim Soldatenkönig den Rücken gekehrt hat: Man saß in der Diligence, trocknete sich die Schweißperlen von der Stirn und war voll Bewunderung.

So bleibt nun Sparta bis ans Lebensende. Es ist nie vernichtet worden, nie untergegangen; es ist versteinert.

Athen aber steht bereits wieder kopf.

510 war Hippias vertrieben worden. Die Alkmaioniden – »unter den vornehmen Familien durch besondere Freiheitlichkeit und geistige Beweglichkeit ausgezeichnet«, wie ein moderner Historiker sie nennt – die Alkmaioniden rissen infolge ihrer geistigen Beweglichkeit und als Entschädigung dafür, daß sie so schwer »das Brot der Verbannung essen mußten« (ein anderer moderner Historiker), sofort die Regierung an sich. Der alte Megakles war tot, neuer Chef des Hauses war ein Mann namens Kleisthenes.

Kleisthenes stand vor derselben schweren Hauptaufgabe, vor der auch ich stehe: Ich muß Ihnen und er mußte den Athenern klarmachen, daß er ein Mann von der Untadeligkeit und Uneigennützigkeit eines Solon war. Er war es tatsächlich. Er war also insofern ein völlig entarteter Sproß dieser berühmten Familie.

Vor allem die Adligen wollten das zunächst nicht glauben. Als Kleisthenes seine ersten, fast demokratischen Reformpläne bekanntgab, dachten sie lange, er wolle sie foppen. Als sie sahen, daß es ernst war, schlossen sie sich unter einem Aristokraten namens Isagoras zusammen, an dem der alte Megakles seine Freude gehabt hätte. In bekannter Freiheitlichkeit und geistiger Beweglichkeit holte Isagoras den Feind Sparta erneut nach Athen. Sparta wäre wohl nicht gekommen, wenn Isagoras nicht zufällig ein alter Gastfreund der Könige gewesen wäre. So rückten also die Spartaner zum zweitenmal ein, diesmal zur Befreiung von der Demokratie. Kleisthenes verließ die Stadt, 700 Familien mit ihm. Man schickte ihm den Fluch »ewiger« Verbannung nach und riß seine Häuser ein.

Der Adel, noch im Schutze der Besatzung, machte sich sofort daran, die alte Burschenherrlichkeit wieder auferstehen zu lassen. Das überschritt nun selbst für die Athener die Grenzen des Interessanten. Ohne daß ein langes Grollen es vorher angekündigt hätte, nahmen sie eines Morgens die Schwerter von der Wand (seit Peisistratos hatten sich die Innenarchitekten der Schwerter bedient) und schlossen Isagoras mit seinen Spartanern samt ihrem König Kleomenes auf der Akropolis ein. Das war tollkühn, – wie man diese heiteren Wiener aber später noch öfter sah. Tatsächlich kapitulierten die Spartaner. Sie erhielten freien Abzug und bekamen als Geschenk noch Isagoras drauf.

Kleisthenes und die 700 Planwagen kehrten zurück. Das war im Jahre 508.

Die Erfahrung hatte ihn nun gelehrt, daß es für die Ruhe einer Stadt keine dringlichere Aufgabe gab, als einen Weg zu finden, die Stände-Gruppierung zu zerschlagen. Kleisthenes' Gedanken kreisten sehr richtig um

eine Lösung, die das gesamte Volk neu gliedern sollte, nicht nach Ständen, nicht nach Besitz, nicht nach Wohnorten, denn diese drei Gesichtspunkte schienen ihm unfruchtbar, sie verbanden nicht, sie trennten. Die zu findende neue Gliederung mußte den Zugehörigen einen gemeinsamen Sinn geben. Aber wie?
Da Kleisthenes ein echter Staatsmann war, fand er die Lösung. Er teilte Athen, Binnenland und Küste, also jene drei Gebiete, die schon immer ein Begriff und in so vielen Dingen Gegner gewesen waren, in je zehn Teile. Je ein Zehntel von Athen schloß er jetzt mit einem Zehntel vom Lande und einem Zehntel der Küste zu einer Einheit einer »Phyle« zusammen. Das wäre reine Theorie geblieben, wenn er diesen Phylen nicht einen Inhalt gegeben hätte, der einer Interessengemeinschaft über allen Klassenleidenschaften gleichkam. Diese Idee war die große Leistung! Kleisthenes sagte: Nicht mehr eine Ortschaft und nicht mehr ein Stand wird künftig die Regimenter aufbringen, sondern die Phyle. Jede der zehn Phylen (also ein Drittel Athen plus ein Drittel Land plus ein Drittel Küste) hat eine Einheit zu stellen. Sie wählt einen eigenen Kommandeur; die zehn Kommandeure unterstehen direkt dem Polemarchen, dem heerführenden Archonten.
Um uns die Kraft dieses neuen Gedankens, der mehr als ein Gedanke, der ein neues Volksgefühl war, klarzumachen, brauchen wir uns nur daran zu erinnern, wie fest seinerzeit der Weltkrieg 1914/1918 zum erstenmal ein Regiment aus Nürnbergern, Bremern und Breslauern zusammengeschweißt hat.
Aber Kleisthenes legte noch eine zweite Klammer an. Er erhöhte die große Ratsversammlung von den solonischen 400 Sitzen auf 500 und bestimmte, daß es wie-

der die Phylen sein sollten, die die Mitglieder zu stellen hatten. Kein Zweifel, jetzt begannen die Gedanken der Arbeiter, Bauern, Fischer, Kaufleute, Grundbesitzer, der Künstler, Bankiers und Beamten weit mehr um ihre Phyle zu kreisen als um ihren Stand. Es nützte nun nichts mehr, daß sich die Fischer untereinander verbanden, sie mußten sich mit ihrer Phyle verständigen, das war wichtiger. Bei der Ratsversammlung lamentierten nicht mehr links die Kaufleute, rechts die Grundbesitzer, sondern die Phylen standen beisammen, so wie heute noch in der Schweiz nicht die Parteien beisammenstehen, sondern »die Berner«, »die Unterwaldner«, »die Züricher«. Und bald geschah es, daß man sich in Attika nicht mehr wie früher »Demarchos, Sohn des Lysippos« nannte, sondern seinen Rufnahmen mit dem Demosnamen der Phyle verband. Die Phylen hatten herrliche Namen, sie hießen alle nach appetitanregenden athenischen Heroen.
Ein großer und neuer Reiz, sich politisch zu fühlen, lag auch darin, daß in der Zeit zwischen den Versammlungsterminen stets 50 Mitglieder, gewissermaßen als »Nachtdienst« in Athen anwesend sein sollten. Es traf also jede Phyle einen Monat, und es war natürlich wunderbar für die Leute vom Lande oder von der Küste, 30 Tage in Athen zu sein und sich im Prytaneion, dem »Regierungspalast« verpflegen zu lassen. Fünfzig Männer unter sich – wer die Südländer kennt, ahnt ihr Wohlgefühl!
Das Erstaunliche an Kleisthenes war nicht das Rechtfinden oder das Sozialordnen, worin er kleiner war als Solon oder Peisistratos, sondern das Erdenken von bisher Undenkbarem, das Aus-der-Luft-Greifen von Ungeahntem, das Erfinden. Er war auch der Erfinder

des Ostrakismós, des »Scherbengerichts«, das später eine so große Rolle spielen sollte. Es ist das erste Volksbegehren. Aber worauf richtete es sich! Sie würden nie darauf kommen: Alljährlich wurde der gesamten Volksversammlung die Frage vorgelegt, ob in diesem Jahre ein Scherbengericht abgehalten werden solle; war die Mehrheit dafür, so erhielt jeder eine Tonscherbe, auf die er den Namen desjenigen Mannes kritzeln konnte (nicht mußte), den er für eine Gefährdung, Bedrohung oder Beunruhigung des Staatskurses hielt. Wurden mindestens 6000 Stimmen abgegeben, so mußte derjenige, der die höchste Stimmzahl erhalten hatte, für zehn Jahre außer Landes gehen; ohne Verlust der Ehre oder seines Besitzes. Scherbengerichte waren schicksalhafte, dramatische Entweder-Oder-Augenblicke des ganzen Volkes, und wer die griechische Geschichte kennt und im Nationalmuseum von Athen zum Beispiel vor jenen ausgegrabenen »Scherben« steht, mit denen die Athener einen ihrer größten Söhne, Themistokles, in einem schrecklichen Irrtum verbannt haben, der wird sich einer starken Bewegung kaum erwehren können.
Der Gedanke, den Kleisthenes hier geboren hatte, war von dämonischer Tiefe. Kein heutiger Staat würde es wagen, ihn aufzunehmen. Ganz abgesehen davon, daß sich das gesamte Ausland für unsere Verscherbelten bedanken würde.
Bewundern Sie die lodernde Flamme Griechenlands!
Die »Isonomie«, so nannte man die neuen Errungenschaften, war geboren. Diese Isonomía, das Prinzip der Bürger-Gleichheit, wird vom 20. Jahrhundert gerne als Demokratía, als echte Volksherrschaft, ausgegeben, weil es so schön wäre, wenn die moderne Demo-

kratie eine lange Ahnenreihe hätte. Unsere Demokratie ist aber, es läßt sich nicht ändern, ein Parvenü und hat mit der Isonomie Athens nur so viel Ähnlichkeit wie ein Telefon mit dem ersten Morse-Apparat.
Es war die erste Isonomie der Welt. Übrigens ist sie ewig ein Fremdkörper in Griechenland geblieben, es ist zwecklos, das zu beschönigen. Der Grieche war Theatraliker, himmelhoch jauchzend, zu Tode betrübt, frierend und schwitzend; Isonomie aber ist Air-condition.
Jedoch – es war neu und infolgedessen spannend, und als Sparta, aufgestachelt von Isagoras und von Delphi, dem Vatikan der alten Griechen, zweimal durch einen Gesandten intervenieren ließ, kochte ganz Athen. Im Frühjahr 506 waren sich Sparta, Chalkis und Theben einig, die Isonomie in Athen zu beseitigen. Drei Heere stießen in Richtung Attika vor. In diesem Augenblick größter Bedrängnis entschloß sich Kleisthenes zu einem – wie könnte es bei ihm anders sein – ungewöhnlichen Schritt: Er stellte Athen unter den Schutz des Perserkönigs! Eilboten gingen an den persischen Satrapen von Kleinasien ab und überbrachten ihm zum Zeichen der Unterwerfung Wasser und Erde Attikas. Jetzt kochte Sparta!
Aber ob es nun die Nachricht von diesem Schritt war oder ob Uneinigkeit der Grund gewesen ist –, das spartanische Heer, das schon bis Eleusis vorgedrungen war, machte kehrt. Die Thebaner ahnten von ihrer Isolierung noch nichts und marschierten wacker weiter. Kleisthenes rief die Phylen auf. Sie sollten nun ihre Feuerprobe bestehen.
Sie bestanden sie.
Theben und Chalkis wurden geschlagen.

Sparta, beschämt und betreten, holte vom grünen Tisch noch schnell zu einem Schlage aus. Ich sollte Sie eigentlich schonend darauf vorbereiten, weil Sie es kaum glauben werden: Sparta trat an die Perser mit der Bitte heran, Hippias, der sich in Kleinasien aufhielt, in Athen wieder als Tyrannen einzusetzen!

So ist die Welt, meine Freunde. Honny soit qui mal y pense, wie die Engländer zu sagen pflegen.

Jedoch, was in unserer Zeit ohne weiteres gelungen wäre, gelang damals Sparta nicht, und Kleisthenes konnte sich nach einem erfindungsreichen Leben ohne Sorge zur Ruhe legen. Ein Denkmal freilich setzte man ihm nicht. Das wurde gerade für Harmodios und Aristogeiton aufgestellt. So ist die Welt, ich sagte es schon.

IM ELFTEN KAPITEL

kommen endlich die Perser. Was wäre die griechische Historie ohne sie! Mit der klassischen Schlacht von Marathon tritt Hellas in die Weltgeschichte und in unsere Schulbücher (Unterstufe, leichtverständlich) ein.

DAS WAR ES, WAS ICH ZUM VERSTÄNDNIS DES AUFTAUCHENS DER Perser nachtragen wollte, und Sie werden es in Ihrer Güte als Erklärung akzeptieren. Denn, so werden Sie kombinieren, die Perser hatten durch den Schutzvertrag mit Kleisthenes ein Recht dazu.
Weit gefehlt!
»Kleisthenes hat die Perser niemals um Schutz gebeten!«
Dieser Satz, den die Athener beständig wiederholten, überrascht nicht nur Sie, er überraschte auch die Griechen und ebenso die Perser, die glaubten, nicht recht zu hören. Man war sprachlos; was jedoch Athen nicht hinderte, an seiner Gedächtnisschwäche festzuhalten.
Der Schritt des Kleisthenes, aus der Not geboren und zudem auch noch ganz überflüssig, war seinerzeit nicht schön gewesen; aber, so sagte man, was ist ein Schritt? Er ist kein Ding, kein Gegenstand, keine Sache, nur ein Einfall, und wenn man ihn vergißt, ist er weg.
Das wäre perfide, wenn es eine typische Strauß-Gesinnung – ich meine Vogel-Strauß-Gesinnung – gewesen wäre, aber es entsprang tatsächlich nur der heftigen *ästhetischen* Abneigung gegen Häßlichkeit. Die Griechen waren alle etwas unwahrscheinlich. Die heutigen Strauße sind alle sehr wahrscheinlich.
Jedoch nicht diese Gedächtnisschwäche war es, die die Perser so aufreizte, sondern etwas ganz anderes: Athen hatte vor kurzem zwanzig Kriegsschiffe nach Kleinasien entsandt, um die Stadt Milet in ihrem Unabhängigkeitskampf gegen den persischen Satrapen zu unterstützen.
Milet...Unabhängigkeitskampf...Um das zu verste-

hen, muß ich Ihnen erklären, was sich inzwischen seit der Kolonisation der kleinasiatischen Küste in diesem griechischen Landstreifen abgespielt hat.
Die Perser hatten – das lag kaum anderthalb Generationen zurück – von ihrem kleinen Stammland aus in einem beispiellosen Siegeszug das medische, assyrische, babylonische, elamitische, syrische und lydische Reich unterworfen und waren über Nacht unter ihrem Herrscher Kyros zur Weltmacht geworden. Das war zu jener Zeit geschehen, als Peisistratos in Athen die Tyrannis errichtete. Der zweite Perserkönig, Kambyses, raste wie ein Feuer weiter, stieß über Palästina bis nach Ägypten vor, überrannte es und ließ sich 525 auch noch zum Pharao krönen. Nun, abermals 25 Jahre später, saß Dareios auf dem Thron in Susa, Gebieter über neun Reiche, »Schutzherr« auch der Griechenstädte in Kleinasien. Seine Hand über diesem »Ionien« war milde und unsichtbar; er ahnte infolgedessen auch nichts von den Gedanken, die die Ionier bewegten.
Die Griechen haben die Perser nie verstanden. Sie haben sie als schwarze, düstere, knebelbärtige Teufel betrachtet und dieses Bild in die Welt gesetzt. Die griechischen Städte der kleinasiatischen Küste waren seit frühester Zeit fremde Nachbarn gewohnt, zuerst die Phryger, dann die Lyder, kultivierte Völker, kultivierte, großzügige Könige wie Midas und Gyges; geistige Strömungen gingen hinüber und herüber, in Ephesos verschmolz man Artemis, die Jägerin und Schwester Apolls, mit der phrygischen »Großen Mutter«, während auf der anderen Seite Midas ein tiefer Verehrer Apolls wurde und mit einer Millionen-Stiftung das Heiligtum des Gottes in Delphi zum »Rom« der Griechen machen half. Apoll hätte gewiß lieber Rosen gese-

hen, aber Priester ziehen Dinge vor, die länger frisch bleiben.
Die ionischen Städte blühten und gediehen damals. Ein ganz klein wenig war man natürlich von Lydien abhängig, aber es verletzte nie den Stolz. Die herrlichen Städte wie Milet, Ephesos, Lebedos, Phokaia, Elaia, Pergamon und die Inselresidenzen Samos, Chios, Mytilene, Hephaistia waren der alten Heimat lange Zeit weit voraus; die »Polis«, der unvergleichbare hellenische Stadtstaat, war ihre Erfindung, ja, man kann fast sagen, daß dort drüben an der kleinasiatischen Küste jener griechische Geist geboren wurde, den wir meinen, wenn wir das Wort Hellas aussprechen. Als sich in Athen, Sparta, Theben und Paros noch archaische Sänger wie Tyrtaios, Archilochos und Hesiod im Dienste der Götter oder des Vaterlandes in den ersten spröden Anfängen einer Dichtung versuchten, da schufen reine Lyriker wie Alkaios und die Sappho auf Lesbos bereits »Weltliteratur«. Und als Delphi noch an die Säulen des Herakles und die Erdscheibe glaubte, lehrten Anaximandros in Milet und Pythagoras in Samos schon die Kugelgestalt der Planeten und Thales von Milet berechnete die Sonnenfinsternis von 585 voraus!
Auch die flüchtigen Schatten der Assyrer und Babylonier hatten die lichten Städte, die »Riviera« Griechenlands, nicht verdunkelt. Die Perser aber, die nun seit 546 die Schutzherren waren, – die verstand man nicht! Es waren Menschen, die zwar zur gleichen Zeit lebten, aber dennoch durch Jahrhunderte von den Ioniern getrennt schienen.
Das stimmt. Den Persern war Apoll vollständig gleichgültig, und eine Akropolis galt ihnen dann als schön, wenn sie uneinnehmbar war. Auch ein blonder Pais

beeindruckte sie nur mäßig, und die notorischen Lügereien fanden sie nicht spaßig. Ihre Welt sah anders aus. Die Griechen hatten davon keine Ahnung. Sie wiederum empfanden die vergeistigte monotheistische Lehre Zarathustras als kümmerlich, die persische Strenge als düster, ihr Herrentum despotisch, die sprichwörtliche persische Wahrheitsliebe als witzlos. Am ekelhaftesten aber waren den kleinasiatischen Griechen die Perser dadurch, daß sie jetzt wieder auf ihrer 2000 Kilometer langen, mit 111 tadellosen Poststationen besetzten »Königsstraße« wie auf einer Autobahn durch Kleinasien angerast kamen.

Sie kamen aus gutem Grund. In ganz Ionien war der Aufstand gegen ihre Oberhoheit ausgebrochen. Dareios befahl, ein Exempel zu statuieren.

Es war für ihn ein unerwartet hartes Stück Arbeit, die erste wirklich blutige Arbeit der sonst so tolerant gewordenen Perser. Es dauerte vier lange Jahre, bis die letzte ionische Stadt endgültig unterworfen oder dem Erdboden gleichgemacht war. Auch die zwanzig athenischen Schiffchen, die so sehr die Erbitterung der Perser erregten, konnten daran nichts ändern. Wo waren die anderen Flotten? Ionien war – das ist eigentlich das schlimmste Fazit – vom Mutterland im Stich gelassen worden. Nun war es persisch; seine Blüte über Nacht vernichtet.

Erst als das alles passiert war, fuhr den Griechen daheim der Schreck in die Glieder. Am Dionysosfest des gleichen Jahres, als drüben die Lichter erloschen, fand in Athen die Uraufführung (eine der frühesten der Geschichte) des brennend aktuellen Schauspiels von Phrynichos statt: »Die Eroberung von Milet«. Der Eindruck war ungeheuer. Das Volk war fast in Panikstimmung. Die Archonten griffen ein und belegten den Dichter mit einer Strafe (das früheste nachweisbare schlechte Gewissen einer Regierung). Jetzt erwachten endlich auch die Spartaner. Sie brauchten keine Propheten zu sein, um zu wissen, daß die Perser nun kommen würden.

Sie kamen.

Im Sommer 490 stach die persische Flottille in See. Die Griechen haben später maßlos übertrieben; es sollen 600 Trieren mit 600 000 Kriegern gewesen sein. Das ist totaler Unsinn. Es waren etwa 100 Schiffe und 20 000 Mann. Das war auch noch erschreckend genug.

Die Inseln, die die Flotte anlief, unterwarfen sich sofort. Datis, der persische Oberbefehlshaber, war zufrieden; er zeigte sich als feiner Mann, indem er in Delos ostentativ dem Apoll ein feierliches Opfer darbrachte. Das nächste Ziel hieß Eretria auf Euböa. Eretria war seinerzeit schüchtern, aber tapfer Athens Spuren gefolgt und hatte den zwanzig Schiffen für Milet noch fünf eigene nachgeschickt. Hier lag also die Sache für die Perser anders. Eretria fiel, die Stadt wurde dem Erdboden gleichgemacht, die Bewohner nach Persien verschleppt und bei Susa, unter den Augen des Großkönigs, neu angesiedelt.

Dieser erste Schlag löste alle Alarmglocken aus. Athen rief um Hilfe. Theben lachte Hohn, erinnerte an 519 und empfahl, sich an Platää zu halten. Das kleine treue Platää kam. Auch König Kleomenes von Sparta sagte Hilfe zu. Er kannte ja den Weg nach Athen gut. Aber der Heerbann war in alle Gegenden verstreut und vor der traditionellen Vollmond-Versammlung schwer zu erreichen. Es war ein Wettlauf um Stunden, denn schon traf in Athen die Nachricht ein, daß die Perser

von Eretria auf das Festland nach Marathon übergesetzt waren. Eretria – Marathon... wie einstmals Peisistratos! Und tatsächlich war ein Peisistratide drüben beim persischen Heer, Flüchtlinge bestätigten es: der greise Hippias war da!
Der Mann auf der griechischen Seite, der Kopf in Athen, war – makabres Spiel des Schicksals – Miltiades, Sohn des zur Zeit von Hippias und Hipparch ermordeten dreifachen Olympiasiegers Kimon, später Erbe eines Peisistratiden-Fürstentums auf dem Chersones, dann Rebell gegen Dareios und Flüchtling vor den Persern. Dieser Miltiades war es, dem sich die Athener inklusive des Archonten Kallimachos in ihrer Not blind anvertrauten. Miltiades setzte alles auf eine Karte; er beschloß, die Mauern Athens zu verlassen und den Persern auf offenem Felde entgegenzutreten.
Miltiades hoffte auf die Spartaner. Als er in der Ebene vor Marathon die Perser sichtete, machte er halt und wartete. Aber die Spartaner kamen nicht. Es vergingen Stunden, es verging die Nacht und der nächste Tag, und es war abzusehen, wann die Perser der Galgenfrist eine Ende bereiten würden. 20 000 persische Bogenschützen, darunter die auf Schiffen herbeigebrachte gefürchtete Reiterei, standen 10 000 griechischen Schwert- und Lanzenträgern, den »Hopliten«, gegenüber.
Plötzlich griff Datis an.
Herodot berichtet fasziniert, was in dieser Schreckminute geschah: Miltiades riß die Hopliten, die Masse der Schwerbewaffneten, hoch und ließ sie im Sturmlauf anrennen, um unter der schwarzen Wolke der persischen Pfeile hindurchzukommen.
Das Zentrum scheiterte sofort an den persischen Rei-

tern, die Flügel jedoch drangen vor, warfen die Perser zurück, schwenkten zur Mitte und nahmen den Kern in die Zange. Datis wehrte sich verzweifelt, doch die Schlacht war entschieden.
Die Perser fluteten zu den Schiffen zurück. Die todmüden Griechen hatten nicht mehr die Kraft, sie zu verfolgen. Die Siegesbotschaft aber brachte ein Läufer nach Athen. Er lief über das Brilessos-Gebirge, durch die Pallene-Ebene, am Fuße des Hymettos entlang, 42 Kilometer weit. Er hat dem Marathonlauf der modernen Olympischen Spiele den Namen gegeben. Die heutigen Sieger durchlaufen die Strecke in zweieinhalb Stunden. Vielleicht hat das der unbekannte Grieche damals auch gekonnt. Er brach nach dem Lauf tot zusammen.
Indessen rückte ihm das Heer, so gut es ging, im Eilmarsch nach. Die Überlegung war richtig: Die persische Flotte befand sich ebenfalls auf dem Wege nach Athen.
Als Datis landen wollte, stand das athenische Heer schon wieder da. Er glaubte, Gespenster zu sehen, machte kehrt und gab Befehl zur Heimkehr nach Kleinasien.
Die Schlacht war aus, das Unwahrscheinliche Ereignis: Athen hatte die Perser besiegt!
Genau einen Tag, nachdem alles vorüber war, trafen die Spartaner ein. Dieser eine Tag Verspätung hat sie für alle Zeiten den Ruhm gekostet, allein das Schwert Griechenlands zu sein. Athen war neben sie getreten.
Aber nichts trübte die allgemeine Freude. Der Jubel in ganz Griechenland war unbeschreiblich.
Was für ein Gefühl, als am Morgen nach dem Sieg die Sonne aufging! Trauer in nur wenigen Häusern, Stolz

in allen. Zeus, Athene und Apoll (herrlich, wie er Datis mit seinem Weihopfer betrogen hatte!) wurden auf der Akropolis mit Blüten, Wohlgerüchen und Farben zugedeckt, die letzten Septemberblumen waren die Teppiche, auf denen die Krieger zur Ehrung schritten. Die Mädchenaugen blitzten, die Münder der Paides lächelten, und die Helden hielten reiche Ernte. Die »Skolien«, die Symposienlieder, blühten und die Phantasie ebenfalls. Da wurden die »600 000 Perser« geboren und auch die Flüsterfama, daß die Alkmaioniden den Persern in der Schlacht geheime Zeichen gegeben hätten. Weinselige Nächte und endlose Gespräche! Ihr Leben lang sind den Griechen Meinungen lieber gewesen als Fakten. Es fiel ihnen spielend leicht, zu ignorieren, daß 600 000 Perser in der Marathon-Ebene gar nicht Platz gehabt hätten, und daß ihr vergötterter Miltiades von Beruf Tyrann war. Und damit sind wir bei dem strahlenden Sieger von Marathon.
Nachdem er sich ein halbes Jahr lang in der Sonne des Volkes gebräunt, ein großes Haus, einen faszinierenden Lebensstil und viel Korrespondenz geführt hatte, gebar der bewunderte Mann im Frühjahr 489 eine unglaubliche Tragikomödie; und da sie verwirklicht wurde, müssen wir annehmen, daß sie den Athenern immerhin besser gefiel als nichts.
Archon war zu dieser Zeit Aristides, Freund des Miltiades und Erster Stratege bei Marathon. Vergessen Sie seinen Namen ja nicht, obwohl er bald von der Bildfläche verschwinden wird; er kommt unter dramatischen Umständen in einem sehr schönen Augenblick wieder. Aristides wurde schon von seinen Zeitgenossen »der Gerechte« genannt. Das ist bemerkenswert, erstens weil man annehmen sollte, daß Archonten sowieso ge-

recht sind, und zweitens, weil das entwaffnende Eingeständnis des Gegenteils seine Unbestechlichkeit in ein um so helleres Licht setzt. Er muß wirklich sehr integer gewesen sein.
Da er aber ein echter Grieche und daher etwas unwahrscheinlich war, kam auch ihm der Plan, den Miltiades geboren hatte, durchaus diskutabel vor, und er stimmte ihm in seiner Eigenschaft als Archon zu. Der Plan war, kurz gesagt, der: Athen sollte dem Miltiades privat Heer und Flotte »leihen«, da er sich nach eigener Herrschaft umsehen wollte. Er dachte an eine der Inseln des Ägäischen Meeres und entschied sich für Paros. Paros hatte sich unvorsichtigerweise etwas perserfreundlich gezeigt.
Gesagt, getan. Die Sache wurde in Szene gesetzt. Nicht wichtig nahm man dabei, daß in Paros nicht mehr Wilde wohnten, sondern Griechen, die eine zufriedenstellende Regierung bereits besaßen.
Die Parer waren überrascht, aber nur geistig. Die andere Seite der Überraschung gelang nicht. Sie schlossen die Tore und riefen die Nachbarinseln zu heiligem Zorn auf.
Es kam zu schweren Kämpfen, in deren Verlauf Miltiades selbst eine gefährliche Wunde empfing. Er mußte die Expedition abbrechen und nach Athen zurückkehren.
Miltiades geschlagen! Tote und Verwundete! Die Fahrt, die Unsummen verschlungen hatte, gescheitert! Athen empfing den Mann, der vor wenigen Monaten in der Schlacht bei Marathon gesiegt hatte, eisig.
Aristides konnte und wollte wahrscheinlich die Empörung nicht auffangen. Da er »der Gerechte« war, leitete er eine Untersuchung ein, die dann nicht mehr in sei-

nen Händen lag. Das Volk war der Richter. Es steckte Miltiades, unbeschadet seiner Verwundung, zunächst einmal ins Gefängnis, dann stellte es ihn vor Gericht und verurteilte ihn – das war trotz der enorm hohen Summe wiederum milde – zu einer Strafe von 50 Talenten. 50 Talente waren nach heutiger Kaufkraft vielleicht 50 Millionen Mark. Die »Milde« entsprang ihrem schlechten Gewissen, die Höhe der (unerfüllbaren) Summe ihrer Habgier. Daran ist leider nicht zu zweifeln.

Aus diesem Dilemma hätte es nie einen Ausweg gegeben, wenn die Götter nicht eingegriffen hätten. Sie beriefen Miltiades zu sich. Er, der große fürstliche Mann, starb an seiner Verwundung im Gefängnis.

Athen bewahrte ihm stets ein bewunderndes Angedenken. Denn was war die Expedition nach Paros? Ein Schritt, ein Einfall, ein – eine Verleumdung der Spartaner.

DAS ZWÖLFTE KAPITEL

spielt im Winter 481/80 in Korinth. Das hat seinen guten Grund. In Korinth tagt gerade eine Konferenz führender griechischer Staatsmänner und Generäle; sechs Monate lang. Der Anlaß ist ernst, todernst. Wir aber, die wir eine so große Übung im Ignorieren von todernsten Lagen haben, wollen nicht versäumen, Korinth zu genießen, denn Korinth ist eine entzückende Stadt.

DIE WELT GEFIEL DEN GRIECHEN, ABER SIE GEFIEL IHNEN AUF verschiedene Weise. Den Bewohnern der Insel Ägina, 25 Kilometer von Athen entfernt, gefiel es zum Beispiel um diese Zeit, die athenischen Getreideschiffe zu kapern. Die Äginaten waren die anerkannt besten Seeleute und hatten an diesem Sport viel Freude. Die Spartaner wiederum, immer fleißig im Manöver, aber sonst ereignislos, verfolgten die Spiele der Äginaten mit jenem Frohsinn, den die Schadenfreude verleiht. Ägina gehörte zum Peloponnesischen Bunde, obwohl es so nahe bei Attika lag, daß man vom Strande aus die athenische Akropolis in der Ferne sehen konnte. Aber die Stadt Ägina lag hinter der Felsenspitze und blickte in Richtung des fernen, unsichtbaren Sparta. Als die reisefröhlichen Äginaten nun auch noch die attische Küste zum Ziel nahmen und dort ein- und ausstiegen, wie sie Lust hatten, unter Mitnahme aller Dinge, die ihnen als Souvenirs gefielen, da machten die Athener doch endlich ihre zwanzig Kriegsschiffe flott und riskierten den Einbruch in den Peloponnesischen Bund.
Aber sie hatten Ägina unterschätzt. Das Unternehmen war viel zu klein angelegt. Kurzum, es wurde ein neues Paros. Ganz Griechenland freute sich der abwechslungsreichen Nachrichten, und nur der Vatikan, die delphische Priesterschaft, grollte über den Fehlschlag, denn die Urheber der Expedition waren die mit bekannter Freiheitlichkeit und geistiger Beweglichkeit ausgestatteten Alkmaioniden.
Die Athener, in Gedanken bitter zu diesem Undank der Welt nickend, zogen daraus die außerordentliche Lehre, bei sich selbst einmal gründlich Inventur zu machen. 487 verbannten sie durch Ostrakismós ihren früheren Archon Hipparch, Namensvetter des Peisistrati-

den, 486 ihren Archon Megakles aus dem Hause der Alkmaioniden, 484 dessen Schwager Xanthippos, der die Anklage gegen Miltiades geführt hatte, und 482 endlich den letzten der alten Garde: Aristides den Gerechten. Ihm und allen Athenern war klar, daß das ein schlechter Dank war. Aber er sah ein, daß er »alter Kurs« war, und wich ohne Groll und wortlos dem neuen Manne, gegen dessen Pläne vor dem Perser-Einfall sich schon Miltiades gewehrt hatte und gegen dessen Ideen er selbst sich unbeirrt weiter wehren würde. Aristides ging nach Ägina – nach Ägina, von wo aus man in der Ferne die Akropolis schimmern sah. Er hat später einmal erzählt, was er bei seinem Ostrakismós erlebte: Er stand, als über ihn abgestimmt wurde, mitten unter dem Volke auf der Agora. Ein Mann neben ihm, ein Arbeiter oder Bauer, der nicht lesen und schreiben konnte, reichte ihm seine Scherbe hin und bat ihn, den Namen Aristides darauf zu schreiben. Aristides sah den Mann prüfend an und fragte ihn, ob Aristides ihm etwas zuleide getan habe. »Gar nichts«, antwortete der Mensch, »ich kenne den Herrn nicht einmal, aber es ärgert mich, wenn ich ihn überall ›den Gerechten‹ nennen höre.«

Der neue Mann, auf den Athen alle Hoffnungen setzte, hieß Themistokles.

Themistokles, damals 45 Jahre alt, angesehen, aus alter Familie, war ein Mann von Gneisenauschem Geiste, klar bis zur Kälte, nüchtern bis zur Ungemütlichkeit – kein angenehmer Mann für Athen. Aber es war Frühjahr 481 geworden, jenes Frühjahr, in dem wieder Alarmnachrichten aus Persien kamen, diesmal erschreckende Nachrichten. Marathon, das plötzlich klein und bescheiden aussah, würde sich nicht wieder-

holen, das ahnte man; dann durfte sich auch ein Miltiades oder Aristides nicht wiederholen. Es bedurfte eines Größeren. Man hoffte, daß es Themistokles sei.
Sein Programm war derartig radikal, daß zunächst einmal alles aufschrie. Er schien Athen vollständig auf Seemacht umrüsten zu wollen. Er verlangte den sofortigen Ausbau des Piräus als großen Kriegshafen und die Anlage von Docks. Er verlangte ferner den sofortigen Baubeginn einer Riesenflotte. Er sah 200 schwere Schlachtschiffe vor! Sie sollten innerhalb von zwei Jahren vom Stapel laufen! Das gesamte Staatsvermögen sollte geopfert und die neue Silbermine von Laureion bis auf das letzte Korn ausgeschürft werden. Da es klar war, daß die Summe dennoch nicht für diesen Kraftakt reichen würde, hatte jeder wohlhabende Bürger die Patenschaft für ein Kriegsschiff zu übernehmen und dessen Ausrüstung privat zu bezahlen! Die attische Bevölkerung, soweit sie nicht im Heer diente, hatte sich als Ruderer und Seesoldaten bereit zu halten. Dieser letzte Punkt bedeutete die Wehrhafterklärung des »vierten Standes«, der »Theten«. Sie waren die Lohnarbeiter, im Kriege nur Troßknechte und Knappen. Jetzt in der Not schien sich ihr Traum zu verwirklichen, endlich Vollbürger mit allen Rechten zu werden. Es war vorauszusehen, daß es innenpolitisch eine Umwälzung geben würde, denn die Zahl der Theten war fünfstellig!
Den Athenern schwindelte. Aber Themistokles führte ihnen die Boten vor, die aus Kleinasien gekommen waren: Sie berichteten, daß Xerxes, nach dem Tode seines Vaters jetzt Großkönig von Persien, das Reichsheer aufgerufen habe. Die Boten kannten die Pläne, Daten und Zahlen, die Berichte stimmten überein: Bereitstel-

lung des Heeres im Herbst 481, Zahl 100 000, Ort die Kastolos-Ebene in Kleinasien, Übertritt nach Europa auf zwei Schiffsbrücken über den Bosporus, Marsch der Heeressäule auf dem Landweg, Geleit durch die Flotte entlang der Küste, Zahl der Kriegsschiffe 700. Diese Ziffern waren furchterregend. Das war die Rüstung für einen Vernichtungszug!
Jedoch, es trat ein Ereignis ein, das niemand erwartet hatte: In ganz Griechenland erschienen Abgeordnete des Perserkönigs, um an die Städte die Frage zu richten, ob sie sich freiwillig unterwerfen wollten.

Das, meine Freunde, ist ein Augenblick, da die Götter selbst den Atem anhalten. Hier tippt das Schicksal uns auf die Schulter und fragt uns, worin wir den Sinn des Lebens sehen. Der Gedanken lange Kette marschiert auf. Zuerst kommen unsere alten Bekannten unter den Gedanken, aber dann kommen die anderen, die wir noch nie ganz durchdacht haben, es ist, als ob sie sich an den Händen gefaßt hielten und einer den anderen nachzöge – eine Kette ohne Ende. Da ist der Gedanke, daß wir nur *einmal* leben, da ist der Gedanke, daß Leben Kampf ist, da sind sie alle wieder: Der Gedanke an unsere Kinder, der Gedanke an die Freiheit und der an die Schlauheit, an das »Krieg ist der Vater aller Dinge« und an das »Das Weiche ist das Härtere«, an die Vergangenheit und an die Zukunft, an das »Niemals« und an das »Warum«, an das egoistische Ich und an das aufopfernde Wir, an das In-Schönheit-Leben und das In-Schönheit-Sterben, an den Sinn der Tat und den Sinn der Unterlassung, an das Aufbäumen und an das Ducken, an die Fragwürdigkeit der Schande und an die Kraft der Ehre, an die Schrecken der Entscheidung und an die Erhabenheit einer Entscheidung, an den heiligen Zorn und an das heilige Leben. Kein Ende; hinter den letzten Gedanken kommen die ersten wieder herauf. Ein Kreis.

Die Kunst, meine Freunde, besteht darin, an irgendeinem Punkt die Kette mit einem Gefühl zu durchhauen. Mit einem Gefühl, das stärker ist denn alle Vernunft. Wenn wir es nicht mehr haben, werden wir verdammt sein in alle Ewigkeit.

⁂

Ich will Ihnen nun das Fazit mitteilen, das die persischen Gesandten zu hören bekamen. Von Norden nach Süden:
Thessalien unterwarf sich,
Epirus unterwarf sich,
Ätolien unterwarf sich,
Phthiotis unterwarf sich,
Lokris unterwarf sich,
Phokis lehnte ab,
Nord-Euböa unterwarf sich,
Süd-Euböa lehnte ab,
Theben unterwarf sich,
Thespiai lehnte ab,
Platää lehnte ab,
Attika (Athen) lehnte ab,
die Ost-Kykladen-Inseln unterwarfen sich,
die West-Kykladen lehnten ab,
Megara lehnte ab,
die Insel Ägina lehnte ab.

Jetzt auf dem Peloponnes:
Achaia unterwarf sich,
Argos unterwarf sich,

Argolis-Land lehnte ab,
Elis lehnte ab,
Sparta lehnte ab.
Sie sehen: Reich beladen mit den Insignien der Unterwerfung, Erde und Wasser, konnten die Perser heimsegeln, doch sie hätten ebensogut alles ins Meer schütten können, denn Athen und Sparta fehlten. Xerxes hob die Hand, die Mobilmachung begann.
Die berühmten »Würfel« waren gefallen.
Man hatte noch einen Winter vor sich, vielleicht den letzten Winter des Lebens. Ob die Stimmung düster war, wissen wir nicht. In weiten Kreisen sicherlich. In solchen Augenblicken möchte man handeln, damit die Tage vergehen, und zugleich wünscht man, die Zeit möge stillstehen. Sich nicht zu erinnern, zu vergessen, war schwer, denn Woche für Woche trafen neue Nachrichten aus Kleinasien ein.
Aber ein Winter ist lang, die Spannung läßt nach, das Leben geht weiter. Eine merkwürdige Unwirklichkeit löst das bewußte Leben ab, man geht, schläft, ißt, trinkt, liebt, spricht in einem »Als ob«-Zustand, ja, selbst die Arbeit, mag sie noch so hart und real sein, wie die Athener sie in diesem Jahr zu leisten hatten, hat das Gesicht des »Als ob«, denn der Schiffswald, der am Strand von Piräus aus dem Boden wuchs, war selbst unwirklich und hatte keine Verbindung, keine Nabelschnur zur Gegenwart. Wenn es Ihnen, meine Damen und Herren, Schwierigkeiten macht, das nachzufühlen, so setzen Sie statt Schiffswald einmal versuchsweise Atombasen.
Die führenden Männer sahen natürlich klar. Sie arbeiteten fieberhaft. Im Spätherbst 481 trafen sich die Bevollmächtigten aller perserfeindlichen Städte zur Bera-

tung der gemeinsamen Maßnahmen in – wie wir vermuten – Korinth. Man wird Korinth gewählt haben, weil es auf halbem Wege zwischen Norden und Süden lag und weil noch immer, solange die Welt steht, ernste Kongresse in heitere Städte gelegt worden sind. Und Korinth war eine heitere Stadt.
Das antike Korinth, von dem heute nur noch ein paar Trümmer zu sehen sind, hatte einen Ruf wie Hamburg oder Genua, den Ruf einer reichen, lebendigen, kosmopolitischen Stadt. Man hatte Schiffe laufen nach Italien, nach Spanien, nach Karthago, sie fuhren vom Westhafen aus auf geradem Wege durch den Golf; und vom Osthafen stachen die Kauffahrteiflotten nach Ägypten und dem Orient in See. Korinths Lage war einzigartig, es lag nach beiden Seiten offen. Infolgedessen war es der große Umschlagplatz der Waren und die Drehscheibe für ein Völkergewirr von Reisenden und Matrosen. Korinth war nicht nur eine bunte Stadt, es muß auch eine schöne gewesen sein. Sie lag flach in der Ebene vor der engen Stelle des Isthmos und wurde überkrönt von einem majestätisch aufragenden Bergkegel, einem 600 Meter hohen Felsmassiv. Dort oben lag die korinthische Akropolis, Akrokorinth, schwer zugänglich, im Kriegsfalle uneinnehmbar (sogar eine klare Quelle entsprang innerhalb der Mauern) und die Landenge beherrschend.
Innerhalb der Mauern unten im Tal entsprang ein ebenfalls sehr klares Denken. Korinth galt als frivol. In Wahrheit überließ man das den Fremden. Man war fleißig und pfennigfuchserisch; die Kaufleute, die Schiffsherren, die Handwerker, alle waren emsig am Werk und emsig beim Rechnen. Berühmt waren die Bronzegießer, die Terrakotta-Brenner und die Kera-

miker, die Silberschmiede, die Edelsteinschleifer, die Juweliere und Pharmazeuten, die die kostbaren ätherischen Öle aus dem Orient einführten. Korinth arbeitete heiter und verbreitete ein Sonntagsgefühl, und mit diesem Sonntagsgefühl trieb man schwunghaften Handel. Zuzeiten wimmelte es von Fremden. Sie bummelten auf dem Markt oder die Ladenstraße entlang, sie besichtigten Akrokorinth, besuchten den alten Apollon-Tempel, dessen strenge dorische Kolossalsäulen damals schon als ehrwürdig bestaunt wurden, denn man baute jetzt moderner, heiterer, lockerer; der ionische Stil drang durch, und in den Säulenkapitellen kündigte sich schon das Korinthisch-Mondäne an. Wenn man das sehen wollte, mußte man zu den Gymnasien gehen und in die Wandelhallen eintreten, deren Wände mit dem Modernsten geziert waren, was es zur Zeit gab: mit Malereien. Oder man traf sich in den Villen der kostspieligen Hetären, der Kurtisanen der »oberen Zehntausend«, wo man die Söhne aus den Familien der zweihundert korinthischen Patrizier, die fremden Handelsherren, Kapitäne, Diplomaten, Feldherren und Dichter finden konnte. Gegen Abend wogte der Korso die Straßen in Richtung des Hafens hinunter, zum »Sankt Pauli« Korinths, wo die Stimmung immer fröhlicher wurde, wo Musik aus den Häusern klang und ein leichter Duft von Parfümen und Salben über dem Geruch des nahen Meeres und des Schiffspechs lag. Fast alle Türen standen offen, das Lachen der Knaben und jungen Mädchen drang heraus, straßauf, straßab, eine Siegesallee Aphrodites. »Nicht jedem Manne bekommt die Fahrt nach Korinth«, war ein geflügeltes Wort; es erinnert daran, wieviel Geld man hier ließ. In keiner anderen Stadt Griechenlands drehte sich das Karussell der Liebe so unermüdlich wie in Korinth. Die Fischer schickten ihre braungebrannten, aalglatten Knaben (»Salbe dich vorher mit Öl«) zum Karussellfahren in die Stadt, und die armen Bauern des Isthmos brachten ihre pausbäckigen Töchterchen, damit sie sich hier in einem Sommer die Aussteuer verdienten. Es waren die vielbesungenen »Schwälbchen«, »Fröschchen«, »Schwesterchen«, wie sie später, als Akrokorinth ein Ausflugsziel wurde, den Aphrodite-Tempel dort oben zu Hunderten bevölkerten. In diesem Winter, 481 auf 480, als die vielen hohen Kriegsherren und Gesandten zur Beratung in die Stadt gekommen waren, zogen sie zum erstenmal alle gemeinsam in einer Prozession zum Heiligtum der Aphrodite, um von der Göttin Errettung aus der Gefahr zu erflehen. Es war ein langer Zug, ein Zug mit lauterem Sonntagsgefühl; reiche Bürger gelobten der Göttin, ihrem Tempel künftig Hetären zu stiften und ihn fleißig zu besuchen, und der Dichter Simonides besang dies alles. Die Bevollmächtigten der Städte blieben während des ganzen Winters in Korinth. Von dem Ernst der Lage und von der Entschlossenheit, alle Kräfte zu mobilisieren, zeugen die Beschlüsse, die gefaßt wurden. Manches klingt einfach, wird aber doch viel Einsicht gekostet haben. Man darf nicht vergessen, daß sich hier auch zum erstenmal seit dem athenisch-äginatischen Krieg die beiden Gesandten Athens und Äginas gegenüberstanden. Das sind Momente, wo der eine das Lächeln verbergen soll, das der andere doch überall zu sehen glaubt. Viele »Feinde« begegneten sich hier und sollten Freunde werden. Infolgedessen war der erste Schritt die Verkündung eines sofortigen Landfriedens. Alle Fehden hatten aufzuhören, alle Streitigkeiten zu ruhen. Man griff sogar so weit in die Verfassungen und Staatsgesetze ein, daß man den Städten zur Pflicht machte, alle politischen Verbannten wieder in die Heimat zu rufen. Der so erzwungene innenpolitische Burgfriede sollte die Kräfte auf die Kriegsvorbereitung umlenken. Dann beschloß man, das Vermögen aller, die mit den Persern gemeinsame Sache machen würden, zu dezimieren und dem Delphischen Apoll zu weihen, wenn der Gott den Griechen den Sieg geschenkt haben würde.

Dieses »würde« und »wenn« lag wie ein düsterer Schatten über jedem Gedanken. Mit tiefem Ernst und fester Todesentschlossenheit traten die Bevollmächtigten schließlich zusammen, um den Bund und die Treue zu beschwören. Der Eindruck bei den anderen Griechen war sicher ganz außerordentlich.

Um diese Zeit etwa müssen die beiden jungen Spartiaten von Xerxes zurückgekehrt sein, von denen Herodot folgende Geschichte erzählt: Sparta hatte sich vor längerer Zeit an persischen Unterhändlern vergriffen und sie einen Kopf kürzer gemacht. Bald zeigte sich, daß der Himmel schwer zürnte; die Horoskope verdunkelten sich zusehends, die spartanischen Priester beschworen vergeblich die Götter. In die Ratio übersetzt heißt das: Die Priester, weitblickend und um vieles leidenschaftsloser als die Generäle, fanden den Vorfall mit den Unterhändlern verhängnisvoll für das Rechtsempfinden und die Rechtssicherheit ganz Griechenlands und waren entschlossen, so lange Druck auszuüben, bis das Unrecht durch eine Sühne für die Augen der Welt gebüßt war. Die Spartaner reagierten nun auf eine geradezu unwahrscheinliche, ja einfach größenwahnsinnige Weise. Ihr Gedankengang war et-

wa: Haben wir euch ein Leben genommen – bitte sehr, ihr könnt eines von uns haben, auch zwei; dazu bedarf es bei uns nur eines einmaligen Aufrufs.
Man rief, und wirklich meldeten sich mehrere Freiwillige, aus denen man zwei junge Offiziere aussuchte und, wie selbst Herodot mit etwas Gruseln sagt, »nach Persien in den Tod schickte«.
Sie kamen zu Xerxes und erklärten ihm ihre Sendung. Der Großkönig bot ihnen an, in seine Dienste zu treten, worauf sie ihn derart beleidigten, daß nun die größte Wahrscheinlichkeit auf Erledigung ihres Auftrags bestand. Aber Xerxes, und das zeigt die ganze feudale Noblesse des Persers, hörte in Ruhe zu und schickte sie dann wieder nach Hause.
Sie kamen also nun an (die Priester erklärten die Götter für versöhnt) und erzählten von dem sagenhaften Herrn der Welt, Xerxes. Sie berichteten auch wörtlich, mit welcher Antwort er sie verabschiedet hatte: »Zwischen uns gibt es keine Vergleiche. Kehrt heim. Ich habe nicht die Absicht zu tun, was ich bei euch abscheulich fand.«
Den führenden Männern war nur allzu klar, daß die Geste echt war. Und ebenso klar war ihnen, daß man sie dem Volk gegenüber als einen Versuch von Xerxes erklären mußte, die Einheit des griechischen Bundes durch falsche Hoffnungen zu spalten. Diese Dosis Gift steckte natürlich wirklich in dem Xerxes-Wort.
Der Großkönig wiederholte das Manöver im Frühjahr noch einmal; die Sache verlief sogar noch abenteuerlicher. Korinth hatte, als zu vermuten stand, daß die Vorbereitungen der Perser nun abgeschlossen seien, drei erfahrene Spione nach Kleinasien gesandt. Die drei wurden entdeckt und standen vor der Hinrich-

tung, als Xerxes davon hörte. Er ließ sie vorführen. Die Kundschafter gaben ihren Auftrag offen zu. Xerxes hielt darauf seinem Generalstab einen Vortrag über die Aufgaben des I c und psychologische Kriegführung und endete damit, daß er den Befehl gab, die Kundschafter über die Mobilmachung bestens zu informieren und dann nach Hause zu schicken.
Auch diese drei kehrten also jetzt zurück. Was sie berichteten, war einfach schrecklich.
Sie hatten 1207 Kriegsschiffe und an die 3000 Transporter gezählt. Sie hatten 517 000 Matrosen gesehen. Sie hatten 80 000 Streitrösser gezählt und 1 700 000 Kerntruppen, dazu fremde Kontingente und Streitwagen; zur See und zu Lande 2 317 000 Krieger.
War das alles? Nein, das war nicht alles, es kam noch der riesige Troß hinzu; er betrug die gleiche Zahl noch einmal, so daß es 5 Millionen Menschen waren, die der Großkönig mobilisiert hatte. »Die Zahl aber der Köchinnen, Kebsweiber und Beschnittenen« heißt es weiter »wie auch des Zugviehs, anderer Lasttiere und der indischen Hunde, die folgten, kann wohl niemand bestimmen, und oft hat zum Trinken und Kochen das Wasser ganzer Flüsse nicht mehr gereicht.«
Ich nehme an, daß Sie nur noch mit Mühe ernst geblieben sind. Der Bericht ist eine wahrhaft märchenhafte Aufschneiderei. Sie läuft Odysseus fast den Rang ab. Die Geschichtsforschung hat sich immer wieder, ohne Unterlaß, mit den Zahlen beschäftigt, sie hat auch erfahrene Generäle und Generalquartiermeister für die indirekten Berechnungen herangezogen, was hochinteressant ist! Die Ergebnisse lauteten verschieden, aber so sehr sie es auch waren: zu 5 Millionen Menschen hat sich niemand verstiegen. Am glaubwürdigsten sind die

Berechnungen des englischen Generals Sir Frederick Mauric und A. Kösters, sie kommen auf 175 000 Krieger und etwa 1200 Schiffe.
Die Griechen aber – wobei es ganz undurchsichtig ist, ob sie es geglaubt haben oder nicht – die Griechen sind zeit ihres Lebens bei den 5 Millionen geblieben.
Kann man sich nun die Atmosphäre vorstellen, die in Korinth herrschte?
Was würde das nächste Jahr bringen; was hatten die Götter beschlossen?
Ah – die Götter! Natürlich! Von allen Städten setzte ein Wettlauf zum Orakel von Delphi ein.
Das sind Augenblicke, wo den Priestern das Herz im Leibe lacht.

IM DREIZEHNTEN KAPITEL

begeben wir uns mit der Schar der griechischen Delegationen nach Delphi. Habe ich Delphi mit dem Vatikan verglichen? Natürlich stimmt der Vergleich in Wahrheit nicht; wie könnte er! Delphi war weder ein Ministerium wie Rom noch eine Gedenkstätte wie etwa Mekka. In Delphi konnte man mit Apoll noch persönlich sprechen; was sage ich: debattieren! Da fehlte jede Düsterkeit, jeder Fanatismus, jede Grausigkeit. Ein Gang nach Delphi war wie ein Gang zum Hausarzt, »der uns schon als Kinder kannte«.

VERGANGENE RELIGIONEN NACHZUEMPFINDEN IST DAS schwierigste, was man sich denken kann. Ein spartanisches Schwert und ein athenisches Schweinswürstchen lassen sich wenigstens ungefähr fassen, indem man sie mit einer Maschinenpistole und einem modernen Würstchen in Vergleich setzt. Sobald man mit dem Daumen einmal über die Schwertschneide fährt, wird einem die Realität klar. Vergangene Religionen aber sind wie eine Handvoll Seegras und etwas Stoff: Das ist alles, was von der Puppe übriggeblieben ist.

Daher muß ich vor allem die landläufige Vorstellung von der delphischen Pythia als Figur des Aberglaubens und des Hokuspokus zerstören.

Die Orakel lassen sich zurückverfolgen bis ins achte Jahrhundert; sie sind es gewesen, die dem Apollon-Heiligtum in Delphi zur panhellenischen Bedeutung verhalfen. Um 590, zur Zeit Solons also, entbrannten um die Herrschaft über Delphi schwere Machtkämpfe, aus denen als unerwarteter Sieger Delphi selbst hervorging. Es erzwang die Anerkennung der ewigen Unabhängigkeit und Immunität.

Delphi wuchs sich zu einer mittleren, feierlichen, langweiligen Stadt aus. So, wie heute jeder vorsorgliche Mensch ein Bankkonto in der Schweiz oder sein Häuschen im Tessin hat, so standen dort die »Schatzhäuser« der griechischen Städte. Halb Delphi rekrutierte sich daraus. Da bewahrte man die Weihgaben auf, die Dankgeschenke und Siegestrophäen: Athens über Theben, Thebens über Athen, Korinths über Argos, Argos' über Korinth, alles nebeneinander; Jakob Burckhardt hat die Stadt ein »Museum des Hasses« genannt.

Die Weissagungen nun, die Delphi so große Bedeu-

tung gaben, kamen auf eine komplizierte Weise zustande. Das Heiligtum des Apoll lag dicht unter den Felswänden des Parnaß, sein Mittelpunkt über einem kleinen vulkanischen Erdloch, aus dem ständig ein kalter, gasiger Luftstrom aufstieg. Darüber befand sich der eherne Dreifuß, auf dem bei den Befragungen des Gottes die auserwählte Priesterin, die ewige »Pythia«, Platz nahm. In der Benommenheit der Sinne gab sie dann Wörter oder ganze Sätze von sich, von denen aber nichts überliefert ist. Sie werden sich selten oder nie auf die gestellte Frage bezogen haben; es hat auch kein Außenstehender sie je erfahren. Vielmehr war es so: Das Trance-Gestammel hörten sich die Apollon-Priester an und zogen sich zur »Deutung« zurück. Sie faßten es – wie es sich für Apoll geziemt – in ein erlesenes Griechisch, und dann erst verkündeten sie es als Orakel des Gottes.
Fast alle Fragen waren Schicksalsfragen. Mag sein, daß in frühester Zeit auch andere, belanglose, neugierige gestellt wurden; seit langem aber nicht mehr. Es ging um große Dinge. Man darf sich auch nicht vorstellen, daß Athen etwa fragte: »Werden die Perser siegen oder wir?« Das ist die Fragestellung eines modernen Menschen, eines Menschen mit Beruhigungsgier. Die Griechen – und zu dieser Ethik hatte Delphi sie erzogen – hätten das für eine Beleidigung des Gottes gehalten. Und es ist auch eine! Die Griechen fragten: »Was sollen wir tun? Wir bitten Apoll, der doch die Stimmung im Olymp kennt und vielleicht auch schon weiß, ob Zeus einen Entschluß gefaßt hat, – wir bitten Apoll um einen Rat, um einen Fingerzeig.«
Die bewundernswerte Leistung vollbrachte nicht die Pythia, die bewundernswerte Leistung vollbrachten

die Deutungspriester. Das Orakel, das sie herausgaben, war ihr diplomatisches Bulletin. Wir kennen zahlreiche Orakel im genauen Wortlaut, ich werde Ihnen nachher eines vorführen: Es ist ganz ausgeschlossen, daß das Gestammel der Pythia auch nur den geringsten Einfluß gehabt hat oder daß es unter den Priestern echte Mystiker gab. Dieses Kollegium war ein Kabinett von politischen Beobachtern, ein Gremium von Fachleuten der Weltpolitik und Meistern der Psychologie, gegen das ein vatikanisches Kardinalskollegium nur ein blasser Schatten ist. Und wenn man die Summe aller delphischen Orakelsprüche zieht, so kann man den Apollon-Priestern die Hochachtung für eine gewisse Neutralität, eine gewisse Gerechtigkeit, einen Willen zum Helfen und eine gewisse Sauberkeit der Anschauungen nicht versagen. Sie ließen sich die Sauberkeit bezahlen, natürlich! Aber: Welch ein Jahrhundert, in dem aus passiver Bestechung Sauberkeit statt Schmutz herauskommt!

Freilich gab es Ausnahmen – eben Ausnahmen. Ganz unbestritten jedoch ist ihre Klugheit. Sie haben mit ihren Orakeleien oft hohe Politik gemacht.

Nun also standen die Apollon-Priester vor einer Aufgabe, so heikel wie nie zuvor. Fast alle Städte, bis nach Kreta hinunter, wandten sich in jenem Winter 481/80 an Delphi um Rat.

Die Priester scheinen durch die Nachrichten aus Kleinasien ebenso beeindruckt gewesen zu sein wie alle anderen Griechen. Jedenfalls war ihre Sprache nie zuvor so erregt und scharf, ihre Antwort nie so spontan. Sie rieten, obwohl niemals deutlich, zur Neutralität; einzelne Antworten konnten vielleicht sogar als Ratschlag zur Unterwerfung ausgelegt werden. Wie sehr diesmal

die Priester angesichts der Gefahr flatterten, sah man an den Farben, in denen die verschleierten Orakel gemalt waren; düster und blutig rot. Aber das war nichts gegen den einfach niederschmetternden Spruch, den Athen erhielt: »Ihr Unglücklichen! Flieht an das Ende der Welt, der schnelle Ares wirft alles nieder.«
Nun merken Sie auf! Es folgt etwas sehr Aufschlußreiches: Die Athener gaben sich mit diesem Spruch nicht zufrieden! Es erhob sich ein Hin und Her in Delphi wegen der Renitenz der Athener, alles sprach davon und mischte sich ein, und schließlich begaben sich die athenischen Abgesandten, diesmal »mit dem Ölzweig« als Zeichen der äußersten Not, noch einmal zur Pythia. Sie erhielten tatsächlich ein zweites Orakel, und als sie es besahen, siehe, da waren wenigstens die blutrünstigen Farben und mit ihnen Gott sei Dank jede Klarheit weg. Apolls zweiter Spruch lautete:

»Athene kann den olympischen Zeus nicht versöhnen,
wenn sie auch noch so viel Worte macht und ihn bittet.
Doch dies sage ich euch: Wenn gefallen ist, was die Grenze umschließt...
so wird weitsehend Gott Zeus seiner Tochter Athene
die hölzerne Mauer geben, welche allein unzerstört bleibt...
O göttliches Salamis, du wirst die Kinder der Weiber verlieren oder verderben...«

Ein hochinteressantes Ergebnis!
Etwas verdutzt und benommen ritten die Athener heim. Unterwegs schon rätselten sie an diesem Kuk-

kucksei herum. Die einen mutmaßten, mit der hölzernen Mauer seien die Palisaden auf der Akropolis gemeint. Die anderen sahen in dem Ausdruck »hölzerne Mauer« eine Umschreibung für »Schiffe«. Aber da machte noch die letzte Zeile Sorge: »Verlieren oder verderben.« Beides deutete auf eine Niederlage hin.
Jetzt schaltete Themistokles sich ein. In einer Rede fand er die einfache Erklärung, daß Apoll als Sprecher und Ratgeber für Athen zweifellos »elendes« Salamis gesagt hätte, wenn er Verderben für die Bittenden gesehen hätte. Die Sache sei sonnenklar! Er riet, nicht wankelmütig zu werden, ihm zu folgen und an die Rettung durch die neue Flotte zu glauben. Und Athen glaubte.
Wir aber staunen. Wir staunen über das Resultat der nochmaligen Beratung der Apollon-Priester, über ihre Informiertheit, über ihre schließliche Überlegung, es müsse mit dem Marineplan des Themistokles eben doch versucht werden, und über ihren bewundernswerten Geheimdienst, denn, meine verehrten Damen und Herren, wo kommt überhaupt das Wort Salamis her? Die Schlacht bei Salamis war noch nicht geschlagen, und von einem Plan wissen noch nicht einmal wir etwas!
Das zweite Orakel des sonst perserfreundlichen Delphi war das Plazet an die Adresse des Themistokles. Delphi sah also eine Chance – Themistokles atmete auf.

IM VIERZEHNTEN KAPITEL

rollt die persische Lawine aus dem Osten heran, und die große Prüfung der Griechen auf Herz und Nieren beginnt. Da wachsen sie noch einmal zu archaischer Größe. Doch kein Homer ist da, sie zu besingen, »nur« der athenische Leutnant und Frontkämpfer Aischylos.

ENDE MAI 480 BRACH XERXES VON SARDES IN KLEINASIEN AUF; im Juni überschritt das Heer auf zwei Schiffsbrücken die Meerenge des Hellespont; im Juli hatten die Perser Thessalien erreicht. Die riesige Heerschlange kroch an der Küste entlang, flankiert von Wolken von Reitern, begleitet von einem unübersehbaren Schwarm von Schiffen, die in Sichtweite auf dem Meer lagen und langsam südwärts trieben. Die Schiffe hatten die Segel fallen lassen, um gleichen Schritt zu halten. Es war windig.

Jetzt trennten sich die Wege, das Heer bog in das Innere Thessaliens ab, die Flotte fuhr zur Südspitze Thessaliens voraus. Man ankerte um das Kap Sepias. In der Nacht brach ein dreitägiges Unwetter los und zerschmetterte vierhundert Schiffe an den Felsen. Die persische Flotte hatte eine Schlacht verloren, ohne eine geschlagen zu haben!

Man rettete, was zu retten war, und setzte schließlich den vorgezeichneten Weg fort. Man bog gerade um das Vorgebirge Artemision in den Sund ein – da waren plötzlich die Griechen da! Sie kreuzten auf der schmalen Einfahrt hin und her. Sie schienen sie sperren zu wollen, formierten sich aber nicht und dachten offenbar an keinen Kampf.

Die Perser stoppten. Sie versuchten, die Lage zu ergründen. Sie beobachteten die griechischen Schiffe und kamen zu der Ansicht, nur einen Teil der griechischen Flotte vor sich zu haben. Wo waren die anderen Schiffe?

Nirgends. Es gab nicht mehr. Was da den Persern gegenüberlag, war die gesamte Seemacht der Griechen, 270 Schiffe. Athen hatte 147 gestellt, die Platäer besaßen überhaupt keine, sie verstanden auch nichts von

der Seefahrt, drängten sich aber »herzhaft und kühn«, wie Herodot sagt, dazu, ein paar athenische zu bemannen. Weitere 20 hatte Athen an die Chalker abgegeben, die kein eigenes Schiff stellen konnten, aber gute Seeleute waren. Korinth hatte 40 Schiffe geschickt, Megara 20, Ägina 18, Sikyon 12, Sparta 10. Der Rest verteilte sich auf die kleineren Städte. Ja, sie waren alle da, nicht eben viele, eng und klein wie die griechische Welt damals noch aussah, aber im Herzen wild entschlossen. Oberbefehlshaber war kein Athener; die Bundesgenossen hatten größtes Kontingent und höchste Befehlsgewalt trennen wollen. Oberbefehlshaber war daher – wie könnte es anders sein – ein Spartaner. Der Herr hieß Eurybiades, er hatte das Wissen eines Schulschiffkommandanten und die Anschauungen einer Landratte. Er war überzeugt, daß die Entscheidung durch das Heer am Isthmos von Korinth erzwungen würde und daß sein Platz eigentlich auf den Fluten des Eurotas sei, der bekanntlich durch Sparta fließt.
Die ganze Sache wäre von vornherein verloren gewesen, wenn man nicht wenigstens den Posten des Ersten strategischen Beraters mit Themistokles besetzt hätte. Er war der wahre Befehlshaber. In der einen Tasche hatte er den abenteuerlichsten aller Schlachtpläne, in der anderen Geld. Eurybiades sah gebannt auf die Tasche mit dem Plan, die Matrosen sahen gebannt auf die andere.
Die Ereignisse, die sich in den nächsten Tagen abspielten und die in den Geschichtsbüchern die Doppelschlacht am Vorgebirge Artemision und am Engpaß der Thermopylen genannt werden, sind sehr schwer zu beschreiben, denn erstens werden Sie es verabsäumen, einen Blick auf die Karte zu werfen, und zweitens weiß

die Forschung bis heute noch nicht genau, was man damals eigentlich wollte.
Sie werden sagen: Ganz einfach, man wollte die Perser schlagen. Sehen Sie: Eben das wissen wir nicht! Eurybiades war zwar überzeugt davon und die Historie bis vor kurzem auch, aber Inschriftenfunde, die erst 1960 gemacht worden sind, beweisen den lange gehegten Verdacht, daß Themistokles die Perser gar nicht hier, sondern bei Salamis, also hinter Athen, in eine Falle locken wollte. Er hat von der Stellung bei Artemision gar nichts gehalten, und ich muß sagen, mit Recht. Was ihm daran so mißfiel, war die Koppelung mit den Thermopylen.
Damit Sie das verstehen, muß ich Ihnen die Lage erklären. Das Vorgebirge Artemision bildet den Eingang des schmalen Meeresschlauchs, der zwischen der langgestreckten Insel Euböa und dem Festland liegt. Da hinein wollte die persische Flotte; aus drei Gründen: Die schmale Fahrrinne war geschützt vor den berüchtigten Stürmen; es war der kürzeste Weg nach Athen; und an der Küstenstraße bei den Thermopylen wollte sich die Flotte wieder mit dem Heer vereinigen. Die Thermopylen selbst sind eine Stelle der Straße, an der die steilen Berge dicht an das schroffe Ufer herantreten. Von hier aus sind es nur ein paar Kilometer bis zur Artemision-Einfahrt; man kann sie sehen.
Der griechische Plan war, bei den Thermopylen Xerxes so lange aufzuhalten, bis Eurybiades die persische Flotte geschlagen hatte. Der Plan war in den Augen des Eurybiades glänzend, in den Augen des Themistokles blödsinnig. Es war unmöglich, in diesem Sund eine Falle zu legen. Auch würde die Zeit gar nicht ausreichen; Themistokles war überzeugt, daß Xerxes die

Thermopylen stürmen würde. Dann stand der Perser in seinem Rücken! Er wäre gern nach Salamis weggesegelt, aber dann hätten die Griechen, die an den Thermopylen standen, die persische Flotte in die Flanke bekommen. Es war alles falsch und schief und krumm und zum Verzweifeln. Die Götter mochten wissen, wie diese Sache ausgehen würde.
Während also Themistokles vor der verdutzten persischen Flotte wie ein Picador vor dem Stier hin und her tänzelte, war Xerxes am Engpaß angelangt. Das 175 000-Mann-Heer machte halt, denn es ging nicht weiter, die Thermopylen waren mit Barrikaden verschlossen. Dahinter standen die Griechen. Wie viele, das war die Frage. Dreißigtausend? Fünfzigtausend? Mehr?
Fünf Tage lang rätselte Xerxes unbehaglich herum. Er konnte während dieser Zeit auch die Schiffe auf See und die Fisimatenten beobachten, mit denen Themistokles das Weitersegeln der Perser verhinderte. Die Lage war lächerlich, und der Großkönig entschloß sich, den Knoten zu durchhauen. Er befahl einem Teil der Flotte, die lange Insel Euböa außen zu umsegeln und von Süden in den Sund einzudringen, um an die Thermopylen heran und Themistokles in den Rücken zu kommen. Gleichzeitig gab er das Zeichen zum Sturm auf den Engpaß. Er mußte genommen werden, gleichgültig, was dahinter stand.
Die Perser rannten achtundvierzig Stunden in ununterbrochenen Wellen gegen die Barrikaden an, vom Morgengrauen bis zum Sonnenuntergang, immer wieder, über Berge von Toten; und immer wieder vergeblich. Am dritten Tage kam die Meldung, daß der Versuch, Euböa zu umschiffen, gescheitert war. Ein

Sturm hatte auch die zweite Schlacht für die Griechen geschlagen.
Xerxes war am Ende seiner Weisheit. Vor ein paar Wochen noch hatte er die Griechen »einfach von einer Abteilung Feldgendarmen verhaften« lassen wollen. Jetzt saß er an den Thermopylen fest.
In diesem Augenblick kam ihm ein Verräter zu Hilfe. Ein einheimischer Bergbewohner verriet den geheimen Gebirgspfad, der über den Öta in den Rücken der Griechen führte. Den Namen des Verräters haben Sie sicher auf der Schule gelernt – vergessen Sie ihn. Solche Namen lohnen sich nicht.
In der Nacht überstieg die persische Leibgarde das Gebirge; bei Sonnenaufgang konnten die Griechen, als sie zufällig einen Blick zurückwarfen, die lange Kette der Feinde von den Höhen herabsteigen sehen.
Die Lage war plötzlich tödlich. Themistokles mußte unbedingt verständigt werden, daß die Thermopylen und damit sein einziger Rückzugsweg in wenigen Stunden verloren sein würden!
Eine bange Stunde verging. Endlich nahten die griechischen Schiffe! Eines nach dem anderen zwängte sich an den Thermopylen vorbei durch die Meerenge, fünf, zehn, zwanzig, fünfzig, hundert, hunderteins, hundertzwei, hundertdrei – es dauerte eine Ewigkeit, ehe die großen Kästen in dem Schlauch waren und in Richtung Athen verschwanden. Endlich schwamm die letzte Triere heran. Am Bug stand Themistokles und blickte zur Küstenstraße hinüber. Es war gekommen, wie er es vorausgesehen hatte; das Land mußte preisgegeben, die Entscheidung in der Falle von Salamis geschlagen werden. Oder?
Kein Oder.

An den Thermopylen begann der letzte Akt. Der Mann, der dort befehligte, war jener spartanische König und Feldherr, dessen Name für die Welt zum Mythos werden sollte: Leonidas. Die Zahl seiner Krieger, über die sich Xerxes so sehr den Kopf zerbrach, betrug siebentausend. Eine lächerliche Handvoll. Alles andere schwamm auf dem Wasser.
Um diese Handvoll, dieses wertvolle Häufchen, zu erhalten, befahl Leonidas, bevor die Perser die Straße abgeschnitten hatten, den Rückzug aller Krieger mit Ausnahme seiner dreihundert Spartiaten und einiger thebanischer Freiwilliger. Man brach fieberhaft auf, um wegzukommen, solange der Weg noch frei war.
Leonidas überblickte den Rest. Er kam ihm groß vor, und er entdeckte zu seiner Überraschung, daß siebenhundert Thespier zurückgeblieben waren. Sie baten Leonidas, mit ihm sterben zu dürfen.
Ich habe über diese Tatsache oft nachgedacht. Als ich noch sehr jung war, fand ich sie berauschend; als ich älter wurde, fand ich sie einen Kurzschluß des Herzens; heute kommen ab und zu Stunden, wo ich sie ganz zu begreifen glaube. Auch ich weiß, daß dieser Opfertod »sinnlos« war; dennoch wird er voll des Sinnes aus zwei Gründen, zwei sehr guten Gründen. Diese Thespier waren, wie damals noch alle Griechen, Herren. Ein Herr ist nicht jemand, der weiß, wie man Langusten ißt und gnädige Frau sagt, sondern ein Herr ist – das haben wir nur vergessen –, wer sich seine Forderungen an das Leben nicht abkaufen läßt. Nicht von einem Kutscher und auch nicht vom Tode. Und der zweite gute Grund: Ich denke mir, daß wir alle viel ärmer wären, wenn uns die Weltgeschichte niemals, nicht ein einziges Mal, an Hand eines solchen Beispiels

mit diesem Gedanken bekannt gemacht hätte. Nicht wahr: Er ist geboren, der Gedanke; man kann ihn ablehnen, aber er bleibt im Blut.
Nun ja – zurück zu den Thermopylen.
Leonidas beschloß, nicht zu warten, bis in seinem Rücken die Feinde auftauchen würden. Er verließ die Barrikaden und stürzte sich auf Xerxes. Er wollte die Reise in die Ewigkeit mit der größten persischen Begleitung antreten, die sich schaffen ließ.
Die Schlacht muß ungeheuerliche Formen angenommen haben. Die Spartiaten, der Kern der Kampfgruppe, standen gleich den Nibelungen und wüteten wie die Rasenden unter den Persern, die mit Peitschen vorgetrieben werden mußten. Zwei Söhne des Xerxes lagen mit unter den Toten.
Als die persische Leibgarde, die der Verräter in den Rücken der Griechen geführt hatte, nun auch noch eingriff, zog sich Leonidas mit den Spartiaten und Thespiern (die Thebaner hatten sich ergeben) auf einen Hang zurück. Sie standen gegen die Felswand gelehnt, und die riesige Übermacht der Feinde hing in Klumpen wie Wespenschwärme an jedem einzelnen. Tausend Schwerter schlugen und zehntausend Menschen schrien auf sie ein. Mit unendlicher Verachtung sahen, wie Herodot sagt, die Spartaner auf die Geifernden herab. Noch einige Minuten – dann war alles überstanden.

An der Stelle, an der Leonidas mit seinen tausend fiel, steht heute noch ein steinerner Löwe, den die Griechen den Helden setzten. Viele Inschriften kann man noch entziffern; eine spricht wieder einmal von den »dreitausend mal tausend« Feinden.

Im Herzen der Menschen geblieben sind nicht diese lauttönenden Worte, sondern zwei Zeilen von spartanischer Lapidarität und schrecklicher Traurigkeit:

»Wanderer, kommst du nach Sparta, melde,
du habest uns hier liegen sehen, wie das Gesetz es befahl.«

*

Wie die »Anakonda«, die Heerschlange des Generals Grant im amerikanischen Bürgerkrieg, zog die Armee des Großkönigs nun sengend und brennend durch Phokis, Böotien und Attika. Eine Schneise von Ruinen, ein Kahlschlag der Bevölkerung bezeichnete ihren Weg durch Griechenland.

Selbst die Priester des delphischen Apoll schwebten in banger Ungewißheit über ihr Schicksal. Tatsächlich scheint Xerxes lange gezögert zu haben, ehe er seine Hand schützend über Delphi hob. Er wird nicht im unklaren darüber gewesen sein, daß es neben der offiziellen Perserfreundlichkeit der Priester noch eine zweite Rolle gab, die sie gespielt hatten, aber er übersah es großmütig. Wahrscheinlich wirklich aus Scheu vor dem Gott.

Auch Theben und andere Freunde wurden geschont. Aber es wird keine reine Freude für sie gewesen sein, obwohl ich höre, daß einem der Kuchen am gedeckten Tisch auch dann noch schmeckt, wenn man weiß, daß die anderen inzwischen auf den Landstraßen umherirren.

Thespiai wurde dem Erdboden gleichgemacht, Platää ausradiert. Dann ging es nach Attika hinein. Über viele Kilometer leuchtete den Persern die Akropolis von Athen im Lichte der Septembersonne entgegen.

Aber es war eine Geisterstadt, die den Großkönig empfing. Die Straßen, die Plätze, die Häuser waren leer; mit Sack und Pack hatten Greise, Frauen, Kinder und Sklaven auf Pferden, Eseln, Wagen und Handkarren Athen in Richtung Süden verlassen. Nur auf der Akropolis hausten ein paar Priester; die einzigen, die zurückgeblieben waren.

Ein gespenstischer Eindruck. Der Großkönig ging durch die Straßen, betrat den Areopag, stieg zur Burg hinauf; das also war Athen, jenes Athen, das seinen Vater bei Marathon besiegt hatte. Diese kleine Stadt? Viel Lärm um nichts.

Er gab Befehl, die Burghüter niederzumachen und Feuer an dieses Athen zu legen. Alle Häuser, ausgenommen die der Peisistratiden, alle Bauten, alle Tempel, alle Heiligtümer sollten zu Schutt und Asche werden.

Wie eine Fackel stand die Akropolis gegen den Abendhimmel. Von Salamis aus, vom Ufer und vom Deck der Schiffe beobachteten die Griechen das Zerstörungswerk.

Dann ließ Xerxes sich seltsamerweise Zeit. Man sah und hörte nichts von ihm. (Er hatte ein pompöses Lager bezogen und wartete auf die Flotte.)

Inzwischen buddelten sich die Spartaner am Isthmos ein, fest überzeugt, daß die Entscheidung zu Lande fallen würde. Es war die alte, schon hundertmal durchgekaute Überlegung, die Themistokles an den Rand der Verzweiflung brachte. In dieser Zeit hat es zwischen Eurybiades und ihm furchtbare Auftritte gegeben. Immer wieder hat Themistokles klarzumachen versucht, daß Xerxes an jedem beliebigen Punkt des Peloponnes Truppen landen konnte, solange die persische Flotte

noch existierte. Die Spartaner waren nicht blind, sie sahen es auch; aber sie glaubten an kein Salamis-Wunder. Das war keine Antwort, natürlich nicht. Es gab keine. Die nächtelangen Beratungen versanken immer wieder in Schweigen. Plötzlich und ohne ersichtlichen Grund stimmten die Spartaner dem Salamis-Plan zu.
Sie waren doch wahrhaft außerordentliche Menschen – hier können wir ihnen ins Herz schauen. Sie gaben ihr Denken, ihre Tradition, ihre letzte Sicherung, ja sogar ihre Führung preis. Sie gaben es hin, weil sie wohl als einzige Griechen so völlig frei von Todesfurcht und dem kleinen Einmaleins des Lebens waren, daß nichts sie hinderte, sich zum reinen »Künstlertum« des Krieges zu bekennen. Sie sahen ein, daß der Salamis-Plan ein Stück Hohe Schule der Strategie war. Sie waren zwar überzeugt, daß es schiefgehen würde, aber dann sollte es kein Artemision, es sollte ein Thermopylen werden. Lauter Leonidasse!
Es war also soweit. Die Schiffe lagen bei Salamis bereit; die persische Flotte war ebenfalls angekommen. Es galt, die Perser in die Bucht zu locken. Themistokles ließ seinen Plan abrollen. Durch einen angeblichen Verräter bekam Xerxes ins Ohr geflüstert, die griechische Flotte sei im Begriff, Salamis zu verlassen und sich zu zerstreuen.
Am nächsten Morgen waren die Perser da! Von Salamis aus konnte man sehen, wie sie in großem Bogen auffuhren, eine dichtgedrängte, schier erdrückende Masse von sechshundert oder siebenhundert Kriegsschiffen. Mit dem Rücken zum Festland und dem Blick auf Salamis legten sie sich Bord an Bord. Persische Truppen besetzten das kleine Inselchen, das die Bucht im Osten abschloß, und ein leichtes Geschwader be-

fand sich – genau wie bei Artemision – auf dem Wege, Salamis außen zu umsegeln, um auch im Westen bei Megara den Zugang zu schließen. Auf den Uferhöhen sah man Truppenbewegungen und Unruhe, jene Unruhe, wie sie auf den Theaterrängen herrscht, bevor das Schauspiel beginnt. Xerxes erschien und nahm auf einer Thronkanzel Platz. Zu seinen Füßen die grandiose Szenerie, wartete er auf den Beginn der Schlacht seines Lebens.

Er wartete den ganzen Nachmittag, Stunde um Stunde, die Griechen rührten sich nicht. Sie ankerten im Hafen und im Schutz der Buchten und machten keine Anstalten auszulaufen. Der Abend kam; der Großkönig erhob sich betreten und begab sich in das Lager zurück.

Er überlegte. Eine Landung auf Salamis war nicht zu wagen. Er mußte seine Seeschlacht haben, und er hatte Zeit. Die persischen Schiffe wachten in Alarmbereitschaft.

In dieser Nacht voller Spannung, vor der düsteren Szenerie der schwarzen lautlosen Phalanx der Schiffskolosse mit den wachenden Persern, des monotonen Wellenschlags an dem Ufer, an dem die Griechen schliefen, und der einsamen Posten, die auf den Klippen standen und in die Dunkelheit hinaushorchten – in dieser Nacht ruderte ein Kahn von Ägina herüber, wand sich vorsichtig durch die Sperren der Perser und landete in Salamis. Ein Mann stieg aus, den es in der Stunde der Gefahr an die Seite derer trieb, die ihn verbannt hatten: Aristides war gekommen!

Am nächsten Morgen, noch ehe die Königsloge besetzt war, gab der Regisseur Themistokles das Signal zum Anfang – zum Anfang oder zum Ende Griechenlands.

In zwölf Stunden war er entweder der Retter oder der Durchhalte-Verbrecher – ich glaube, so nennt man das heute.
Die griechischen Schiffe brachen von ihren Plätzen hervor und nahmen, in schiefer Sehne zu dem Bogen der Perserflotte formiert, den überraschten und übernächtigten Feind an. Wenn Sie die dramatischste Schilderung erleben wollen, so versäumen Sie es nicht, sich Aischylos' »Perser« anzusehen, sobald sie einmal aufgeführt werden. Dort hören Sie den berühmten »Botenbericht« vom Verlauf der Schlacht bei Salamis, in der der junge Aischylos als Soldat mitgekämpft hat.
Der Kampf nahm genau den Verlauf, der vorgesehen war. In schweren Bug-an-Bug-Kämpfen wichen die korinthischen, spartanischen und äginetischen Schiffe langsam rückwärts, den Feind im Sog nach sich ziehend. In der drangvollen Enge klebten die persischen wie Floßhölzer aneinander, die ganze Masse begann sich langsam wie ein Karussell zu drehen, wobei überhaupt nur noch die äußeren Schiffe mit den Griechen in Berührung kamen.
Sobald die Perser von der Kreiselbewegung erfaßt waren, stieß Themistokles mit den Athenern in ihre Breitseite. Von nun an war die Luft erfüllt mit wildem Krachen, Bersten und Auseinanderbrechen der feindlichen Trieren.
Die Perser konnten die Kampfrichtung nicht wechseln, der Sund war zu schmal, und Hunderte ihrer Schiffe schwammen nur noch manövrierunfähig mit, die Steuer zerquetscht, die Ruder abrasiert. Die ganze Flotte drohte im Sack der Bucht erdrückt zu werden.
Da – unter den Augen des Großkönigs – gab der persische Admiral das Zeichen zur Flucht.

Im Schutz der Dunkelheit rettete sich der Rest der Flotte zum Piräus und am nächsten Morgen weiter nach Andros. Als auch dort die Verfolger auftauchten, flohen die Perser nach Kleinasien, immer weiter verfolgt von den Griechen. In der Bucht von Mykale, wo sie sich sicher wähnten und die Schiffe an Land gezogen hatten, wurden sie im nächsten Sommer abermals aufgestöbert, das Lager überrumpelt. Der panische Schrecken jagte die Besatzung davon, die Schiffe gingen in Flammen auf.

Die Nachricht vom Sieg bei Salamis flog wie der Wind durch ganz Griechenland. Der Name des Retters war in aller Munde. Sparta dankte ihm durch eine feierliche Ehrung.

Den »Preis der Tapferkeit« aber – und ich finde, es ist schön, solche Einzelheiten zu wissen – den Preis der Tapferkeit erhielten einstimmig die Ägineten zugesprochen. Das Training an den athenischen Getreideschiffen hatte Früchte getragen.

DAS FÜNFZEHNTE KAPITEL

berichtet vom Ende der Perserkriege. Auf die Thermopylen und Salamis folgt als letzte große Schlacht Platää – dann ist Griechenland frei. Zugleich neigt sich die klassische alte Zeit langsam dem Ende zu, die Zeit, als das Wort »Helden« noch nicht peinlich war. So klassisch erscheint sie uns, daß wir Namen wie Leonidas und Themistokles gleichsetzen mit den Herrlichkeiten der Akropolis, dem Parthenon, den Propyläen, obwohl das falsch ist und Athen in diesem Augenblick noch eine Ruine war.

DIE PERSISCHE FLOTTE WAR VERNICHTET, DER GROSSKÖNIG nach Sardes zurückgekehrt. Aber der Krieg war noch nicht zu Ende. Das Heer hatte sich, unter dem General Mardonias als Oberbefehlshaber, in Thessalien in Winterquartieren eingenistet. Sechzig – oder siebzigtausend Mann. Im kommenden Frühjahr mußten sie geschlagen werden.

Die griechischen Delegierten begannen wieder zu tagen; diesmal in Sparta.

Es war abermals Themistokles, der diesem Kongreß einen strategisch überraschenden Plan vorlegte. Er riet, mit der Flotte zum Hellespont zu segeln, die Schiffsbrücken zu vernichten, die persischen Stützpunkte auszuheben, die rückwärtige Verbindung abzuschneiden und Mardonias so zum Verlassen Griechenlands zu zwingen.

Der Plan wäre geglückt. Vielleicht hätte er den Großkönig die gesamte Armee gekostet. Die Idee war genial, sie war ein Geschenk des Himmels. Es ist unbegreiflich, daß sie nicht durchgeführt wurde. Die Griechen maulten herum und fanden Themistokles lästig. Natürlich war er lästig. Geniale Menschen sind immer lästig. Sie sind penetrant, weil sie von der völlig falschen Voraussetzung ausgehen, daß sie Zeitgenossen ihrer Zeitgenossen seien. Das ist selbstverständlich ein großer Irrtum. Sie sind überhaupt keine Zeitgenossen, und auch nachfolgende Generationen würden sie nicht akzeptieren, wenn sie noch lebten. Männer wie Themistokles sind nicht »ihrer Zeit voraus«; diese Formulierung ist ein schmerzstillendes Mittel unserer soziologischen Pillendreher; je weiter Athen fortschritt, desto weiter entfernte es sich von Themistokles. Wir werden den Anfang sofort erleben.

Also, die Griechen legten den Plan ad acta, sie hatten keine Lust. Sie hatten aus mehreren Gründen keine Lust; erstens waren sie müde, zweitens fürchteten sie die Herbststürme, drittens wollten sie ihre Städte aufräumen, viertens fanden sie, daß Themistokles nicht ewig recht haben müsse, und fünftens hatten die Spartaner versichert, man würde die Perser auch zu Lande schlagen. Ja, als die Bevölkerung von Athen – soeben wieder in den Besitz ihrer Väter und Söhne gelangt und mit Sack und Pack auf dem Heimmarsch – von dem Themistokles-Plan hörte, war sie so verärgert, daß sie den Retter Griechenlands für das nächste Jahr nicht mehr zum Strategen wählte! Themistokles zog sich wortlos zurück.

Ganz Griechenland staunte über die unberechenbaren Athener. Ich jedoch glaube, daß sie zu berechnen waren und auch berechnet worden sind, nämlich von Sparta! Die Emeritierung des Themistokles war kein Zufall.

Noch jemand staunte: Mardonias. Er ahnte zwar nicht, welcher Gefahr er entgangen war, aber er vernahm von dem Kurswechsel, und sein Schachzug folgte auf dem Fuße: Er machte durch einen Gesandten den Athenern ein Friedensangebot. Er verlangte die formelle Unterwerfung unter den Großkönig und versprach Begnadigung aller Bürger und Wiederaufbau der Stadt auf persische Kosten!

Er wartete gespannt. Themistokles war nicht mehr da; wer würde antworten? Auch darauf war er gespannt.

Es antwortete Aristides, »der Gerechte«.

Ja, sie waren alle wieder da: Aristides, Xanthippos, der Alkmaionide, und Kimon, Sohn des Miltiades. Von heute auf morgen verwandelten die seegewaltigen

Athener sich wieder in Wüstenrot-Sparer. »Hier bin ich Mensch, hier darf ich's sein.« Es fehlte nicht viel, so hätten sie ihre Schiffe versteigert. Immerhin lautete ihre Antwort an Mardonias abermals »nein«. Das war kühn.

Der Perser hatte es nun satt und marschierte in Attika ein. Die Athener flohen zum zweitenmal nach Salamis. Inzwischen übten sich die Spartaner fleißig im Manöver, und die Periöken befanden sich bei der Feldarbeit, denn man gedachte, das Versäumte nachzuholen und eine gute Ernte zu machen. So löblich das sein mochte, die Athener waren schier verzweifelt. Sie schickten Xanthippos und Kimon nach Sparta, und den beiden gelang es endlich, die Ephoren von der schrecklichen Lage ganz Mittelgriechenlands zu überzeugen. Die Perser *mußten* geschlagen werden, wenn man nicht Gefahr laufen wollte, bis vor den Isthmos von Korinth alles zu verlieren. Es war klar, daß in solcher Situation dann Xerxes in ein, zwei Jahren wieder mit einer Flotte dasein würde.

Jetzt kam Bewegung in die Kriegsmaschinerie der Spartaner. Man mobilisierte in Gedankenschnelle den ganzen Peloponnes und berief zum Oberbefehlshaber Pausanias, den Vormund des noch unmündigen Leonidas-Sohnes. Am Isthmos stießen die Athener, Platäer, Korinther, Ägineten und Megarer hinzu, das Heer wuchs auf fast dreißigtausend Mann an, das Höchste, was der Bund in diesem Augenblick aufbringen konnte, und mit dieser Streitmacht setzte sich Pausanias, ohne auch nur einen Blick auf Athen mitsamt seinem Mardonias zu werfen, nach Norden in Richtung Theben in Bewegung. Er marschierte also in den feindleeren Raum im Rücken der Perser.

Mardonias durchschaute die Taktik. So steht es in den Geschichtsbüchern.
Hier muß ich einen Augenblick unterbrechen. Welche Taktik durchschaute er eigentlich? Ich sehe keine. Ich sehe nur einen unerhörten Bluff der Spartaner. Ich fürchte, Mardonias wurde hier das Opfer einer Berufskrankheit, der Vorstellung nämlich, daß Generalstäbler immer etwas durchschauen müssen. Mardonias hätte in aller Ruhe in den Peloponnes einziehen können.
Jedoch, wen die Götter vernichten wollen, den lassen sie etwas durchschauen. Mardonias also durchschaute die Taktik und brach eiligst auf – ebenfalls nach Theben. Als die Griechen die Kithairon-Berge überquert hatten und in die Ebene hinabstiegen, in der das zerstörte Platää lag, sahen sie, daß er bereits angekommen war. Fünfzigtausend Perser, dazu die freiwilligen Thebaner und die zur Heerfolge gepreßten Phoker. Sie hatten das Schachbrett schon fein säuberlich aufgestellt.
Den Griechen schien die Aufstellung gar zu gut vorbereitet, und so zögerten sie lange, die Schlacht anzunehmen. Endlich wurde es Pausanias zu bunt. Er betete vor der Front des Heeres zu den Göttern und machte sich dann an die Lösung dieser, wie ihm als Spartaner schien, mathematischen Musteraufgabe.
Es ist unendlich schade, daß wir den genauen Verlauf dieser weltberühmten Schlacht nicht kennen. Was Herodot erzählt, ist wirr. Wir sind nur über die entscheidende Phase unterrichtet. Sie setzte ein, als im Laufe des Kampfes Pausanias den Befehl zu einer Flankenbewegung rückwärts gab. Der Befehl betraf den linken Flügel, die Athener unter Aristides. Aristides hat ent-

weder das Manöver nicht begriffen, oder er glaubte, es besser zu wissen, jedenfalls machte er die Schwenkung nicht nur nicht mit, sondern drang weiter vor. Die Verbindung riß, eine Lücke klaffte in der Front, Mardonias mußte es bemerken – da setzte auch schon der Stoß der Perser auf die Lücke ein. Mardonias selbst führte ihn mit tausend Reitern.
Kein anderer als die Spartiaten hätte den Anprall ausgehalten. Wer einmal eine Koppel von Pferden in Karriere auf sich zustürmen sah, kennt den Eindruck. Nicht zehn, nicht hundert, ein Hurrikan von Pferden brauste heran. Die Spartaner stießen die Schilde in die Erde und bohrten die Lanzenschäfte tief in den Boden, stemmten sich dagegen und erwarteten so die Wellen der persischen Kavallerie. Die ersten Reihen wurden niedergewalzt, die Pferdeleiber brachen über ihnen zusammen und türmten sich hoch auf, Welle auf Welle stürmte heran, aber die Spartaner standen. Nach jedem neuen Aufprall rückten sie, Schulter an Schulter gelehnt und die Schilde fest zu einer Mauer schließend, um ein paar Schritte vor. Sie sahen nicht rechts und nicht links, sie bemerkten nicht, daß Mardonias gefallen war. Endlich hatten sie den Anschluß an die Athener erreicht; der persische Durchbruch, der das Ende der Schlacht und das Ende der griechischen Freiheit gewesen wäre, war mißglückt.
Nach dieser unvorhergesehenen Krise scheint sich die Kampflage völlig geändert zu haben. Die Athener, am weitesten vorgeprellt, sahen bereits das persische Lager in Reichweite und faßten noch einmal alle Kräfte zusammen. Da gaben die Perser endgültig die Schlacht verloren und flohen. Die Flut rollte zurück, mühsam gelenkt von den Generälen, weiter, immer weiter, über

Theben hinaus, nordwestwärts in Richtung Thessalien.
Die Griechen wischten sich den Schweiß von der Stirn und erfüllten zunächst ihre vornehmste Aufgabe: das persische Lager zu plündern. Das war eine echte Feierstunde. Nachdem man dieser altehrwürdigen griechischen Tradition gepflogen, nachdem man Zeus gedankt, ihm ein Heiligtum auf dem Schlachtfeld versprochen und die hartgeprüfte Stadt Platää für künftig unverletzlich erklärt hatte, beschloß man, in einem Zuge noch die Rechnung mit Theben zu begleichen.
Die gut befestigte Stadt, die eine lange Belagerung hätte aushalten können, war mürbe und kapitulierte. Sie lieferte die führenden Männer der perserfreundlichen Partei aus, während sich die nicht minder perserfreundliche anonyme Masse, wie immer in der Welt, rasch wieder ins Privatleben zurückzog und die verdutzten Führer allein auf dem Kampfplatz der Ideen zurückließ.
Pausanias nahm, da man sich ja »an jemand halten« muß und der Plebs, sobald es schiefgeht, nicht mehr »jemand« ist, Pausanias also nahm die thebanischen Führer, gedachte der überstandenen Gefahr, der Schrecken der niedergebrannten Städte, der Flüchtlinge und der Toten und ließ die Männer hinrichten.
Es waren die letzten Toten dieses Krieges.
Aus Thessalien, dann aus Makedonien und Thrakien kam die Nachricht, daß sich die Perser auf dem Wege in die Heimat befänden.
Der Kampf war beendet, Griechenland frei.
»Frei« – das Wort ist erst hier geboren worden. Wie oft hatte man es vorher im Munde geführt, ohne zu wissen, wofür es eigentlich stand. Man hatte es benutzt für

Kinkerlitzchen, für Wünsche, für Befriedigungen, für persönliche Vorstellungen, für Ungebundenheit, für mehr Macht, mehr Lust, mehr Recht, für lauter »Mehrs«, mehr Zeit, mehr Liebe, mehr Geld: Was für ein Irrtum war das gewesen! Es kratzte das Gold nicht einmal an der Oberfläche an.
Nach den Perserkriegen wußten die Griechen, was »frei« ist. Und wenn wir es wissen, dann auch von ihnen. Nicht Arminius und Vercingetorix, Johanna von Orleans und Prinz Eugen stehen vor unseren Augen auf, obwohl das unsere Welt ist, sondern das Bild Griechenlands, wehender Helmbüsche, kämpfender Hopliten und sterbender Leonidasse.
Die Not ist das Tor, durch das allein man zur Freiheit geht. Das unerbittliche Entweder-Oder, und nicht ein blasser Wunsch nach Besser oder nach Mehr ist der Aufbruch zur Freiheit. Den Griechen, ihren großen Geistern jedenfalls, ist mit den Perserkriegen ein starkes Gefühl der Dankbarkeit aufgegangen. Sie hatten es zuvor kaum besessen.
»Πόλεμος πάντων πατὴρ«, »Der Krieg ist der Vater aller Dinge«, schrieb Heraklit, »und aller Dinge König«. Aber der Satz geht weiter! »Die einen erweist er als Götter, die anderen als Menschen. Die einen macht er zu Sklaven, die anderen zu Freien.«
Was wäre Griechenland ohne die Perserkriege? Sie erst offenbarten das Geheimnis, das um das Wort Freiheit ist. Freiheit kommt nirgends von selbst; sie ist nur da, wo sie gerufen wird.

könnte lästiger ausgefallen sein. Das ist das Schwierige an der griechischen Geschichte, daß man manchmal nicht weiß, wo man überall zugleich sein müßte. Da wird gestritten, aufgestanden, revolutioniert, geflohen, verfolgt, bald in Kleinasien, bald in Sizilien, bald im Norden, bald im Süden, und an zwei großen Männern, Rettern des Vaterlandes, vollziehen sich echt griechische Schicksale. Der eine emigriert und wird Fürst, der andere remigriert und verhungert.

ALS DAS GEWITTER VORÜBER WAR UND DIE WOLKEN SICH VERzogen hatten, überblickten die Griechen, in welcher Gefahr sie geschwebt hatten. Von einer großen Schlacht in Sizilien erfuhren sie überhaupt erst nachträglich: der Schlacht am Himera-Fluß; sie hatte gleichzeitig mit Salamis stattgefunden.

Das Ganze war ein großangelegtes Manöver von Xerxes gewesen. In Sizilien lag eine Reihe blühender dorischer Kolonien. Die Zeiten hatten sich gewandelt; aus der einstigen »Hofseite« war eine neue Sonnenseite geworden und aus der rauhen Insel eine Dependance Spartas, schöner noch, eleganter, lebenslustiger; ein blumengeschmückter Balkon nach Westen.

Xerxes hatte recht, wenn er kombinierte, daß der Verlust Siziliens die Griechen hart treffen würde. Aus diesem Grunde und in der Überzeugung, bereits darüber verfügen zu können, bot er das Schmuckkästchen den afrikanischen Karthagern an. Man schloß ein Bündnis und verabredete, Sizilien im gleichen Augenblick anzugreifen, wenn Xerxes in Griechenland stehen würde.

Aber das karthagische Heer wurde von den vereinigten sizilianischen Städten am Himera geschlagen, so vernichtend geschlagen, daß der karthagische Feldherr nicht heimzukehren wagte, sondern sich das Leben nahm. Der Mann, der das griechische Heer geführt hatte, war Gelon, Tyrann von Syrakus. Der Sieg hob ihn nun in eine geradezu königliche Stellung. Er wurde eine Art Polykrates. Die Staatsform der Tyrannis hat sich in Sizilien noch weit über hundert Jahre gehalten. »Zu Dionys, dem Tyrannen, schlicht Damon, den Dolch im Gewande...« Mit diesem Dionys endete später die Kette der großen Alleinherrscher in Sizilien.

Schön wäre es gewesen, schön wie ein Märchen, wenn alle Griechen jetzt die Hand aus der Himationfalte gezogen, sie einander hingestreckt hätten und Friedrich Schiller gefolgt wären, ein einig Volk von Brüdern zu sein. Über die Entfernung von zweieinhalbtausend Jahren hinweg möchte man die Griechen und ihre Poleis nehmen und, in besserem Wissen um ihr Glück, mit der Faust zusammenpressen – das ist eine berühmte »Nachfahren«-Empfindung; sogar Historiker können sie oft nicht unterdrücken. Keine Grieche aber wäre nach den Perserkriegen auf diesen Gedanken gekommen. Man legte den Krieg zu den Akten, und alle alten Eigenschaften feierten fröhliche Urständ.
In Athen hatte man überhaupt keinen anderen Wunsch, als sich zunächst einmal auf dem Kerameikos über die Heldentaten gegenseitig auszusprechen, Mutmaßungen über den unsterblichen Ruhm anzustellen und die Sklaven zu ermuntern, sich mit dem Wiederaufbau der Häuser zwecks Feiern von Symposien möglichst zu beeilen.
In diesen Tagen stand Themistokles Tag für Tag in Versammlungen und versuchte, die Athener aufzurütteln, ihre Pergola oder ihre niedergebrannte Färberei liegenzulassen und erst noch zu tun, was die Stunde gebot. Mit einer Ausdauer und Beharrlichkeit, einer Prägnanz und Schärfe, wie sie eigentlich ganz ungriechisch waren und dem Volk fürchterlich auf die Nerven gegangen sein müssen, wiederholte er beständig eine These: Athen muß sofort zur stärksten Festung Griechenlands ausgebaut werden, und zwar ehe es die anderen merken, sie werden es sonst verhindern; der jetzige Zustand ist ihnen gerade recht.
Im Winter 479/78 hatte er tatsächlich im Rat der Fünf-

hundert den Beschluß erreicht, Athen mit einer Mauer »modernster Art« zu schützen.
Das wurde kaum publik, da zeigte sich, daß er die Situation richtig gesehen hatte: Ein Sturm der Entrüstung ging durch Hellas. Ägina protestierte, Megara protestierte, Sparta protestierte – es sah aus, als hätten sie alle fürs nächste vorgehabt, Athen zu überfallen.
Diese Reaktion hatten die Athener nicht erwartet. Jetzt begannen sie sich – alle, auch der letzte Färbermeister – zu versteifen. Themistokles erbot sich, nach Sparta zu gehen, um – wie man heute sagen würde – ein »gutes Gespräch zu führen«, das heißt, den Spartanern ihre Unverschämtheiten auszureden; aber er verlangte, daß die Athener inzwischen unbeirrt und im Eiltempo die Mauer erbauen sollten, einfach um eine vollendete Tatsache zu schaffen. Das tat man. Das tat man gern, denn nun war es ein Abenteuer. Man baute, während Themistokles mit den »Freunden« sprach, wie besessen; man verbaute, da man nicht genug Steine besorgen konnte, sogar Grabstelen in die Mauer. Sobald der Hauptteil fertig war – und das scheint in Windeseile geschehen zu sein –, ging man an die Befestigung des Piräus-Hafens. Themistokles schwebte vor, Athen und den Hafen durch eine ummauerte Straße zu einem Ganzen zu verbinden, ein gigantischer Plan.
Als Themistokles heimkehrte und die fast fertigen Wälle sah, fiel ihm ein Stein vom Herzen, mit dessen Hilfe man die Mauer auf sechs Kilometer Länge ausdehnen konnte.
Die Reise nach Sparta war vergeblich gewesen, natürlich. Die Spartaner verlangten die sofortige Einstellung der Arbeiten. Ihrem Wunsche konnte nun willfahren werden, die Steine waren sowieso zu Ende.

Kühne Menschen pflegen hier zu betonen, daß man auf Proteste pfeifen könne, jedoch irren kühne Menschen oft. Der Gang der Weltgeschichte wird mitunter durch die unscheinbarsten Dinge, zum Beispiel durch solch ein Pfeifen, bestimmt. Tatsächlich gibt es eine Reihe von Historikern, die sagen, der endgültige Zerfall des hellenischen Volkes, der endgültige Bruch zwischen Athen und Sparta und der Keim zum späteren Peloponnesischen Kriege sei in jenem Winter 479/78 und in dem Plan des Themistokles zu suchen. Und sie fahren mit der Mahnung fort: verzichten und gute Gespräche führen! Ich aber, meine Freunde, sage Ihnen: Folgen Sie ihnen nicht! Im Rückwärtsblicken erscheinen die meisten Wege in der Weltgeschichte als zweigleisige Möglichkeiten, die es in Wahrheit niemals waren.
Athen also pfiff. Und es merkte, daß es sich mit hundertfünfzig Kriegsschiffen und einer neuen Festungsanlage im Hintergrund nicht nur viel ruhiger pfeift, sondern auch viel ruhiger schläft. Athen trat in diesen Siebziger Jahren in die oft zitierte und vielbesungene »Pentekontaetie« ein. Sie brauchen sich das Wort, obwohl es in keinem besseren Geschichtswerk fehlt, nicht zu merken; es läßt sich sehr einfach übersetzen mit »die fünfzig fetten Jahre«. Ehe wir aber in diese goldene Zeit eintreten und den unübertroffenen Perikles erleben, müssen noch einige Dinge erledigt werden, sowohl von den Athenern als von uns.
Die ionischen Städte in Kleinasien waren sofort nach Salamis und Platää aufgestanden! Man hatte die persischen Statthalter vertrieben und fühlte nun den Wind eines zweiten ionischen Frühlings anheben.
Andererseits war man nüchtern genug einzusehen, daß mit einer vorübergehenden Schwierigkeit des Großkö-

nigs noch gar nichts für die Dauer gewonnen war. Aber man nahm das Risiko einer neuen furchtbaren Abrechnung tapfer auf sich und sagte sich offen von Xerxes los. Der verlorene Sohn, richtiger die verlorene Tochter, kehrte also zurück, breitete die Arme gläubig aus und sagte entwaffnend zu ihrem Mutterland: Hier bin ich, hier hast du mich!

Bekenntnisse dieser Art pflegen eine überraschende Wirkung zu haben. So auch hier: Das Mutterland war in tödlicher Verlegenheit. Die Lage zwang Griechenland nun, den Freiheitsanspruch gegen Xerxes auch auf die kleinasiatische Küste auszudehnen. Das bedeutete, daß der Perserkrieg demnach noch *nicht* beendet war: Man konnte sich an den fünf Fingern ausrechnen, daß der Großkönig vielleicht das griechische Mutterland zu den Akten gelegt hatte, niemals aber in einem Atemzuge auch Ionien. Das sahen die Spartaner, und das sahen die Athener. Wie reagierten nun die beiden? Die Spartaner – ach, lassen Sie uns, um der Plastizität willen, ein anderes Wort sagen – die spartanischen Peers schlugen vor, die ganze Küste zu evakuieren und die ionischen Griechen im Mutterland neu anzusiedeln! Natürlich müßten sie komplette, fertige Städte erhalten. Zu diesem Zweck, so meinten die Peers, könnte man doch sehr gut solchen Leuten wie den Thebanern und anderen Perserfreunden die Städte wegnehmen und sie für die tapferen Ionier »frei machen«.

Ein Plan modernster Art! Jedoch kam es zu einer Umsiedlung solchen Stiles jetzt noch nicht, sondern erst 1945 nach Christus. Die Ionier waren nämlich dagegen, weil sie ihre Städte viel hübscher fanden. Das ist ein Gesichtspunkt;wenn auch ein überraschender.

Aber dieser Wunsch wäre nicht ausschlaggebend gewesen, wenn nicht auch Athen den spartanischen Plan abgelehnt hätte. Und nun muß ich Ihnen ein Stück großer Politik der damaligen Welt erklären. Wenn Sie die ganze Kettenreaktion erleben, erinnern Sie sich bitte, daß Sie durch nichts anderes ausgelöst wurde, als durch einen Einfall, durch einen einzigen, dazu noch unverbindlichen kleinen Vorschlag Spartas.
Der Einfall, die Ionier umzusiedeln, hatte den teuflischen Hintergedanken, ganz Mittelgriechenland zu einem Unruheherd zu machen. In den Peloponnes hätte Sparta natürlich keinen einzigen Ionier aufgenommen. Man spekulierte auf die Habgier Athens und seinen Haß gegen Theben. Fünfzig Jahre später wäre der Plan geglückt.
Jetzt aber mißlang er. Der Mann, der ihn durchschaute, war Themistokles. (Die Spartaner haben von da an ein geheimes Kesseltreiben gegen ihn begonnen; man kann Schritt für Schritt verfolgen, wie er eine Laokoon-Figur wird, ohne daß man die Hände sieht, die ihn einschnüren.)
Spartas nächster, offizieller Schritt war, sich desinteressiert zurückzuziehen, sobald der Umsiedlungsplan verworfen war. Nun kam Athen in eine neue fatale Lage: Es trug die Verantwortung allein. Denn Ionien stand immer noch mit erwartungsvoll ausgebreiteten Armen da.
Der Schachzug, mit dem Themistokles antwortete, sah zunächst aus, als sei er nichts als eine Notlösung: Athen schloß mit den wichtigsten ionischen Städten und Inseln feierlich ein »ewiges« Treue- und Schutzbündnis, den sogenannten »Delisch-Attischen Seebund«. Sparta war immer noch der Meinung, diplomatischer

Sieger zu sein. Man rekapitulierte: Was hatte sich an der Lage Ioniens geändert? Nichts. Was hatte sich an der Lage Athens geändert? Es hatte eine zentnerschwere Verpflichtung am Bein.

Die Geschichte aber hat bewiesen, daß Themistokles der Sieger in dem politischen Ringen blieb. Es war genial, aus dieser fürchterlichen Zwangslage Gold zu schlagen – übrigens pures Gold. Der Attische Seebund, seine letzte Schöpfung, wurde ein Wendepunkt für Athen, er wurde das Sprungbrett an die Macht über halb Griechenland. Entsetzt merkte es Sparta zu spät. Die Croupiers hatten ihr rien ne va plus gesprochen.

Ich würde Ihnen jetzt gerne etwas über diesen Attischen Seebund erzählen, um zu zeigen, wie einfach die Sache war, verstünde jedoch, wenn Sie sagen würden: Meister, es ist uns offen gestanden egal, ob die Sache einfach war oder nicht; wenn es unbedingt sein muß, so sagen Sie uns, was Sie drängt, aber sagen Sie's kurz. Zu Unrecht! Zu Unrecht! Wir erleben hier wirklich die Geburtsstunde des Goldenen Zeitalters von Athen. Hier keimt der künftige sagenhafte Reichtum Athens, der aus der Stadt das Juwel Griechenlands machte, und hier keimt die künftige sagenhafte Unverschämtheit des Volkes, die aus der Stadt wieder eine Ruine werden ließ.

Der Attische Seebund war die erste griechische Gemeinschaft, die in einer uns liebvertrauten Weise durchorganisiert war. Man schuf eine gemeinsame Kriegsflotte, zu der jedes Mitglied eine bestimmte Anzahl Schiffe zu stellen hatte. Wer dazu nicht imstande war, hatte Ersatzzahlungen zu leisten, die in eine gemeinsame Kasse flossen. Als Bundesbank wurde – um die Vormachtstellung Athens nicht gar zu aufreizend

herauszustellen – der Apollon-Tempel der kleinen ägäischen Insel Delos bestimmt. Athen stellte eine Gruppe von Beamten zusammen, die die Bundesbank künftig zu leiten hatten. Sie nahmen in Delos ihren Wohnsitz. Die Beiträge sollten den früheren Tributzahlungen an die Perser entsprechen, nicht mehr und nicht weniger – es genügte. Die Summe, die zusammenkam, hatte eine schwindelnde Höhe: 460 Talente – ein Riesenvermögen. Die Bundesbank wurde von einem Tag auf den andern ein Machtfaktor.
Treuhänder des Bundes war Aristides, »der Gerechte«, der alle Zeitläufe überstehende, untadelige, rechtschaffene und etwas langweilige, also geborene Beamte! Er hat seines Amtes auch stets mit zuverlässiger, dienender, amusischer und höhenflugfreier Sachlichkeit gewaltet. Er war jetzt endlich auf dem richtigen Platz.
Der Seebund faßte als erste Aufgabe die Vertreibung der Perser aus Thrakien und die Sicherung der beiden Übergänge am Hellespont und am Bosporus ins Auge. Das sollte rasch geschehen, solange der Großkönig noch in innenpolitische Wirren verwickelt war. Die Bundesflotte versammelte sich, ein imposantes Aufgebot, ein hoffnungsfrohes Abenteuer – alles war gespannt und in Hochstimmung. Dann wurde ein Oberbefehlshaber ernannt. Es war, wie Sie sich nun bereits in Kenntnis des athenischen Volkes selbst sagen werden, nicht Themistokles, sondern ein neuer Mann.
Er hieß Kimon.
Ich kann Ihnen Kimon nicht besser vorstellen, als wenn ich Sie an zwei Männer erinnere, die wir gut kennen. Entsinnen Sie sich eines Kimon, der als dreifacher Olympiasieger nach Athen heimkehrte und auf ge-

heimnisvolle Weise ermordet wurde? Und entsinnen Sie sich des Miltiades, Sieger von Marathon, der sich privat die athenische Flotte auslieh, um sich ein Fürstentum zu erobern? Zwei große Herren, zwei weltmännische, reiche, elegante Aristokraten: Diese beiden sind Kimons Vater und Großvater.
Auch unser Kimon, der Enkel, war ein Mann von fürstlichen Manieren, für das Volk allein schon durch seine Herkunft, seinen Lebensstil, seine körperliche und geistige Tadellosigkeit eine faszinierende Erscheinung; nie aggressiv wie Themistokles, immer maßvoll; nie – bildlich gesprochen – schweißbedeckt wie Themistokles, immer lavendelduftend. Unter ihm *wurde* man nicht mächtig, unter ihm *war* man es. Er bezwang nicht das Schicksal wie Themistokles, er schien von seinem Konto abzuheben.
Nach diesem letzten Satz werden Sie verstehen, daß ihn das Volk liebte. Das Volk hebt gern ab.
Dennoch ist es erstaunlich, daß nicht Themistokles, sondern Kimon gewählt wurde. Es ist erstaunlich, aber erklärlich: Sparta bohrte. Das wird nicht nur daran deutlich, wie man Themistokles langsam mißkreditierte und kaltstellte, sondern noch viel mehr an der Gestalt seines Nachfolgers. Kimon war mit einer Tochter aus dem Hause der Alkmaioniden verheiratet, die immer antidemokratisch und prospartanisch gewesen sind; und seinen ersten Sohn hatte er Lakedaimonios, »Spartaner«, getauft! Der Umschwung Athens zur Spartafreundlichkeit, zur Illusion eines möglichen Zusammengehens, hat die Athener viele Umwege gekostet; aber das war nicht das Schlimmste: Er hat sie Themistokles gekostet.
So kommt ein Gefühl der Abneigung gegen Kimon zu-

stande. Ich teile es. Jedoch bald werden wir uns nach solchen Männern sehnen.
Er war einer der letzten Gentlemen der athenischen Geschichte, und sein Bild vergoldet sich, sobald man in der nach-perikleischen Zeit unter den Proleten herumwühlen muß.
Kimon segelte also los und säuberte Thrakien und den Hellespont von den Persern. Er erledigte die Aufgabe fehlerlos. Ein sehr großes Kunststück war sie nicht.
Am Bosporus traf er unerwartet einen alten Bekannten von uns, den wir aus den Augen verloren haben. Kimon fand diesen Herrn in dem ehemals persischen Stützpunkt Byzanz vor, wo er sich häuslich niedergelassen und in aller Stille ein kleines Privatfürstentum errichtet hatte. Sie werden nicht ahnen, wer es war: Pausanias, der Sieger von Platää. Vor Jahren sollte er im Auftrag Spartas tun, was jetzt Kimon für Athen tat, nämlich den Bosporus befreien. Das hatte er auch getan, plötzlich aber war er zum Abenteurer geworden. Er hatte die Flotte zurückgeschickt und war in Byzanz geblieben.
Die ganze Geschichte kam seinen Zeitgenossen, vor allem den Spartanern, vollständig verrückt und verantwortungslos vor. Man hielt ihn für übergeschnappt.
Er war es sicher nicht. Er war ein Zuspätgeborener. In ihm brach noch einmal das Konquistadorenblut durch. Er versuchte nichts anderes als das, was viele vor ihm getan hatten. Er war, wie seine Vorbilder, in die »Wildnis« gefahren, dorthin, wo noch Land zu haben war. Die Zeit, in der man noch Fürstentümer gründen und sich selbst unter die Könige einreihen konnte, lag erst achtzig Jahre zurück. Dennoch war sie endgültig vorbei, Pausanias sollte es sofort merken. Die Zeit, in

der *er* lebte, betrachtete sich als fertig, als abgeschlossen, als stabilisiert und duldete keine privaten Experimente mehr. Pausanias scheiterte an der Aufgeklärtheit des Volkes, für das der »Gotha« fertig ausgedruckt war. Wie heute. Er scheiterte auch an dem ganz modern anmutenden Anspruch der Staaten, die Welt nur noch dienstlich zu betrachten und weiße Flecken auf der Landkarte ausschließlich als Staatsangelegenheiten anzusehen. Pausanias' Zeitgenossen hielten die Vorstellung, jemand könne sich einfach aus der Bürgerschaft lösen und einen eigenen Staat bilden, für »mittelalterlich«.

Kimon machte ihm daher auch sofort klar, daß es stets Sache eines Staates sei, etwas zu besetzen. In diesem Falle natürlich Athens. Und die Ephoren nahmen die Gelegenheit wahr, ihren einstigen Kriegshelden noch einmal aufzufordern, nach Sparta zurückzukehren und sich vor Gericht zu verantworten. Das tat er! Er tat es so überraschend, daß es den Ephoren die Sprache verschlug. Er war wieder da, ging herum, als sei nichts geschehen, ganz der Alte. Die Ephoren, ursprünglich entschlossen, an ihm ein Exempel zu statuieren, hatten nichts vorbereitet. Es sah aus, als sei die ganze Angelegenheit erledigt.

Aber sie war nicht erledigt. Die Ephoren haben zwei Dinge nicht mehr aus den Augen verloren: Ihren eigenen Helden, der aus der Reihe getanzt und sich außerhalb des »Kosmos« gestellt hatte, zur Abschrekkung für alle Zeiten zu bestrafen; und Themistokles, der der größte Staatsmann, aber eben der des Feindes war, zu beseitigen.

471/70 traf Themistokles aus heiterem Himmel der Ostrakismos. Er begab sich in keinen der nordgriechi-

schen perserfreundlichen Staaten, wie man – vermute ich – gehofft hatte; er ging nach Argos.
Im nächsten Jahre wurde der Schlag gegen Pausanias geführt. Die Ephoren konnten »die notwendigen Indizien« vorlegen, um ihn als Landesverräter zu verurteilen. Leider zeigte sich der große Mann in diesem Augenblick nicht groß genug, die Konsequenz zu ziehen. Er flüchtete in das Heiligtum der Athene und stellte sich in den Schutz der Göttin. Die Spartaner umstellten den Tempel und ließen Pausanias, ihren Sieger von Plataä, darin verhungern. Eine griechische Tragödie antiken Ausmaßes, aber – seltsam – nicht ohne die aristotelische Katharsis unserer Gefühle. Es ist ein Schauspiel, das »stimmt«.
Wir müssen nun eilends nach Athen überblenden, denn die Ephoren handeln schnell.
Sofort nach dem Tode von Pausanias verlangten sie von Athen einen Prozeß gegen den in Argos lebenden Themistokles und seine Verurteilung zum Tode wegen umstürzlerischer Pläne gegen Sparta und Verhandlung mit den Persern.
Athen kam diesem Wunsch in zuvorkommendster Weise nach. Kimon, damals auch als Staatsmann schon die maßgebliche Persönlichkeit, erinnerte daran, daß Sparta durch die Abberufung des Pausanias aus Byzanz und die Überlassung dieser handelswichtigen Stadt an den Seebund die Athener »zu großem Dank verpflichtet« habe.
Hier rollt nun keine sophokleische Tragödie ab. Es kam nicht dazu; der Hauptdarsteller sprengte die Bühne. Es wurde ein Schmierenprozeß, der ausging, wie Sparta es verlangt hatte. Öffentlicher Ankläger war ein Alkmaionide.

Athenische und spartanische Militärpolizei begann die Jagd auf den Verfemten. Themistokles verließ Argos und ging nach Epirus. Dort trieb man ihn weiter nach Makedonien, von dort in abenteuerlicher Fahrt über das Meer nach Kleinasien, wo ihn die Aufforderung des Großkönigs erreichte, sich in Susa zu »melden«. Nicht Xerxes hatte die Botschaft gesandt; der alte Griechenhasser lebte nicht mehr. Artaxerxes, der neue Großkönig, empfing den Besieger seines Vaters in außerordentlicher Ehrfurcht. Er schenkte ihm, um ihn und seine Nachkommen sicherzustellen, drei große Städte zu erblichem Lehen. So verbrachte Themistokles die letzten fünf Jahre seines Lebens in Magnesia, von dessen Mauer er ein Stückchen Griechenland, Ephesos, Milet, die Bucht von Mykale und draußen auf dem Meer Samos liegen sehen konnte. Noch in unseren Tagen wurden Silbermünzen gefunden, die seinen Namen als Fürst von Magnesia tragen.
Als eine zur Saga verwandelte Tragödie endete das Leben dieses großen Staatsmannes. Er war einer der größten, die die Griechen hervorgebracht haben. Er war es, er allein, der die Sicherung Athens und die Rettung Griechenlands in der radikalen Umrüstung auf Seemacht sah, der einzige, der die Verbrüderung mit Sparta für eine Illusion, für einen zu späten, endgültig zu späten Versuch hielt. Athen wußte nicht, daß es einen König, wahrhaft von Gottes Gnaden, in seinen Mauern beherbergt hatte.
Die Griechen haben ihn nie gemocht. Er verbreitete weder den fürstlichen Glanz eines Kimon, noch den milden Schein der Wunschlosigkeit eines Aristides, er besaß weder die aufregende Unverschämtheit der Alkmaioniden noch das verschmitzte Herz des Peisistra-

tos. Die Athener empfanden ihn ganz einfach als Kränkung, etwa wie die Wiener einen Preußen als Kränkung empfinden. Er machte ihnen das Leichte schwer und das Schwere leicht; damit, so schien ihnen, stahl er ihnen das Lachen genauso wie die Tränen! Rührend, daß selbst der junge Stesilios, »an Gestalt, an Adel des Körpers und Geistes schönster aller Knaben« nicht ihn erhörte, der ihn glühend verehrte, sondern Aristides. Auch die alten Geschichtsschreiber mochten ihn nicht. Herodot kann sich nicht genugtun, den »Gerechten« zu rühmen. Der Name Themistokles fällt nur, wenn es nicht zu umgehen ist.

Inzwischen sind zweieinhalbtausend Jahre vergangen, und noch immer scheiden sich an der Gestalt des Themistokles die Geister. In dem Geschichtswerk eines heutigen Historikers steht der Satz: »Damit, daß er persischer Vasall wurde, bewies er selbst, wie wenig vom Geist der Polis in ihm war, wie recht diese daran tat, ihn auszuschließen.« In solch einem Urteil bricht, wie bei den Athenern, nicht mangelndes Denkvermögen, sondern die Galle durch.

Genauso hat Athen seinen Retter gehaßt. Es war ein ganz anderer Haß als der gegen irgendeinen früheren Regenten oder Feldherrn, es war ein Haß, der weder durch Bedrückung noch durch Unfreiheit oder Ungerechtigkeit ausgelöst wurde; es war ein Haß, der aus dem Zwerchfell kam, also von der Stelle, wo beim Pöbel die Seele sitzt.

An Themistokles wird zum erstenmal deutlich, daß das »Volk« in diesen Jahren jene berühmte Wandlung durchmachte, die nach Überschreiten des Zenits für jede Kultur kommt, jene Wandlung, die die Soziologen das »Mündigwerden der Masse«, die Psychologen den

»inferioren Narzißmus« und die Philosophen die »Allergie gegen Qualität« nennen. Im Alten Testament heißt diese Situation der Sündenfall.
Die Weltgeschichte sucht sich für dieses »Mündigwerden« immer einen bestimmten Augenblick aus, ob es sich nun um 480 vor Christus oder um 1813 nach Christus handelt, nämlich den Augenblick der Rache. Der König, der Führer, der Feldherr, das Genie haben sich in der Not der Masse anvertrauen müssen; sie haben sich anbiedern müssen; sie haben die Rettung des Staatswesens nur noch mit dem »An mein Volk«-Appell bewerkstelligen können; sie haben es eingestehen, sie haben danken müssen – und nun präsentiert die Masse die Rechnung. Wie eine Sonne am Himmel geht ihr der erste Gedanke ihres Lebens auf: »Alle Räder stehen still, wenn mein starker Arm es will«.
Solche geistigen Wandlungen sind epochale Ereignisse. Zuspätgeborene, die sich dagegenstemmen, werden vernichtet, ehe sie es sich versehen.
Mit Themistokles ging die klassische Zeit zu Ende, die Zeit der Promethiden, der Könige, Tyrannen, Gaukler, Konquistadoren, Hexenmeister, Herkulesse, Räuber und Helden, Tragöden und Duzfreunde der Götter.

IM SIEBZEHNTEN KAPITEL

wird Sparta durch ein Erdbeben fast zum Bettler und Athen durch seine Seebund-Firma fast zum Milliardär. Hier wäre die Gelegenheit gewesen, Sparta total auszulöschen! Aber es hatte Glück, die Athener fühlten sich noch als Kriegskameraden und waren außerdem gerade mit etwas anderem beschäftigt: Sie probierten die erste Demokratie.

ES IST MERKWÜRDIG, DASS KAISER, KÖNIGE UND PÄPSTE IM »Wir« sprechen und die Masse im »Ich«. Wie man das Wort »Wir« etymologisch auch drehen und wenden mag, es bleibt eben die Mehrzahlform, und das ist die Ironie daran. Sinngemäß sollte die Masse »Wir« und der Individualist »Ich« sagen. Daß es genau umgekehrt ist, muß seinen Grund in dem Versuch einer magischen Beschwörung haben. Das »Wir« der großen Einzelgänger ist der »Schreckputz«, wie wir Ornithologen zu sagen pflegen, der Blähhals, mit dem sie die Masse einschüchtern wollen, denn sie ist ihr Gegner aus der schon erwähnten »unbewältigten Vergangenheit« des Crô-Magnon-Menschen. Das »Ich« der Masse aber ist der fromme Wunsch, ein Individuum zu sein. Die Vertuschung der Ichlosigkeit.

Ganz schlaue Menschen sprechen daher, wenn sie auf dem Weg über das emanzipierte Volk an die Macht kommen wollen, weder in der einen, noch in der anderen Form; sie sagen nicht »Ich bin der Meinung« oder »Wir erwarten«, sondern »Das Volk ist der Meinung und erwartet«. Wer diese einfache Regel nicht kennt, kann in einer Spätzeit nicht hoffen, sich zu halten.

Insofern war Kimon, wenn wir es nicht sowieso schon wüßten, nicht schlau, sondern ein politischer Kindskopf. Das Zwerchfell des Volkes war ihm fremd. Und so traf es ihn, nachdem er am Eurymedon in Kleinasien noch einen glänzenden Sieg über die Restbestände der persisch-phönikischen Flotte erfochten hatte, ganz überraschend, daß ihn das Volk 461 durch Ostrakismos in die Verbannung schickte. Es genügten ja bei 6000 abgegebenen Stimmen 3001 Stimmen gegen ihn. Wenn von den zwanzigtausend Vollbürgern also ein Siebentel gegen ihn war, war er draußen. Langsam, nicht wahr, kommen einem Zweifel über den Wert des Ostrakismos? Wir werden noch erleben, daß er vollständig kaputt gemacht wird.

Der Sturz Kimons war eigentlich nur der logische Schlußpunkt hinter einem Irrtum. Kimon war keineswegs, wie er sich einbildete, der »neue Mann Athens« gewesen. Die neuen Herren mußten, der Entwicklung der Masse entsprechend, ganz anders aussehen, und sie sahen auch anders aus.

Obwohl also der Fall Kimons ganz zwangsläufig war, geschah er doch unter so interessanten, teils dramatischen, teils lächerlichen Umständen, daß ich sie Ihnen erzählen muß. Wir müssen uns wieder einmal nach Sparta begeben.

Im Sommer 464 traf Sparta eine furchtbare Katastrophe: Ein Erdbeben zerstörte die Stadt bis auf den Grund. Das Unheil brach so plötzlich herein, daß die Menschen mitten in ihrem Tagesablauf überrascht wurden. Die zusammenstürzenden Häuser begruben Frauen und Kinder unter sich, die Gymnasien brachen über den Kriegern und jungen Spartiaten zusammen. Sparta war in einer Stunde dezimiert.

Man war kaum aus der Betäubung erwacht, da traf eine neue Schreckensnachricht ein. In Messenien war auf die Kunde von der Zerstörung Spartas hin ein Heloten-Aufstand ausgebrochen, der in Gedankenschnelle die Ausmaße eines großen Krieges anzunehmen drohte. Die Sklaven, von zwei Periökenstädten unterstützt, schlugen los. Die größte Garnison im Herzen Messeniens am Ithomeberg war bereits gefallen. Dreihundert Spartiaten zählten zu den Opfern.

Aus der Trümmerstadt Sparta, in der nicht einmal mehr Tempel standen, um den Göttern opfern zu kön-

nen, zog das letzte Aufgebot aus, wie zu Tyrtaios' Zeiten eine verzweifelt um ihren »Kosmos« und ihr Leben kämpfende Schar.
Der Sturz des siegreichen, nimbusumstrahlten Sparta zum tödlich verwundeten Sparta muß fürchterlich gewesen sein. Aber niemand beugte sich unter dem Schlag, alle bäumten sich auf; sobald Sparta die Waffen ergriff, war es seltsam mystifiziert. Vergessen war das Erdbeben, das Grollen des Zeus. Übrig blieb nichts als die rasende Wut auf den, der mit seinem »verpestenden Beispiel« der Volkserhebungen vor kurzem erst die Arkadier und nun die Heloten verführte: auf Athen.
Griechen waren sie beide? Brüder? Pah! Während Kimon noch von Freundschaft träumte und dafür Themistokles geopfert hatte, schlug bei den Spartanern wie ein Blitz die Erkenntnis ein, daß zersetzende geistige Feinde schlimmer sind als äußerliche.
Zwischen Athen und Sparta klaffte ein Abgrund. In dem Ausmaß, wie Athen nun immer mehr aufweichen sollte, verhärtete Sparta – das janusköpfige Schicksal der Menschheit. Die Komplementärfarben des Abendrots.
462, zwei Jahre später, war der Hauptteil des Landes Messenien wieder in spartanischer Hand – aber nicht die Messenier. Die Wehrfähigen, die Freiheitskämpfer, hatten sich auf den fast uneinnehmbaren Ithomeberg zurückgezogen. Das spartanische Korps schloß die Bergfeste ein und erschöpfte sich schier in unablässigen Versuchen, sie zu stürmen. Es mißlang.
Die Spartaner, Künstler der beweglichen Schlachtführung, waren unerfahren in der Belagerung. Sie hatten sie stets umgangen, denn sie verachteten die berühm-

ten »Generäle« Zeit, Kälte, Hunger. Sie hatten vom Krieg die ritterliche Vorstellung des Handelns.
Sie sahen sich um, wer ihnen hier helfen könnte. Es gab in der Tat jemanden, der erst in der jüngsten Vergangenheit den Beweis seiner Tüchtigkeit im Aufbrechen einer Festung geliefert hatte: Kimon. Nach langem Zögern entschlossen sich die Ephoren, Athen zur Unterstützung herbeizurufen. Dem Namen nach gab es ja noch den alten hellenischen Bund aus der Zeit der Perserkriege.
Kimon war, wie es sich gehörte, sofort Feuer und Flamme; das Volk weniger. Es war im Moment auf nichts neugierig, was nicht direkt die Wurst und den Wein betraf, sagte aber ja und Amen und gab ihm viertausend Hopliten; kurzum es hatte das Empfinden, einem hohen Herrn wieder einmal seinen Sport zu bezahlen.
Der Mann, der diese Stimmung schürte und der uns nun ein Stückchen als unangenehmer Passagier begleiten wird, hieß Ephialtes. Ephialtes, der »Volks«-Mann, war, wie könnte es anders sein, vornehmer Abstammung. In ihm lernen Sie zum erstenmal einen Vertreter der neuen Herren des Volkes kennen – oder Diener; ganz wie beliebt.
Ephialtes – Sie müssen ihn sich als einen Neuling, aber als einen schon populären Abgeordneten, Spaziergänger und Leute-Ansprecher vorstellen – benutzte die Abwesenheit Kimons, beim Volk einen großen Schlag zu landen, einen Schlag, für den frühere Staatsmänner zehn Jahre gebraucht hätten: Er stürzte den Areopag, jene alte, ehrwürdige und höchste athenische Behörde, die über die Verfassung, über die Amtsführung der Regenten, über Finanzen, Gottesdienst und Justiz zu wa-

chen hatte. Der Sturz ging keineswegs dramatisch vor sich. In einer Volksversammlung machte Ephialtes der Masse klar, daß die Zeit reif sei, die Dinge »selbst in die Hand zu nehmen«. Die Masse nickte, hob den Finger, und der Areopag konnte nach Hause gehen. Alle politischen Befugnisse gingen auf den Rat der Fünfhundert und auf die beliebten, spesenreichen Volksausschüsse über. Das geschah einszweidrei, fast so schnell, wie man es erzählt; es schien eine kleine vergnügliche Neuerung zu sein und war eine ausgewachsene soziale Revolution. Ephialtes avancierte zum Helden des Tages.

Inzwischen trabte Kimon nichtsahnend mit seinen viertausend Hopliten gen Messenien. Die Landschaften, durch die er zog, zeigten sich alles andere als freundlich; viertausend Schwerbepackte zu ernähren ist kein Vergnügen für den, der sie nicht bestellt hat.

Der Empfang am Ithomeberg war frostig. Und dann trat etwas ein, was die Spartaner ihren Entschluß endgültig bereuen ließ: Kimon konnte die Bergfestung nicht nehmen! Das schlug nun allerdings dem Faß den Boden aus!

Kimon gab den Spartanern den originellen Ratschlag, auszuharren. Sie sahen ihn einmal von oben bis unten an, erklärten sein Bleiben für überflüssig und schickten den zutiefst betroffenen Mann mit seinen Hopliten nach Hause.

In Athen empfing ihn der Spott des Ephialtes, der Mißmut des Volkes und die ängstliche Reserviertheit seiner Freunde. Jetzt wußten plötzlich alle, wie verfehlt die Spartafreundschaft gewesen war.

Sie werden fragen, ob man bei sich die Konsequenzen zog? Selbstverständlich: Man verbannte Kimon.

Eine Instanz, die nun auch einmal dieses »man« zur Rechenschaft gezogen hätte, gab es nicht mehr. Das »man« hat von nun an in Athen immer recht und niemals schuld.
Athen beschloß, sich der »armen Messenier« in Ithome anzunehmen, intervenierte auf freien Abzug der nun zu Freiheitskämpfern avancierten Besatzung, holte sie per Schiff ab und gab ihnen in Naupaktos, am Nordufer des korinthinischen Golfs, eine neue Heimat.
So sah der Schlußpunkt hinter der Alkmaioniden-Politik aus. Der Mann, der ihn setzte, war ein – Alkmaionide. Es gibt nichts Höhnischeres als das Schicksal!
Dieser »Mann mit der guten Tat« hieß – und damit fällt zum erstenmal sein Name – Perikles.
Perikles, damals 39 Jahre alt, Alkmaionide mütterlicherseits, war sehr sorgfältig gemanagt worden. Seine Familie hielt den Zeitpunkt für gekommen, ihn zu starten: Kimon war verbannt und Ephialtes tot.
Ja, Ephialtes, der hoffnungsreiche Volksmann, war ermordet worden! Es erschütterte die Athener tief; sie konnten es nicht begreifen, und auch später ist niemals Licht in das Dunkel um den Mord gekommen. Ein privates Motiv wäre sicherlich bekannt geworden, doch die Annalen schweigen. Ephialtes war ein Fortschrittler, ein Konterreaktionär, ein Mann der kleinen Leute gewesen. In welcher Richtung also ist der Dolchstoß zu suchen? Der Historiker Beloch schreibt denn auch: »Aber der Mord war *vergeblich*, denn die demokratische Reformpartei fand einen nicht weniger begabten Führer in dem Mann, der Ephialtes schon zur Seite gestanden hatte.« Beloch meint offenbar, daß die Anstifter in den Reihen der alten Familien zu suchen seien. Ich meine es auch. Nur folgere ich daraus nicht, daß

der Mord vergeblich war. Im Gegenteil, er erfüllte genau seinen Zweck. Er machte den Platz frei für den Mann im Schatten, der »dem Ephialtes schon zur Seite gestanden hatte« und der jetzt auf den ersten Platz sollte, für Perikles!
Hatte er den Auftrag, die alte Ordnung wiederherzustellen? Oh, keineswegs! Da unterschätzen Sie die Alkmaioniden aber sehr; sie studierten das neue Prinzip und entdeckten erleichtert, daß sie ihren Machtanspruch nicht aufzugeben brauchten – nur ihre Methoden. Und sie schrieben sich auf eine Tontafel den Spruch »Andere Zeiten, andere Sitten« und hängten ihn sich über den Schreibtisch.
Niemand wußte wie sie, wie gut das Pferd war, das sie nun im Rennen hatten. Es bedurfte keiner weiteren Verständigung; auf den Ruf »Ab!« begann Perikles mit der Lösung der ihm gestellten Aufgabe. Diese Aufgabe war der Beweis der Einsteinschen Formel von der Masse:

$$m = \frac{E}{c^2}.$$

Der Beweis gelang. Man nennt ihn das Perikleische Zeitalter.

DAS ACHTZEHNTE KAPITEL

ist dem perikleischen Athen gewidmet. An der feierlichen Ausdrucksweise mögen Sie die Hochachtung ermessen, deren sich dieses »goldene« Zeitalter allgemein erfreut. Allerdings, untersucht man es einmal mit den Augen des Juweliers statt des Jubiliers, so kommt man zu mancherlei Entdeckungen. Und wie die Romanciers es tun, möchte ich hier den Satz voranstellen: »Ähnlichkeiten mit lebenden Personen und gegenwärtigen Zuständen sind vom Autor voll beabsichtigt.«

WENN SIE MIR BIS HIERHER TREULICH GEFOLGT SIND, ABER nicht vergessen haben, daß ich Ihnen versprach, das Land der Griechen mit der Seele zu suchen, so muß ich nun wohl gewärtig sein, daß Sie mich fragen: »Sind Sie nicht drauf und dran, aus unseren Griechen einen datengefüllten Lehrstoff zu machen? Wo ist die Sonne Homers, wo sind die Rosen für Apoll geblieben, und wo der mit dem Bogen durch die Stadt gehende Gott, wo sind die Gebete im Liebestempel vor der Schlacht, die Jünglingsfeste, die Gärten, die Wiesel, die Hunde, die Kraniche, die Veilchenfelder, die Quellnymphen, die nackten Spiele, die Paiderastía, der Schlendrian, die Symposien, die Reden, der Purpur, die Hermen mit den bunten Phallen, die zum »Chaire« erhobenen Hände, die Trunkenheit vor der Schönheit? Wo?«

Mit dieser Frage rühren Sie an das Geheimnis, warum man mit soviel Liebe von der perikleischen Epoche spricht und deren Schöpfer so vergöttert: Es war die Zeit, wo das alles noch einmal elementar hervorbrach und deutlich wurde. Nie vorher und nie mehr nachher wurde das Schöne, das Glänzende, das Paradiesische so sichtbar. Der Mann, der dieses Licht, diese Feenbeleuchtung anzündete, war Perikles.

Athen besaß zu seiner Zeit etwa hunderttausend Einwohner. In den letzten drei Generationen war es auf das Fünffache gewachsen. Aus Ionien waren sie hinzugeströmt, vom Lande hereingekommen, aus den zerstörten Dörfern in der Stadt untergeschlüpft und geblieben.

Xerxes hatte eine Ruine hinterlassen, das darf man nicht vergessen. Vom alten Athen stand nichts mehr. Jetzt schoß das neue aus dem Boden.

Im Augenblick war die Stadt weit davon entfernt, ein

Schaubild erhabener Ruhe und makelloser Feierlichkeit zu sein, und wenn Winckelmann im Gedanken an das perikleische Athen von »stiller Einfalt, edler Größe« spricht, so geht er einem Traumbild nach.
Athen war mitten im Bau, schön aber unruhig, laut, staubig. Wo man hinschaute, wurde gebuddelt. Gerüste, Kräne, Hebel, Lastzüge standen auf allen Plätzen, ganze Wohnviertel blitzten funkelnagelneu in Marmor, an den Hauptstraßen »schossen« zweistöckige Häuser aus der Erde, die Akropolis war eine einzige große Baustelle. Die einst so klobige Burg war verschwunden, der Bergkegel sollte nun seine steinernen Wunder an Tempeln, Pforten, Treppen, Säulen und Statuen erhalten und zu einer funkelnden Bekrönung der Stadt werden. Der »Parthenon«, Juwel der Akropolis, und die »Propyläen« waren kaum vollendet, da zogen die Bautrupps, die Architekten, Steinmetzen, Maurer und Bildhauer schon weiter, um das »Erechtheion« im »modernen« ionischen Stil erstehen zu lassen. Jeden Morgen hatte die Akropolis ihre Silhouette verändert, es war ein Abenteuer, zu erwachen.
In der Stadt, am Fuße des Hügels, liefen die Arbeiten am Theseus-Tempel an. Blickte man sich um, so sah man auf das »Odeion«, das große neue Musiktheater, das fast fertig war. Im Süden, bei Sunion, wuchs zur gleichen Zeit zwischen Felsblöcken, Marmorlagern und Bauhütten der Tempel für Poseidon über dem Meere in die Höhe.
Die ganze Stadt summte in einem babylonischen Stimmengewirr. Neben Athenern und Sklaven standen Fremdarbeiter aus der halben Welt auf den Gerüsten, in den Werkstätten, an den Brennöfen und Schmelztiegeln und in den Schiffsdocks. Man hörte Attisch, Ita-

lisch, Thrakisch, Phönikisch, Ägyptisch; neben den athenischen Drachmen und Obolen gingen äginetische Münzen von Hand zu Hand, miletische Goldstücke und persische Dareiken. Man sah fremdartige Kleidungen, seltsame Haartrachten, komische Mützen und Hüte. Mitunter zogen Schwärme von Besuchern durch die Straßen, denen man ansah, daß sie nur einen oder zwei Tage in Athen blieben. Das waren Matrosen und Ruderer, wie man sie jetzt für drei Obolen Tagelohn auf den Inseln anheuerte. Ehe sie mit den Schiffen ausliefen, konnte man sie zu Hunderten durch die Stadt bummeln sehen. Alles redete, lachte, schimpfte, scherzte, blieb in Gruppen stehen, um zu gaffen, oder aß unter den Säulen der Wandelhallen Maronen und heiße Würstchen und suchte dann nach den Ecken, die man damals noch nicht mit 00 bezeichnete. Die Stadtsklaven fuhren wie einst, nur um vieles zahlreicher, mit Besen und Karren durch die Gassen und kehrten den Müll fort.

Vornehme thessalische Besucher, die auf ihren auffallend schönen Pferden durch die Straßen ritten, waren an ihren kleinen steifen Strohhütchen erkenntlich – und an ihrem unanständig kurzen Chiton, in dem sie im Sattel saßen. »Heutzutage« fiel das auf. Die athenischen Demokraten kleideten sich nicht mehr extravagant; man mied bunte Farben und bevorzugte weiß und grau. Purpur sah man im Alltag kaum noch. Aber auch die schlichte graue Wolle trug jedermann mit natürlicher Grazie, mit Eleganz und unnachahmlichem Faltenwurf. Auch der ärmste Mann schlug sich den Mantelfetzen wie ein spanischer Grande um die Schultern. Es ist mehr als einmal vorgekommen, daß die Volksversammlung einen Redner mit Gelächter

mundtot machte, weil die Falten seines Himations häßlich fielen. Man wollte ihn weder sehen noch hören; konnte aus seinem Munde etwas Schönes kommen?
Ich spüre, daß Sie mich hier gern verbessern würden. Sie möchten, daß ich gesagt hätte: aus seinem Munde etwas Wahres, Richtiges kommen. Denn, so werden Sie argumentieren, in einer Volksversammlung, die die Geschicke des Staates bestimmt, sollte Wahrheit wichtiger sein als Schönheit. Just das ist ein Irrtum. Die Griechen suchten Schönheit, nicht Wahrheit. Meinungen – ich sagte es schon einmal – waren und blieben für sie interessanter als Fakten. Daß am Horizont des Meeres die Silhouette eines Schiffs langsam heraufkam und damit die Wölbung der Erde bewies, sahen sie genauso wie wir; aber es war ihnen uninteressant. Daß jedoch Atlas die Erdscheibe auf seinen Schultern trug, wie er wohl aussah, wen er liebte, und was passierte, wenn er die ganze Geschichte mal fallen ließ – *das* war spannend, das war diskutierenswert, das war herrlich zu besprechen. Mit solchen Dingen haben sie Stunden und ganze Tage vertrödelt.
Vertrödelt? Das sagen wir so dahin. Sind Fakten oder sind Möglichkeiten von größerer elektrischer Spannung? Sind gelöste oder ungelöste Rätsel die Vitamine unserer Herzen?
Im wahrsten Sinne des Wortes kannten die Griechen nur einen Hunger: den nach Schönheit. Man aß und trank immer noch so maßvoll wie einst, und die Liebe konnte sich schon sattsehen, wenn zur Nachmittagsstunde die Gymnasien und Palästren schlossen und die Paides, die Jünglinge, durch die Stadt schwärmten. Nach Schönheit aber waren sie unersättlich. Als die be-

rühmte Hetäre Phryne, wegen Gottlosigkeit angeklagt, vor Gericht stand und die Waage sich schon zu ihren Ungunsten zu neigen begann, entschied ihr Verteidiger den Urteilsspruch der Richter sofort und in einer einzigen Sekunde, indem er auf Phryne zuging, die Schulterspangen ihres Kleides löste, so daß sie mit nacktem Oberkörper dastand, und fragte, ob ein solches Geschöpf der Götter gottlos sein könne. »Und die Richter ergriff heilige Scheu, so daß sie nicht wagten, die Verkünderin der Aphrodite zu verurteilen.« Rosen für die Göttin –

Vielleicht kam die unbegreifliche Herzenskraft der Griechen aus diesen Quellen; ihre Triebe mögen zu jener Zeit schon in verhängnisvolle Bahnen gelenkt gewesen sein, ihr Instinkt war unbeirrt. Bedenken Sie, daß es der Milchmann, der Maurer, der Kontorschreiber, der Schmied waren (die gleichen, die um des Geldes willen die Städte ihrer Bundesgenossen schleiften, Griechen in die Sklaverei verkauften und sich einen Haß gegen alles Aristokratische einbildeten), die in der Volksversammlung die Entwürfe für die Bauten der Akropolis auswählten, die in den Volksausschüssen saßen und die Schauspiele für die Festaufführungen zensierten! In solchen Händen lag das Schicksal von Sophokles, von Euripides, von Aristophanes, von Polyklet und Praxiteles! Und es lag gut. Der Milchmann, der Maurer, der Schmiedegeselle – lassen Sie in Gedanken solche Menschen *unserer* Zeit einmal Revue passieren! Die Griechen griffen mit traumwandlerischer Sicherheit nach der Schönheit.

Wer durch Athen ging, stolperte an jeder Ecke – sofern er nicht in eine Baugrube fiel – über ein Kunstwerk. Unaufhörlich gab Perikles Aufträge für Plastiken, Re-

liefs, Säulen, und die genialen Künstler sprossen wie auf Befehl aus der Erde: Myron, der noch der vorigen Generation angehörte, dann Pheidias, der mit Perikles eng befreundet war und ihn auch bei den Bauplänen beriet, dann Polyklet aus Argos, Iktinos, der Schöpfer des Parthenons, Apollodor, der »Licht und Schattenmaler« und Polygnotos, der aus Thasos kam, um die neue Halle am Markt mit homerischen Themen auszumalen. Lauter große Herren, die Star-Honorare kassierten und mit den anderen Großen der Welt verkehrten. Aus Theben zog Pindar nach Athen. Bakchylides kam, um die Stadt zu sehen, von der man sich Wunderdinge erzählte, Herodot, der Historiker, und die Philosophen Anaxagoras und Protagoras konnte man durch die Straßen spazieren sehen, und wenn sie alle am Kerameikos standen, um zuzuschauen, wie man die Athene-Statue des Pheidias zur Akropolis rollte, dann standen mehr Genies beisammen, als spätere Zeiten in hundert Jahren hatten. Jedermann verstand sie, die Mütter hoben ihre Kinder hoch, damit sie sie in der Menge sehen konnten, und die Knaben deuteten mit dem Finger auf sie, um sie sich gegenseitig zu zeigen.
Unter Perikles geschah das Wunder, daß sich die unscheinbare Thespiskarren-Kunst zu märchenhafter Blüte entfaltete, zur großen Schauspielkunst. Athen vergoldete dem Doppelgestirn, das dieses Wunder vollbrachte, jeden Fußbreit seines Lebens. Perikles überschüttete es mit Geld und Ehren: Da war Aischylos, der strenge, heroische Dramatiker, der homerische Mahner, der alte Meister, einst Mitkämpfer von Salamis und Platää; und dann der 29 Jahre jüngere Sophokles, der ihn bei den Dionysos-Spielen 468 im öffentlichen Wettstreit »besiegt« hatte und dessen Dra-

men für die nächsten zwei Jahrtausende der Maßstab der Dichtung werden sollten. Perikles liebte ihn über alles und sah in seinen Schauspielen das verklärte Abbild »seines« Athens. Als Sophokles den Zenith seines Schaffens erreicht hatte, war schon wieder ein Neuer da: Euripides. Und ehe der Stern Euripides' matter wurde, entdeckte Athen den nächsten: Aristophanes.
Wie liebten die Athener das Theater! An den Tagen, an denen eine Tragödie uraufgeführt wurde, herrschte vom frühen Morgen ab eine festliche Stimmung; da wogte es in den Straßen von Purpur, Blau, Grün, Gelb, Weiß; wer nicht auch hingehen konnte, stand auf den Plätzen und sah dem Anmarsch zu, vor allem dem Korso der »Oberen Zehntausend« aus den Villenvierteln.
Für das einfache Volk ließ Perikles oft Komödien und Possen inszenieren, jene Schwänke, die noch zu Anfang des fünften Jahrhunderts rein phallische Szenarien waren. Sie hatten sich in dem Blitztempo, in dem jetzt alles fortschritt, gemausert und waren politische Kabarettstücke geworden, ein bißchen flach, aber bissig und komisch. Die Menge kam sich dabei sehr kühn und freiheitlich vor; und Fremde reisten von weither in die Stadt, in der es »so was« gab. Chaire, Perikles!
Die Alkmaioniden lächelten.
Wenn das Theater eine Komödie spielte, schüttete auch die letzte krumme Gasse ihre Bewohner auf die Tribünen aus; Scharen von »Volk« zogen, mit Datteln, Trauben, Wein und Brötchen bewaffnet (denn Plebs darf mit dem Turnus der Mahlzeiten, ohne schwere physische Schäden davonzutragen, nicht aussetzen) durch die Straßen; eilig, um die besten Plätze zu erwischen. Dann saßen sie auf den Rängen und lärmten,

daß man es weithin hörte; sie lachten und klatschten wie die Kinder, schrien und stampften vor Vergnügen mit den Füßen im Takt oder warfen erbost Feigen auf die Bühne. Niemand nahm die Dinge ganz ernst, Schauspieler und Publikum verwechselten bald ihre Rollen, man unterbrach die Texte, rief zur Menge hinauf, schrie hinunter und amüsierte sich königlich, bis die Dämmerung und der Dichter der Vorstellung ein Ende machten. Dann folgte der schönste Teil des Tages mit seinen Symposien und seinen herrlichen, nicht enden wollenden Schwätzereien, dem milden Harzwein und der Liebe.

Nachts kam es jetzt oft vor, daß die jungen Burschen nicht ins Bett fanden, sondern mit Schabernack, mit Gesang und Spottliedern zu einer piccola serenata oscena durch das schlafende Athen zogen. Man brachte einer Hetäre eine Katzenmusik und einem Pais ein Ständchen und hinterließ – das scheint ein besonderer Genuß gewesen zu sein – am Toreingang möglichst laut plätschernd seine Visitenkarte. Türen öffneten sich, schimpfende Stimmen hallten, Hunde bellten. Keine Scharwachen weit und breit, die »Astynomoi« hatten Dienstschluß. Endlich, oft erst lange nach Mitternacht, lag für ein paar Stunden die Stadt so da, wie die späteren Jahrhunderte sie in Gedanken sahen: ein Traum in Marmor. Der Eine, der kraft seiner offiziellen Dauerstellung als »Stratege« und einiger anderer Ämter den athenischen Staat lenkte und mit seinem Geist erfüllte, war Perikles.

Wir kennen sein Bildnis; die Originalplastik, die Kresilas in Erz geschaffen hat, ist verlorengegangen, aber römische Marmorkopien des Kopfes sind erhalten. Sie bestätigen das, was alle Zeitgenossen von ihm berichten: Er muß – auch wenn man die Idealisierung abrechnet – ein »schöner Mann« gewesen sein. Darunter pflegt man zwar zu allen Zeiten etwas anderes zu verstehen; doch in seinem Falle stimmen wohl alle Urteile überein. Er war groß und schlank, sein Gesicht ebenmäßig bis an die Grenze des Belanglosen, sein Äußeres sorgfältig gepflegt. Er hatte die »griechische Nase« (Stirn und Nasenrücken eine Linie), sofern die »griechische Nase« nicht überhaupt eine Erfindung der Bildhauer war, denn die späteren realistischen Plastiken und die Malereien zeigen ganz normale, vielseitig geformte Nasen.

Nun gut, er hatte also eine »griechische Nase«. Die Augen, soweit sie der tote Marmor ahnen läßt, erwekken den Eindruck der Gelassenheit und der Leidenschaftslosigkeit. Der Mund aber, obwohl von einem gestutzten Schnurrbart auf der Oberlippe etwas verdeckt, erzählt andere Dinge: Die Lippen sind feminin voll und geschwungen und strotzen von Sinnlichkeit. Ein kurz gehaltener, fein gewellter Vollbart umkränzt das Gesicht, wie es damals in vornehmen Kreisen Mode war. Der Kopf wirkt klug, kultiviert und nobel. Er trägt einen lässig aus der Stirn geschobenen hohen Topfhelm mit Augenschlitzen – ein schöner Effekt.

Ich weiß nicht, wo ich einmal las, daß der Helm nur seinen Eierkopf verbergen sollte; das ist gewiß ein übler Scherz. Der Helm, der das Gesicht so unnachahmlich krönt, deutet den General, den Strategen an, und sein Träger besaß sicher einen Kopf, um den ihn alle heutigen »Strategen« beneiden können. Ich meine natürlich die Form.

Die Form – »ja, da liegt's!« (Shakespeare). Wenn Form, Harmonie, Maß, Grazie, Bewegung und Sil-

houette die Kronzeugen echter Schönheit sind, dann *war* Perikles schön; auch ohne Anführungsstriche. Wie sehr er die Form beherrschte und Form verkörperte, davon zeugt das Hingerissensein der Athener, ihr Hingerissensein, mit dem sie Perikles stets von neuem betrachteten, wenn er öffentlich auftrat. Friedrich Nietzsche hat sein Bild so beschrieben: »Wenn er vor seinem Volke stand in der schönen Starrheit und Unbewegtheit eines marmornen Olympiers und dann, ruhig, in seinen Mantel gehüllt, bei unverändertem Faltenwurf, ohne jeden Wechsel des Gesichtsausdrucks, ohne Lächeln, mit dem gleichbleibenden starken Ton der Stimme, also ganz und gar undemosthenisch, aber eben perikleisch redete, donnerte, blitzte, vernichtete und erlöste – dann war er das Bild des »Nous« (Ordnender Geist), der sich das schönste und würdigste Gehäuse gebaut hatte.«
Ich hoffe, es hat sich bei Ihnen, an diesem Punkte angelangt, längst so viel Mißtrauen angesichts meines müden Enthusiasmus und meiner Fremdenführer-Vokabeln angesammelt, daß Sie bereits die Gummistiefel zur Hand haben in der vollkommen richtigen Erwartung eines neuen Rundgangs durch dieses Athen. Nicht, daß auch nur ein Wort bisher nicht der Wahrheit entsprochen hätte; aber welches Land, welches Volk hätte nur *eine* Wahrheit? Deutschland, werden Sie mir antworten, das heutige Deutschland rundrum. Das stimmt, aber es ist eine der seltenen Ausnahmen. Wenn man als Besucher, als kurzer Gast voll freudiger Erwartung nach Athen kam, so fand man den einzelnen Menschen so vor, wie man ihn aus Väterzeiten kannte; überall begegneten einem noch unverändert die Männer alten Schlages, der eine ein Solon, der an-

dere ein Mensch wie Aristides, dieser Geflügelhändler ein wahrer Odysseus, jener Schuster ein Megakles, eine Menge fröhlicher Theatraliker, liebenswerter Flunkerer gegenüber dem Leben, Bummler, Gaffer, Schwätzer, Komödianten vor Gott und der Welt, Kinder des ernsten Apoll und des windigen Hermes, der strengen Athene und der schamlosen Aphrodite.

So waren sie als einzelne.

Nun kommt das Aber, das große Aber der perikleischen Zeit: Aber als Masse hatten sie sich verändert. Früher war man eine Art Burggemeinschaft gewesen, ein stabiles Gefüge; jetzt war man eine Großstadt, mit einem riesigen Proletariat, labil, unüberschaubar, anonym. Wo einst der Schuster in der Gasse gesessen und die Sandalen des Herrn Kleophanes oder Psephon genäht hatte, da saßen jetzt zehn Gesellen wie an einem Fließband; der eine schnitt nur noch die Sohlen zu, der andere die Riemen, der dritte nähte, der vierte färbte die Schuhe ein, der fünfte trug sie zum Markt. Den Schuh hatte »niemand« gemacht, so wie nun auch die Politik »niemand« gemacht hatte. Und keiner erfuhr je, wer den Schuh trug. Man lieferte dem Meister kein Werk mehr, man lieferte ihm Arbeitsstunden. Man wohnte auch nicht mehr bei ihm; man empfing seinen Lohn und ging.

Niemand liebte mehr die Arbeit. Die Steinmetzen, einst Söhne der Stadt und mit dem Schicksal des Marmors, den sie unter den Händen hatten, vertraut, waren jetzt Roboter, Nummern, und sie hielten das für schlau, denn das schien ihnen eine Trennung ihrer »schmutzigen Arbeit« von ihrer Menschenwürde zu sein.

Wenn sich früher der Färbergeselle zum Panathenaien-Fest herausputzte, so wollte er die Göttin ehren und das Bild der Straße verschönern. Wenn er es jetzt tat, so wollte er Mimikri treiben; er rechnete mit seiner Anonymität in der Masse und wollte für einen anderen genommen werden. Er sah mit Kopfschütteln auf die Sklaven herab, wenn sie, anscheinend glücklich, nach Feierabend singend in die Weingärten zogen, im Bache badeten und ihren Chiton wuschen, während er selbst ein anderer Mensch wurde und durch die Barbierstuben und Parfümerien schlenderte.

Er sah, daß die Dinge nicht mehr fest standen, sondern im Fließen waren; er sah, wie das Leben jetzt Lotterie spielte; bald vergaß er, daß es eines Einsatzes bedurfte, er glaubte, das Los müsse jeden treffen. Aus der Hoffnung wurde eine stumme Forderung; aus der stummen eine laute. Der Mann aus dem Volke war unruhig geworden!

Athen war voller Unzufriedenheit. Niemand aus der Masse besann sich mehr auf die Vergangenheit, ja, auch nur auf das Gestern. Rückständige taten das, Reaktionäre. Man mußte sie belächeln, besser: hassen. Gesteigerte Zuversicht in den nächsten Tag, das war die neue Lebenskunst.

Perikles hatte die Massenseele vollkommen begriffen. Es verging keine Woche, kein Tag, an dem er nicht Neuigkeiten, neue Vergünstigungen, neue Vorschläge, neue Möglichkeiten wie Belladonna ins Volk tropfen ließ. Ständig waren seine Freunde als Stimmungsmacher, Werber und Leute-Ansprecher unterwegs. Jeder siebente Bürger hatte jetzt ein Amt als Geschworenenrichter. Sechstausend wurden beständig im Turnus für den Rechtsausschuß ausgelost. Fünfhundert, wechselnd, saßen immer im regierenden »Rat«. Alle

quatschten in die Politik hinein, heute fällten sie eine gefährliche Entscheidung, morgen stießen sie sie um, übermorgen hatten sie die Lust verloren, erschienen nicht mehr, zahlten in die Staatskasse ihre Versäumnisbuße und gingen in den Markthallen spazieren. Wenn das Geld knapp wurde, forderte man höhere Löhne. In dieser Zeit hörten die Spartaner aus Athen zum erstenmal das Wort »Streik«; sie wußten nicht, was es bedeutete; man mußte es ihnen erklären.
Perikles führte für alle, die in den Ausschüssen oder Räten auch nur den geringsten Gedanken an den Staat verschwendeten, »Tagegelder«, Diäten, ein, die zum Leben ausreichten. Infolgedessen drängte sich ein riesiger Haufe von Eckenstehern und Tagedieben zum »Regieren«, eine Ansammlung von finsterem Plebs.
Auch mit fleißigem »Kirchenbesuch« konnte man Geld machen. Perikles erfand die Volkstantieme für den Besuch der dionysischen Festspiele. Wer sich einen Tag auf die Ränge setzte und im Staatsdienst lachte, erhielt zwei Obolen.
Was glauben Sie, wer da noch arbeiten wollte? Fremde und Sklaven. Über den Piräus wurde herangekarrt, was gebraucht wurde: Getreide, Wein, Datteln, Feigen, Rosinen, Mandeln, Süßigkeiten, Tuche, Teppiche, Edelsteine, Holz, Gewürze, tausend und aber tausend Kinkerlitzchen und vor allem eins: Sklaven. Die Herren Demokraten haben nämlich nichts gegen Sklaven; Sklaven sind kein Widerspruch zur Menschheitsbeglückung. Nietzsche hat zwar vermutet, daß die Athener über den Sklavenhandel Scham empfanden, aber das ist Unsinn; sie empfanden über die Arbeit Scham. Die Reeder gaben den Bankiers für die Finanzierung von Sklavenzügen dreißig Prozent Zinsen!

Die Idioten für die Arbeit mußten herangeschafft werden, koste es, was es wolle.
Die Summen, die der Staat ausgab, waren ungeheuer. Was an Steuern und an Minengewinnen dagegen einlief, stellte nur einen Bruchteil dar. Allein die Volksdiäten fraßen pro Tag über zwölftausend Obolen.
Perikles war kein Zauberer. Die Lösung des Rätsels, woher das Geld kam, wird Sie verblüffen. Jedermann in Athen kannte die Lösung und niemand nahm daran Anstoß: Athen beraubte die Kasse des Attisch-Delischen Seebundes!
Dieser Bund – Sie kennen ihn – vergleichbar etwa dem Atlantikpakt, zeitweilig dreihundert Mitglieder stark und entstanden als Blutsbrüderschaft und Schutzgemeinschaft Athens mit Ionien, hatte sein Gesicht gewandelt. Aus den Verbündeten waren reine Untertanen Athens geworden. Schon unter Kimon war es losgegangen; als die Insel Thasos aus dem Bund austreten wollte, wurde sie sofort angegriffen und zerstört. Als Ägina dem athenischen Handel ernsthaft Konkurrenz zu machen und reich zu werden drohte, stand Perikles auf, erklärte es zum Staatsfeind, zur »Eiterbeule vor dem Piräus«, ließ es überfallen, schleifen, der Flotte berauben und zum Eintritt in den Bund zwingen. Dann wollte Samos, diesmal also eine Großmacht, den Vertrag kündigen. Ergebnis: Angriff, Schleifung, Wegnahme der gesamten Flotte, Festsetzung einer Millionensumme als Reparation. Der Sitz der Bundesbank war längst, um der Schauspielerei ein Ende zu machen, von Delos nach Athen verlegt worden. Niemand hatte noch ein Einspruchsrecht; die Kasse lag nun offen da. Man brauchte bloß hineinzugreifen. Die Mittel schienen unerschöpflich.

War er nicht herrlich, dieser Perikles?
War es nicht golden, das Zeitalter?
War nicht alles einfach? Es war eine Lust zu leben! Wer an das große Erwachen glaubte, war ein Faschist oder Kommunist.
Ich höre Sie sagen: »Und der Parthenon? Die Propyläen? Das Erechtheion? Die Orestie? Die Medea? Der Doryphoros?« Sie fragen? Ich pfeife auf alle Herrlichkeiten aus Marmor, wenn sie zu Grabbeilagen eines Volkes werden! Ich lasse mir die Liebe zu den Lebendigen durch nichts Totes abkaufen, und mich kann nicht ein Werk darüber trösten, daß ich bei einem Volke das Kainszeichen des Untergangs auf der Stirn sehe. Das Gejohle, das Lachen der Masse, die Lust an der sausenden Talfahrt – das in der Geschichte zu entdekken, auf diese Dinge bei Menschen, die man liebt, zu stoßen, das ist ein abscheulicher Augenblick. Nicht das Auf und Ab der Historie ist ein Grund, daß einem der Puls schneller schlägt, sondern die plötzliche Aufweichung der Substanz, der jähe und nicht mehr rückgängig zu machende Zerfall des Herzgewebes, das ist das Schlimme. Und das Herzgewebe bildet leider immer noch die dämliche Masse Mensch, denn wir haben nichts anderes. Die einsamen Großen sind nichts als ihre Masseure, ihre Ärzte oder Priester; Gott mag wissen, wozu dieses Abrackern.

Die Sonne Homers, die Veilchenfelder, Apoll – noch ist das alles da, noch sind die Instinkte die gleichen wie früher. Aber Triebe, neue Triebe haben scharfe Linien in das Gesicht des Volkes gegraben. Die meisten Historiker wollen es nicht wahrhaben, weil sie die Menschen als Hühnerfarm ansehen und das Perikleische

Zeitalter nur nach den gelegten Eiern beurteilen, aber es ist dennoch so: Die Athener sind gealtert. Rapide, viel erschreckender als alle anderen Griechen. Lassen Sie sich nicht täuschen, durch kein strahlendes Lachen und keinen federnden Gang. Es gibt untrügliche Zeichen.

Die Athener haben die Unschuld des Herzens und das köstlichste Gut der Griechen, die innere Zeitlosigkeit, verloren. »Ihre einzige Weisheit ist, jeden Zustand zu überholen und fortzuschreiten«, beschimpft Aristophanes sie, Griechenlands Bernard Shaw.

Damit ist das ominöse Wort gefallen für das Narkotikum, an das sich seitdem alle ziellos und ruhelos gewordenen Völker klammern: Fortschritt.

Welch ein Stichwort, Freunde! Drei Minuten, nur drei Minuten noch gönnen Sie mir!

Der Wahn vom »Fortschritt« ist, philosophisch gesehen, ein Denkzwang, der aus einer seelischen Erkrankung kommt. Er tritt epidemisch auf, und zwar immer dann, wenn die Lebenskraft eines Volkes sich zu erschöpfen beginnt. Man findet ihn bei jedem Kulturkreis, jedem Volk, jeder Rasse.

Dieser Denkzwang ist eine Ersatz-Erscheinung. Die Gehirne der Massenmenschen, die sich, ohne Wachstum oder Erweiterung, sprunghaft emanzipiert haben, verkraften ihr plötzliches Empfinden für große Dimensionen, für Weite, Zeit und Entwicklung nicht; sie verlieren den Halt, sie verlieren das, woran sie sich halten konnten, sie werden halt-los. In dem Worte steckt sehr richtig schon die Bewegung. Sie haben den »Sinn im Kleinen« verloren und sehen keinen im Größeren; sie vermuten nur, daß er irgendwo steckt, daß irgendwo in der Zukunft, irgendwo anders das Ziel,

das Lohnende, das Befriedigende ist. Man muß also vorwärts schreiten!
Der wahre Inhalt des Fortschritts ist Wechsel. Mit einer Qualitätssteigerung hat er nichts zu tun, nichts mit einer Höherentwicklung, wie man sie fälschlich immer mit dem Wort Fortschritt verbindet! Auch ein Imkreisedrehen wird von der erkrankten Seele durchaus als Fortschritt empfunden – blicken Sie um sich, und Sie haben den Beweis vor Augen. Die kranke Seele konsumiert die Bewegung, den Wechsel wie eine Droge! Zustände, die zuvor von Dauer waren und auch von Dauer sein sollten, werden jetzt am laufenden Band »verbraucht«. Der Fortschrittler ist – vergessen Sie diesen Satz niemals mehr – ein Verbraucher! Mit nichts anderem hat er zu tun. Und damit sind wir bei einer entscheidenden Erkenntnis: Fortschritt ist Umsatz. Und zwar nicht etwa »eine Art Umsatz«, sondern er ist das Prinzip des Umsatzes schlechthin. Sie werden sich fragen, wie ich das Wort Umsatz meine: Genauso wie der Kaufmann. Es ist identisch mit dem merkantilen Begriff.
Daher, meine Freunde, ist die Wirtschaft auch der Mäzen des »Fortschritts«! (Und der Todfeind des biblischen Paradieses.) Mit einer Fortschrittsepidemie geht stets eine Wirtschaftsepidemie parallel.
Dies war der Zustand, in dem sich das perikleische Athen befand. Selbstverständlich war es stolz darauf. Mehr noch; im Zustand des Fortschrittswahns wird die Massenseele tyrannisch. Sie verlangt, daß sich ihr jedermann im Fortschrittsglauben anschließt. Obwohl sie kein Heil weiß, gebärdet sie sich als Heilskünder. Hier liegt die Erklärung für die merkwürdige Erscheinung, daß Athen Freunde wie Feinde, vor allem aber

die »unterentwickelten Länder« aufforderte, dieselbe Verfassung, dieselbe Lebensform, dieselbe Wirtschaft anzunehmen; daß es die nicht Folgsamen zuerst als rückständig belächelte, dann anprangerte und schließlich bekämpfte. Das war etwas, was den Griechen alten Schlages, wie sie in Thessalien, Epirus, Ägina und Sparta saßen, rätselhaft war. Sie nahmen es für eine neuartige, undurchsichtige Politik. Es war jedoch – und ist immer in der Welt – nichts als die Angst vor dem Alleinstehen, der angstvolle Wunsch der wurzellos gewordenen Massenseele nach Bestätigung. Vielleicht mehr: der Wunsch, Vergleichsmöglichkeiten zu vernichten. In solchen Wünschen leben heute ganze Erdteile. Allerdings ohne Parthenon.

DAS NEUNZEHNTE KAPITEL

wendet sich wieder den Ereignissen zu. Es nimmt vor allem einmal einen viel gepriesenen Friedensschluß unter die Lupe, wobei sich herausstellt, daß ein latenter Kriegszustand den Frieden oft länger erhält als – ein Friede.

SORGFÄLTIG HAT SICH PERIKLES GEHÜTET, DIE VORSTELLUNG vom ungetrübten Gang der Geschäfte zu zerstören. Es hat zwar an kriegerischen Ereignissen nicht gefehlt, denn es gab bald kaum noch jemanden, mit dem Athen nicht verfeindet war, aber diese Unternehmungen tragen einen neuartigen Charakter. Es waren kurze Schläge, berufsmäßig und bezahlt durchgeführt, rasche Wutausbrüche im Wirtschaftskampf oder nette, runde Einfälle, die man bei der Truppe in Auftrag geben konnte. Sie berührten, und das war so sehr, sehr angenehm, den Alltag in Athen fast gar nicht. Der typische Rücklauf der Entwicklung vom früheren Gefolgschaftsheer über die Söldnertruppe zum Volksaufgebot und zurück zum bezahlten Arbeitslosenheer war in vollem Gange.

Athen hat in dieser Zeit auch mit Sparta angebandelt. Ein einziges Mal. Unfreundlich, wie solche rückständigen Staaten sind, zogen die Spartaner sofort blank, statt ein gutes Gespräch zu führen. Um sie »in die Schranken« zurückzuweisen, sandte Perikles ihnen ein Heer entgegen, das er vorsichtshalber um fünfzig Prozent stärker hielt als das peloponnesische. Die Vorsicht war weise, aber dennoch ungenügend. Die Spartaner, obwohl eben noch Rekonvaleszenten von ihrem Erdbeben, schlugen es vernichtend. Wenn es Ihnen recht ist, sparen wir uns die Einzelheiten bis auf eine. Das Treffen fand bei jenem kleinen Städtchen Tanagra statt, das nicht wegen seiner vorzüglichen Eignung als Kampfgelände mehrerer Schlachten, sondern durch seine wunderschönen kleinen Terrakotta-Plastiken unsterblich geworden ist; so wie ja auch Szegedin nicht durch seine Schlachten, sondern durch sein Gulasch weltberühmt wurde.

Als die Athener dann bei ihrem Versuch, das ägyptische Papiermonopol gewaltsam an sich zu reißen, auch noch eine schwere, eine sehr schwere und teure Niederlage zur See gegen den persischen General in Ägypten einstecken mußten, da kam ein Augenblick, wo ihnen etwas schwindlig wurde bei der Vorstellung, die Perser könnten anschließend zu Schiff und die Spartaner zu Land kommen! Unter diesem Eindruck streckten sie jetzt allen die Hände entgegen.
Sie streckten und streckten, und keiner nahm sie.
Erklärlicherweise empfanden die Athener es nicht nur als rückschrittlich, sondern geradezu als gemein, eine dargebotene Hand nicht zu ergreifen. Am befremdlichsten aber empfand man zum erstenmal das Versagen von Perikles. Und kurz entschlossen rief man Kimon, den Spartafreund, aus der Verbannung zurück.
Kimon kam. Wann wäre ein General jemals nicht gekommen? Ihm zuliebe schloß Sparta im Jahre 451 tatsächlich einen fünfjährigen Friedenspakt.
Kimon hatte funktioniert. Über Nacht schien er wieder der erste Mann Athens geworden zu sein.
Kimon hatte auch gelernt. Man traut seinen Ohren nicht, welche Töne er anschlug. In seiner Ansprache nannte er die Athener nun ganz unverblümt das Herrenvolk Griechenlands. Der Plebs, nach dem alten Prinzip, daß entweder niemand oder jeder ein Herr sei, jubelte dem alten Gaukler (er war jetzt an die Sechzig) zu.
Wenig später starb er auf einer Flottenexpedition nach Kypern an einer Krankheit; das Intermezzo war also kurz, aber man kann es schlecht unter den Tisch fallen lassen. Wirklich interessant ist es auch aus einem ganz anderen Grunde. Die Frage ist nämlich: Wie verhielt

sich eigentlich unser Freund Perikles dazu? Vielleicht kann man ihn in einer Situation, wo er in den Schatten zurücktreten muß, besser kennenlernen als bei der Einweihung des Odeions?
Man kann, glaube ich.
Als Kimon mit zweihundert Schiffen und der Volksgunst nach Kypern abgebraust war, wurde Perikles wieder mobil und holte zu einem Schlage höchst überraschender Art aus. Er griff Kimons inzwischen geflügelt gewordenes Stichwort vom »Herrenvolk« auf und erklärte den Athenern, daß es an der Zeit sei, sich gegen die Überfremdung zu wehren. Die Früchte des Fortschritts stünden nur denen zu, die den athenischen Staat bildeten. Athener im wahren Sinne sei nur der, dessen Vater und Mutter ebenfalls bereits als athenische Bürger geboren seien.
Das Volk stellte stehenden Fußes eine Überschlagsrechnung an. Es schien ihm ein guter Vorschlag, denn selbstverständlich betraf einen der Ausschluß nicht; Plebs wird seit grauen Vorzeiten immer in derselben Gasse geboren, sofern er nicht gerade nach Amerika oder Australien auswandert.
Das Gesetz wurde angenommen.
Sie werden nun, mit Recht, fragen, wozu das gut gewesen sein soll. Sie ahnen es nicht, und das Volk ahnte es auch nicht: Kimons Mutter war eine Thrakerin! Mit einem einzigen Schachzug (das nennt man nämlich Schachzug) hatte Perikles ihn deklassiert. Das Schicksal ersparte dem alten Manne die Heimkehr.
Nun könnte man immerhin die Sache vom Charakterlichen wegdrehen und sagen: Das diplomatische Geschick läßt sich nicht abstreiten. Große Staatsmänner dürfen Fehler haben. Gut. Ich habe auch schon davon

gehört. Schauen wir uns, da wir ja sowieso endlich einmal weiter müssen, den großen Staatsmann an.
Kimon hatte mit Sparta Frieden geschlossen, Perikles beeilte sich, nun auch mit Persien Frieden zu schließen. Zu diesem Zweck schickte er einen gewissen Kallias nach Susa. Kallias war Amateurdiplomat. Neureich, ausgestattet mit dem berühmten gesunden Menschenverstand, freundlich und jovial, der erste standesgemäße Gesandte der Volksregierung von Athen. Kallias fand einen friedfertigen Großkönig vor, der über die Zerrissenheit von Hellas, über die Dezimierung Spartas und die Aufweichung Athens nicht orientiert war. Nach einigem geschamigen Hin und Her einigte man sich, zwar nicht zu einem regulären Friedensvertrag, aber immerhin zu einem offiziellen »Übereinkommen«.
Die ionischen Städte Kleinasiens erhielten von Artaxerxes die Autonomie und er selbst von den Griechen die Insel Kypern.
Der Friede mit Persien war erreicht. Was gibt es Schöneres als einen Friedensschluß?
Hier haben wir also eine der berühmten staatsmännischen Leistungen von Perikles. Was halten Sie davon?
Zunächst scheint es, als könne man diese Tat beleuchten, wie man wolle, ohne daß sie anders als klug und vernünftig aussieht. Eben deshalb ist sie eine so vorzügliche Demonstration dafür, wieviel dazu gehört, wirklich ein Staatsmann zu sein, ein Staatsmann mit Weitblick. Denn es genügt nicht, des Morgens die Post zu erledigen und sich von Ereignis zu Ereignis weiterzurobben.
Tatsächlich war der Vertrag mit Persien eine der größten und für Athen verhängnisvollsten Fehlleistungen

von Perikles. Zunächst mußte er sich sagen: War Persien mächtig, so blieb der Vertrag ein Stück Papier; war Persien ohnmächtig, so bedurfte es keines Paktes mit einem so bedeutenden Opfer wie Kypern, um das man kurz vorher noch erbittert gekämpft hatte. Wenn man den Pakt dennoch schloß, so mußte man sich über die Folgen klar sein: Mit dem Augenblick des Friedensabschlusses hatte der Attisch-Delische Seebund seinen Sinn verloren.

Die Athener fielen auch tatsächlich aus allen Wolken, als sie postwendend die Quittung erhielten: Eine Reihe von Bundesmitgliedern stellte sofort die Zahlungen ein, Böotien (mit Ausnahme Platääs) sagte sich los und rief bei dieser Gelegenheit seine alten oligarchischen Regierungen zurück. Sofort folgten ganz Lokris, Phokis und Megara. Argos hatte sich bereits um 180 Grad gedreht und mit Sparta einen dreißigjährigen Frieden geschlossen.

Eine Lawine war ins Rollen gekommen! Wer Volksherrschaften kennt, kann sich vorstellen, mit welchen wirren Augen man in Athen jetzt um sich blickte.

Es mußte etwas geschehen!

Natürlich. Perikles robbte sich zum nächsten Ereignis weiter. Er mobilisierte das athenische Heer – wie Sie zugeben werden, ein höchst origineller Einfall! –, setzte sich aber vorsichtshalber nicht persönlich an die Spitze, sondern einen Strategen namens Tolmides. Dieses unselige Opferschaf wurde, wie vorauszusehen, 447 bei Chaironeia von den Böotiern fürchterlich geschlagen. Es kam nun alles hageldicht. 446 fiel ganz Euböa ab, und zugleich ging die Waffenstillstandsfrist mit Sparta zu Ende. Es war eine Konstellation, bei der den alten homerischen Helden das Herz im Leibe gelacht hätte.

Nicht so den regierenden Volksgenossen in Athen! Und als auf die Minute genau ein spartanisches Heer unter König (ein König, pfui Teufel!) Pleistoanax den Isthmos überschritt, um Megara zu schützen, da wuchsen die Dinge Perikles endgültig über den Kopf.

Er eilte Pleistoanax entgegen und legte ihm alles zu Füßen, was der Spartaner wollte. Er wollte übrigens nicht viel. Er wünschte nur die Freigabe und Selbständigkeit der von Athen vergewaltigten Mitglieder des Seebundes in Hellas. Die Geschichte hat die Verhandlung als einen glänzenden diplomatischen Sieg Perikles' hingestellt. Also wieder einmal ein glänzender Sieg. Man hat hohngelacht, daß Pleistoanax praktisch nichts anderes erhielt, als was er schon hatte. Na, und? Wer sagt denn, daß er mehr wollte? Törichtes Lächeln. Und törichte Gerüchte, Perikles habe ihn mit Geld bestochen. Wer das Fazit, daß Athen nun endgültig seine Milchkühe losgeworden war, als glänzend bezeichnen will, dem sei das unbenommen. Er befindet sich damit in Gesellschaft der Athener, die Perikles dafür bewunderten und sehr glücklich über die überwundene Gefahr waren. Nicht wichtig schien ihnen offenbar, daß die Götter das Gleichgewicht in Hellas wieder ausgerichtet und die Uhr noch einmal auf die Zeit vor Athens Reichtum zurückgedreht hatten. Wichtig war, daß das Leben, das herrliche neue gedankenlose Leben in Athen weitergehen konnte.

Das konnte es, abgesehen von dem Worte herrlich, noch fünfzehn Jahre im Zeichen des Perikles. Von nun an schaltete und waltete er, wie er wollte. In den Komödien bewitzelte man ihn bereits als »Alleinherrscher«; die Menge lachte und hielt das für komisch, aber natürlich nicht für wahr. Jahr für Jahr wählte sie ihn weiter zum Strategen und Beauftragten des Volkes. Er war ihr selbstverständlich geworden wie dem Kurzsichtigen die Brille.

»Perikles war nur ein sehr mittelmäßiger Feldherr und als Staatsmann ohne jede schöpferische Genialität« (Beloch). Sein politischer Weitblick war durchschnittlich, seine Konzeption bescheiden. Sogar seine richtigen, politisch guten Handlungen sind alle etwas banal. Wahr aber ist, daß er ein außerordentlich geschickter Parlamentarier war; vielleicht der hervorragendste, den die Welt je besessen hat.

Sein Geist war geformt, aber nicht befruchtet; sein Herz weit, aber ohne Sehnsucht. Er hatte jene Temperatur, die die Menge zu allen Zeiten als warm und der wirklich Warmherzige als lau empfindet. Seiner musischen Natur verdanken wir die Schätze Athens – dennoch war diese Natur ohne Feuer. Er erwärmte sich an der Kunst, aber er brannte nie. Er war nie ganz im Himmel. Er besaß einfach ein glückliches Naturell und eine glückliche Hand.

Es hat in Athen Kräfte gegeben, die immer wieder versucht haben, Perikles zu Fall zu bringen. Es gelang nicht; er war zu geschickt. Die Blitze schlugen dreimal hintereinander scharf neben ihm ein; sie erschreckten ihn, aber sie sengten nicht einmal seine tadellose Kleidung an. »Man« (Kimon-Kreise) klagte seinen Freund, den Philosophen und Forscher Anaxagoras, wegen Gottlosigkeit an. Anaxagoras war im Sinne der Griechen allerdings gottlos, seine Lehre bewies es, und er zog es vor, aus Athen zu fliehen. Dann, 432, zitierte man Aspasia vor Gericht. Aspasia, gebürtige Mileterin, galt als eine der schönsten, geistreichsten und aufgeklärtesten Hetären ihrer Zeit; sie war Perikles' zweite Frau. Hier schlug der Blitz also unmittelbar neben ihm ein. Die Beschuldigung lautete: Kuppelei und Gottlosigkeit. Beides hat sicherlich gestimmt. Perikles selbst verteidigte sie und mußte seinen ganzen Einfluß aufwenden, um den Freispruch zu erwirken. Noch gefährlicher war der dritte Prozeß. Man klagte Pheidias der Unterschlagung von Gold an, das der Staat für die Monumentalplastiken geliefert hatte. Jedermann wußte, wem der Prozeß in Wahrheit galt; Perikles war der Verantwortliche für die Abrechnung der Staatsaufträge. Die Anklage wurde noch auf Gottesfrevel erweitert. Sehr interessant, weshalb: Pheidias hatte auf dem Schild der Athene-Statue sich selbst und Perikles abgebildet. Das Volk war ärgerlich. Den Namen eines Pais hätte er einschreiben dürfen! Das wäre ein Salut gen Himmel gewesen.

Pheidias starb während des Prozesses, der daraufhin eingestellt wurde.

Merkwürdigerweise – auch wenn wir nicht wüßten, daß Perikles unbestechlich war – merkwürdigerweise erweckt das Treiben, das ihn unerwartet hilflos zeigt, unser Mitleid mit ihm. Er war nun 67 Jahre alt und hatte Ruhe verdient. Die Athener allerdings waren nicht dieser Meinung; sie fanden das alles nur unendlich spannend, denn es gab noch keine amerikanischen Filme.

Auch Perikles selbst scheint nicht dieser Ansicht gewesen zu sein. Man wird den Verdacht nicht los, daß er den Stuhl für seinen Sohn festhalten wollte; und so gab er sich das Air des Nimmermüden, des noch Kraftvollen, der noch lange rüstig ins Amt schreiten kann. In diese Jahre fällt ein Gesetzesbeschluß, den man in seinen wahren Absichten bis heute nicht enträtselt hat. Ich meine das berühmt gewordene perikleische Gesetz, das den seit ihrem Anschluß an Sparta verhaßten Megarern verbot, künftig auch nur einen Fuß auf attischen Boden zu setzen oder die Häfen der attischen Bundesgenossen anzulaufen. Eine undurchsichtige politische Manipulation. Man hat vermutet, daß das Gesetz weiter nichts bezweckte, als den Megarern klarzumachen, wie ohnmächtig ihr Beschützer Sparta war. Es ist auch möglich, daß es nur der übliche billige Zucker für die Wählermassen sein sollte. Und dann gibt es noch eine dritte Meinung. Sie nimmt an, daß Perikles in politischen und vor allem finanziellen Schwierigkeiten war und einen außenpolitischen Eklat als Ventil suchte.

Man würde sich über diese Dinge nicht so sehr den Kopf zerbrechen, wenn sie nicht den Peloponnesischen Krieg mit dem schließlichen Untergang Athens zur Folge gehabt hätten. Sah es Perikles? Sah er es nicht?

Die Megarer, die durch das perikleische Gesetz vor dem wirtschaftlichen Ruin standen und die Attacke Athens nicht begriffen, wandten sich an Sparta um Intervention. Sie blieb erfolglos. Sparta hielt weiter still. Erst als Perikles dann auch noch Korinth wirtschaftlich abzuwürgen suchte, war das Maß voll, und die Lawine kam ins Rollen.

Im Mai 431 brach der lange, blutige Krieg aus, der in die Geschichte als Peloponnesischer Krieg eingegangen ist. Die »goldene Zeit« Athens war zu Ende. Die Masse ahnte nichts davon.

Die Geschichte des Peloponnesischen Krieges, den man den Dreißigjährigen Krieg Griechenlands nennen

könnte, hat uns Thukydides geschrieben. Bei diesem Mann müssen wir einen Augenblick stehenbleiben.
Thukydides, der Historiker, wurde um 460 geboren. Er stammte aus vornehmem Hause, seine Mutter war eine thrakische Prinzessin. Thrakien wurde später, als er im Peloponnesischen Kriege zu hohen militärischen Ämtern aufstieg, auch sein Wirkungsfeld und dann, als er in die Verbannung ging, seine Zuflucht. Dort, auf seinen Besitzungen, schrieb er das Werk, das seinen Namen unsterblich gemacht hat. Was ihn hoch über Herodot erhebt, ist seine aufgeklärte, souveräne Unabhängigkeit von den alten Vorstellungen vom Eingreifen der Götter in die Geschicke der Menschen. Was ihn hoch über Xenophon und den späten Plutarch, ja, eigentlich auch über alle Römer stellt, ist seine Wahrhaftigkeit. Außerordentlich und unbestechlich war sein Scharfblick. Er war der erste Historiker, der ergründete und deutete. Lebte er heute, so würde er wohl, genau wie damals, freiwillig in die Verbannung nach Thrakien gehen. Aber wo liegt heute Thrakien – ich würde es auch gern wissen.
Thukydides berichtet uns schon zur Vorgeschichte des Peloponnesischen Krieges einen interessanten Punkt: Er erwähnt, daß beide Seiten zum erstenmal in der Geschichte Griechenlands eine Erklärung ihrer moralischen Kriegsziele für die »Weltöffentlichkeit« abgaben. Das ist von Thukydides sehr scharfsinnig bemerkt. Athen beteuerte in der Proklamation seine Friedensliebe und verlangte die Einsetzung eines panhellenischen Schiedsgerichtes. Sparta verlangte die Verbannung und Ächtung der Alkmaionіden als Kriegstreiber, die endgültige Befreiung der ionischen Seebundstaaten aus der athenischen Hörigkeit und das

Selbstbestimmungsrecht aller Städte. Also Lügen hüben wie drüben; bei Athen bewußt, bei Sparta unbewußt.
Es ging um etwas anderes, um etwas, was wir heute Weltanschauung nennen würden. Die einen trieb die Wut über die Vernichtung der alten Gesittung und Ordnung, die anderen die Wut über die Verhinderung der neuen Ordnung. Was die einen Niedergang nannten, nannten die anderen Fortschritt. Der Knechtung alten Stils durch die »Junker« stand die Knechtung neuen Stils durch die »Wirtschaft« gegenüber – dem Persönlichkeitsglauben der Massenglaube.
In Sparta eilten beim Ausbruch eines Krieges damals noch genauso wie zu alten Zeiten die Landleute von den Feldern, die Handwerker und Arbeiter aus den Häusern zu den Waffen; abwartende Stille lag über der Heimat, wenn das Heer draußen stand, und zur Zeit der Ernte mußten die Krieger heimkehren, um Korn und Öl einzuholen. Das perikleische Athen erwartete, daß das Leben in der Stadt weiterlief, daß Aristophanes weiter seine Lustspiele schrieb und daß man ins Theater ging; daß am Erechtheion weitergebaut wurde; daß die meisten Bürger ungestört daheim waren und das Geld selbständig Krieg führte.
Ein tiefer Schnitt ging durch die Zeit.
Zwei Weltanschauungen zerrissen die Landkarte Griechenlands mittendurch. Und so sah die Situation aus: Auf Athens Seite traten (oder wurden gezwungen zu treten) Platää, Euböa, Thessalien, Westlokris, Naupaktos, Akarnanien, die Inseln Kerkyra und Zakynthos im Westen und Ionien im Osten.
Spartas Verbündete waren der gesamte Peloponnes außer den Neutralen Argos und Achaia, ferner Korinth,

Megara, ganz Böotien mit Theben, Ostlokris und Phokis.
Athen wurde von dem 68jährigen Parlamentarier Perikles geführt, Sparta von dem 58jährigen König Archidamos.
Athen konnte 13 000 Mann Kerntruppen aufbringen, Sparta 40 000.
Athen besaß 300 Kriegsschiffe, Sparta vereinigte etwa 80.
Athen konnte jährlich mit 600 Talenten Kriegszuschüssen rechnen. Sparta besaß nichts.
So sahen die Fronten aus, als der Krieg begann.

IM ZWANZIGSTEN KAPITEL

ist er da, der Dreißigjährige Krieg, den anscheinend jedes Volk in seiner Geschichte durchzumachen hat. Da es Deutschland noch nicht gab, kann man schwer sagen, wer schuld hatte. In diesem Kapitel lesen Sie auch die unsterblich gewordene Rede des Perikles auf die ersten Gefallenen.

DER PELOPONNESISCHE KRIEG ZEICHNET SICH VOR ALLEM durch dreierlei aus: durch seine Länge, durch seine Grausamkeit und durch seine totale Unübersichtlichkeit. Der Leser, der ihn übersteht, ist fast ebenso zu preisen wie der Grieche, der ihn überstand.
Zunächst hat er (der Krieg) die Eigenart, in mehrere Teile zu zerfallen. Ferner in mehrere Schauplätze. Sodann in mehrere Sieger und Besiegte, die sich periodisch ablösen, bis sich das alte englische Sprichwort bewahrheitet, daß derjenige in einem Kriege siegt, der die letzte Schlacht gewinnt.
Vielleicht fällt mir noch eine Faustregel ein; dann teile ich sie Ihnen mit. Zunächst bleibt nichts anderes übrig, als dem ersten Teil, der bis zu Perikles' Tode reicht, entschlossen ins Auge zu sehen. Er ist noch verhältnismäßig unkompliziert. Er heißt der Archidamische Krieg, weil er u.a. von dem spartanischen König Archidamos geführt wurde. Das ist keineswegs selbstverständlich; viel richtiger sollte er der Perikleische Krieg heißen. Aber Bezeichnungen kommen auf rätselhafte Weise zustande; so nennt sich beispielsweise der fatale Friede, den Perikles mit Persien geschlossen hatte, »Kimonischer Friede«. Ich sage Ihnen das, falls Sie einmal auf dieses Wort stoßen sollten. Kimonisch hieß er deshalb, weil Kimon tot war und sich nicht wehren konnte. Wahrscheinlich hat Perikles selbst ihn zum erstenmal so genannt.
Der Peloponnesische Krieg begann mit einer Eigenmächtigkeit eines der Verbündeten Spartas, nämlich mit einem nächtlichen Überfall der Thebaner auf Platää. Der Handstreich mißlang; einhundertachtzig Thebaner, die schon mitten in der Stadt waren, kamen aus dem Hexenkessel nicht mehr heraus, wurden gefan-

gengenommen und mit dem Schwert hingerichtet. 48 Jahre vorher, nach der Perserschlacht, hatte Theben die Neutralität Platääs beschworen; daher ließen nun die Platäer die Eidbrüchigen als Verbrecher über die Klinge springen.
Hier warne ich Sie vor einem voreiligen Urteil. Man pflegt die Thebaner Neutralitätsverletzer zu nennen. So haben uns auch die Belgier 1914 genannt. Platää war nie neutral, und als der Krieg drohte, stellte es sich eindeutig auf die Seite Athens. Daß Perikles die Sache genauso ansah, beweist sein Versuch, die Hinrichtung zu verhüten. Aber der Bote kam zu spät. Die Platäer wußten, was sie taten; sie nahmen nur vorweg, was gang und gäbe werden sollte. Das blutige Ereignis löste eine Kettenreaktion von Grausamkeiten aus, zu denen alle schon im voraus bereit gewesen waren. In Athen ergriff man alle »feindlichen Ausländer«. Sparta erklärte darauf, es werde keinem Athener mehr Pardon geben. Das Heer unter König Archidamos setzte sich in Marsch. Es fand keinen Widerstand. Perikles hatte alle Landbewohner aufgerufen, Haus und Hof zu verlassen und sich in den Mauern Athens in Sicherheit zu bringen. Es war ein, wie es heißt, wohlüberlegter Plan; Archidamos sollte ins Leere stoßen, die spartanische Kriegsmaschine sich totlaufen.
Die Rechnung ging zunächst auf. Zusammengepfercht, auf allen Plätzen, auf allen Höfen, in Tempeln, in Zelten und Baracken hausend, warteten Zehntausende von Flüchtlingen in Athen, was geschehen würde. Tag und Nacht standen sie auf der kilometerlangen Mauer und sahen in allen Himmelsrichtungen den Feuerschein der brennenden Dörfer und Gehöfte. Archidamos zog kreuz und quer durch Attika und ver-

wüstete das Land. An einen Angriff auf Athen schien er nicht zu denken. Die Stadt befand sich in fieberhafter Ungewißheit. Keine Nachrichten von Platää. Keine aus dem eingeschlossenen Oinoe. Und wo war eigentlich Perikles?

Man rief ihn jetzt oft heraus. Dann erschien er, schön wie einst, ruhig und gelassen. Er erklärte unermüdlich aufs neue seinen Plan und beruhigte die Menge, die jedoch nicht griechisches Blut in den Adern gehabt haben müßte, um nicht im tiefsten Herzen »altmodisch« zu sein und diese Art des Krieges zu verachten. Es standen jetzt oft Redner auf, die man zuvor nie gesehen hatte. Sie schlugen ganz neue Töne an. Da konnte man ab und zu einen gewissen Kleon hören, der sich etwa wie Chruschtschow betrug. Es war ein schlechtes Zeichen, daß niemand über ihn lachte. Die Sorge hatte den guten Geschmack verdrängt. Er ist für die Masse eben doch ein Luxus.

Im Juni, also kaum einen Monat später, zeigte sich, daß Perikles recht gehabt hatte – die Spartaner zogen ab! Sie kehrten zum Peloponnes zurück.

Die Tore Athens öffneten sich wieder, die Städter wurden die verhaßt gewordenen Flüchtlinge los, und die Flüchtlinge dankten den Göttern und verfluchten die Städter; die Bauern räumten unter den rauchenden Trümmern ihre Habe auf und fingen wieder von vorne an. Perikles warf Geld unter die Leute, die Schiffe karrten neue Lebensmittel heran, und Kratinos, der Vielbelachte, schrieb eine neue Komödie. Platää existierte noch, Oinoe hatte sich gehalten; es war alles ganz gut gegangen.

Athen holte zum Gegenschlag aus. Perikles mobilisierte die Flotte. Ziel: Landung in Methone (Messenien).

Man wollte Sparta an seinem wundesten Punkt treffen. Wenn die Landung glückte, konnte man Verbindung mit den Heloten-Sklaven aufnehmen, sie bewaffnen und zum Aufstand aufrufen. Aber es ging mit dem Teufel zu. Als die Flotte in Methone ankam, stand ein spartanisches Regiment unter dem jungen General Brasidas da. Die Invasion wurde abgeschlagen. Die Athener setzten Segel und beschlossen, sich wenigstens an den westlichen Inseln schadlos zu halten. In respektvollem Abstand zur Küste kehrte dann die Flotte heim. Man plänkelte im Herbst noch ein bißchen mit den Megarern herum, zog es aber schließlich vor, sich Kratinos' neue Komödie anzusehen und die Megarer Megarer sein zu lassen.

In diesem Winter fand in Athen eine große feierliche Gefallenenehrung statt. Das war etwas ungewöhnlich, denn weder war der Krieg zu Ende, noch hatte man eine nennenswerte Schlacht geschlagen.

Die Feier war von Perikles wohl als Herzstärkung für die Athener gedacht.

Die Griechen, die ja keine Sonntage kannten, liebten und genossen solche Feste unendlich. Sie inszenierten sie mit Inbrunst und schwelgten in Aufzügen, feierlichen Riten und formvollendeten Ansprachen. Von morgens bis abends war man in der blumengeschmückten Stadt auf den Beinen, und beim festlichen Staatsakt konnte man endlich einmal wieder das ganze Athen sehen; da erschien vollzählig der Adel und das vornehme, exklusive Patriziat, da sah man die Schar der Jünglinge und Knaben, und da entließen die Häuser sogar die jungen Mädchen aus ihrer Zurückgezogenheit. Und dann natürlich die vielen berühmten Namen! Dort ging Perikles, da drüben standen Sopho-

kles, Euripides und der junge Aristophanes; dort sprach Xenophon mit Thukydides; jene Gruppe waren die Bildhauer Alkamenes, der den Parthenon-Fries geschaffen hatte, Kresilas und Kallimachos; dort stand der Philosoph Kritias, von dem noch niemand ahnte, daß er einmal Diktator werden sollte; dieser dort war der junge Alkmaionide Alkibiades, und der, mit dem er sprach, war Sokrates.
War Athen nicht ein Olymp voller Unsterblicher? Ein Himmel voller leuchtender Sterne? Und die Mädchen? Und die Paides? War es nicht, als habe die Akropolis sich eine dreifache Perlenkette umgelegt? Und die Krieger, dieses Wogen wehender Helmbüsche? Und von ferne die Menge der gaffenden Sklaven und aufgeputzten Fremden, die von weither gekommen waren, um Perikles zu hören? Welch ein Tag!
Seine Rede ist in der Überlieferung von Thukydides berühmt geworden. Sie ähnelt so ganz und gar nicht den Staatsreden, wie sie früher an Heldengedenktagen gehalten wurden; sie war ein Rechenschaftsbericht, das Resümee eines Lebens, die Inventur eines Staates. Aus dem Munde des Perikles selbst hören wir, wie sich Athen in seinen Augen spiegelte, wie es lebte, dachte und sprach. Die Rede klingt erstaunlich nüchtern und frei von Pathos; aber Sie werden die Wirkung verspüren! Auch auf die Athener muß der Eindruck, verbunden mit der olympisch-schönen Erscheinung des alten Perikles, außerordentlich gewesen sein. Als er die Rednertribüne verließ, wurden ihm von den Frauen und Mädchen Blumen auf den Weg gestreut.
Wir aber, wir wollen aufmerksam und wachsam nicht nur auf die betörend schöne Form, sondern auch auf den Inhalt achten; denn, meine Damen und Herren,

ein Athener, ein großer, göttlicher Lügner spricht zu Ihnen!

Perikles' Rede auf die Gefallenen (Auszug)

»Alle, denen je die Ehre zuteil wurde, die Gedenkrede auf die Toten eines Krieges zu halten, pflegen das Gesetz, das uns diesen Nachruf zur Pflicht macht, zu preisen. Es scheint ihnen ein Zeichen zu sein, daß wir die Gefallenen zu ehren wissen. Mir aber scheint eine Tat nur wieder durch eine Tat geehrt werden zu können. Worte könnten eine Ehrung sein, aber wer findet Worte, die einer Heldentat entsprechen? Wer weiß das Maß der Dinge, und wer die Wahrheit? Euch, die ihr dabei wart, scheinen alle Worte hinter der Wirklichkeit zurückzubleiben; andere wird es geben, denen sie ungut in den Ohren klingen, hohl, übertrieben vielleicht. Wir glauben das nur zu gerne, sobald die Dinge, von denen gesprochen wird, über unsere eigene Kraft gehen. Ich werde, indem ich die Pflicht des Gesetzes erfülle, bei meinen Worten an den einen denken wie an den anderen.

Wenn wir von den Toten der Kriege sprechen, so ist es gerecht, zuerst der Generationen zu gedenken, die uns von ewigen Vorzeiten her durch ihr Opfer die Heimat bewahrt und geschenkt haben. Wärmer noch ist der Dank, den wir gegenüber unseren Vätern fühlen. Das, was sie uns hinterlassen haben, haben nun wir selbst vollendet – wir, die wir hier stehen. Von dem Geist, der uns beseelt, von dem Geist, der alles geschaffen hat, möchte ich sprechen, bevor ich zu der Ehrung der Gefallenen schreite.

Wir leben in einem Staat, der ohnegleichen und ohne Beispiel ist. Er trägt den Namen Demokratie mit Recht, denn die Macht liegt nicht in den Händen einiger Weniger, sondern in der Hand des Volkes. Sein Wesen ist, daß vor dem Gesetz alle gleich sind, daß er aber dennoch die Berufenen an die Spitze bringt. Nicht Armut und nicht niedrige Geburt – nichts verschließt ihnen den Weg. Wir leben ohne Haß, ohne Neid; Kränkung, Böswilligkeit, Unfriede gelten als geächtet, Willkür, vor allem gegen die Schwachen und Notleidenden, ist unseren Herzen und damit den Gesetzen zuwider.

Wir haben uns einen fröhlichen Geist bewahrt. Wir lieben Feste und Spiele, wir lieben unser Zuhause, die kleine Quelle unserer Freuden, und wir lieben diese Stadt, die große Quelle unserer Freuden. Die Schätze und die Genüsse der Welt kommen zu uns; sie sind unser.

In ernsten Zeiten, auch dann sind wir anders als alle anderen. Immer noch, auch wenn Kriege drohen, stehen unsere Tore aller Welt offen. Niemals hat ein Fremder, ein Gast, erlebt, daß wir ihn ausgewiesen. Wir haben keine Heimlichkeiten; nicht weil wir den Feinden vertrauen, sondern weil wir uns, uns und dem eigenen Mut vertrauen. Wir stehen oft allein; die Spartaner nie. Das tut nichts. Mag sein, daß dieses Wort leichtblütig klingt, aber ein leichtes Herz ist schöner als ein bedrücktes. Wir werden Leiden und Mühen nicht weniger tapfer ertragen als die, die sich und ihr Leben fortwährend zerquälen.

Ja, unser Geist betet das Schöne an; wir lieben es mit Selbstverständlichkeit. Mit Einfachheit. Wir lieben das schöne Leben, das ist wahr. Aber schönes Leben ist für uns nicht Reichtum. Man kann auch arm sein. Schlecht ist nur ein Leben, in dem Armut aus der Trägheit kommt. Das ist nicht das Leben eines Einsiedlers, son-

dern eines Parasiten. Das ist nicht unseres Geistes. Unsere Art ist: zu handeln. Unseres Geistes ist: zu wagen. Gefahr und Genuß – wer um diese beiden Dinge weiß und sie klar sieht, der weiß, was leben heißt!
In einem einzigen Satz kann ich euch sagen, was Athen ist: die Hohe Schule für ganz Griechenland.
Ich sage euch, und ich sage es ohne Prunk: Diese Stadt wird, alles überragend, die alten Sagen zur Wirklichkeit werden lassen. Wir werden den Zeitgenossen zeigen, von wem sie besiegt sind, und der Nachwelt die Bewunderung abzwingen! Es wird kein Homer sein, uns zu besingen, aber wir werden auch keines Homer bedürfen!
All dessen waren sich die bewußt, an deren Gräbern wir hier stehen. Um es sich nicht rauben zu lassen, haben sie ihr Leben hingegeben. Um es uns nicht rauben zu lassen, werden wir Überlebenden zu gleichem entschlossen sein. Deshalb habe ich von diesen Dingen gesprochen: Die Toten wußten, was sie verteidigten. Kein anderer setzt sein Leben für einen so hohen Preis ein wie wir. Und alles, was ich zum Ruhme Athens gesagt habe, ist zugleich zum Ruhme der Gefallenen geworden. Sie haben dem Staat den höchsten Tribut geleistet, den man leisten kann; sie wurden auch das Höchste, was man werden kann: Helden.
Die Überlebenden aber sollen, wenn sie auch um ein gnädiges Geschick beten mögen, keine minder große Gesinnung zeigen. Ich rede nicht dem Wahn das Wort, daß der Tod vor dem Feind köstlich sei; ich rede einer Wahrheit das Wort: Daß es zu allen Zeiten ein unentrinnbarer Zwang ist, das, was man liebt, verteidigen zu müssen – auch mit dem Leben. Das Grab, in dem die Gefallenen hier ruhen, ist uns heilig. Großer Männer

Grab ist die ganze Erde, nicht bloß die eine Stätte, nicht bloß eine Grabsäule, nicht bloß eine Inschrift. Das größte Denkmal ist das Gedächtnis.
Ihr Väter und Mütter der Toten aber, ihr sollt nicht länger trauern, ich will euch trösten. Ich weiß, es ist schwer, andere in einem Glück zu sehen, das ihr verloren habt. Was man besessen hat, ermißt man erst im Verlust. Aber es kommen – und ich wünsche es auch für euch, die ihr ja noch nicht alt seid – neue Geschlechter, die euch das Verlorene verschmerzen lassen werden. Wem aber das Glück der Erneuerung seines Geschlechtes nicht mehr beschieden ist, der mag der Jahre gedenken, in denen er glücklich war und die heute sein sicherer Besitz sind. Lebt in der Erinnerung und lebt in der Ehre.
Schwerer – so will ich fast meinen – haben es die Söhne und Brüder der Gefallenen. Sie werden lange im Schatten der großen Toten stehen.
Ihr Frauen aber, die ihr nun im Witwentum leben werdet, ihr sollt wissen, daß wir nichts von euch erwarten, was eure Natur und das weibliche schwache und zarte Herz verleugnen würde. Ihr braucht nicht hart und nicht stark zu sein. Nur an eines mahne ich euch: *Die Frau* unter euch wird mir am höchsten stehen, von der man am wenigsten sprechen wird.
Ich habe nun gesagt, was das Gesetz mir gebot.
Wir wollen den Toten die letzten Gedanken weihen und dann gehen.«

*

Im Frühjahr 430 rückte das spartanische Heer zum zweitenmal heran. Wieder zogen die Flüchtlingsströme nach Athen. Die Tore hatten sich kaum geschlossen, da waren die Spartaner da. Wie im Jahre zuvor ließen sie die Stadt unberührt liegen und verwüsteten das Land. Diesmal taten sie es gründlich, vernichteten die Saat bis auf den letzten Halm, rissen die Weinstöcke aus und schlugen die Olivenbäume um. Attika war wie abrasiert. Perikles entschloß sich, noch während der Anwesenheit der Spartaner, mit einem Teil der Flotte auszulaufen, um im Rücken der Feinde die peloponnesische Küste zu plündern. Die Expedition stand unter seiner persönlichen Führung. Hundert athenische Schiffe mit viertausend Hopliten griffen zuerst Epidauros an in der Hoffnung, das nahe Argos würde vielleicht helfend eingreifen. Die Hoffnung trog. Sie trog auf der ganzen Linie; Epidauros wehrte den Angriff ab.

Perikles segelte weiter und rumorte an der Küste hier und da herum, ohne eine Invasion wagen oder die in Attika stehenden Spartaner im geringsten beunruhigen zu können. Alles war eine Halbheit. Er sah ein, daß es so nicht ging, und machte kehrt.

Er fand die Spartaner nicht mehr vor; in Athen war inzwischen die Hölle losgewesen! Frachtschiffe hatten aus dem Orient die »Pest« eingeschleppt. Die Epidemie war mit furchtbarer Gewalt ausgebrochen und hatte unter den zweihunderttausend zusammengedrängt lebenden Menschen schrecklich gewütet. Die Sterbenden hatten hilflos in allen Gassen und auf allen Plätzen gelegen; die Flüchtlinge, ohne Haus, ohne Hilfe, ohne einen Flecken Erde, wo sie hätten gepflegt werden können, waren verkommen, wo sie lagen. Unter den Opfern befanden sich auch die beiden Söhne des Perikles aus dessen erster Ehe. Die heutigen Mediziner vermuten, daß es sich um Lungenpest, wahrscheinlich aber nur um Typhus gehandelt habe. Gegen beides war man hilflos.

Die Spartaner hatten von den entsetzlichen Vorgängen nichts gemerkt, bevor ihnen die ersten Kranken in die Hände fielen. Sie töteten sie sofort und verließen fluchtartig Attika.

Als Perikles zurückkehrte, war die Epidemie bereits im Erlöschen; das Volk erwachte gerade aus der Lethargie und fand seine Wut wieder. Im Nu war man in einem Zustand, der sich entladen mußte – auf dem Haupte eines Schuldigen; das war klar. Früher hätte man homerische Gesichte vom bogenschießenden Apoll gehabt; man hätte sich an die Brust geschlagen. Jetzt schlug man sich an die Stirn. Früher hätte das Volk vor dem Altar geklagt. Jetzt klagte es vor Gericht. Der Schuldige war Perikles; darüber war man sich einig.

Die Volksversammlung setzte ihn als Strategen ab, der öffentliche Ankläger zitierte ihn vor ein Sondergericht. Es bestand aus 1501 Bürgern, aus 1501 mißlaunigen, wütenden, von ihren eigenen enttäuschten Wünschen und vernichteten Hoffnungen verhetzten Männern.

Eine Anklage war schwer zu erfinden. Man griff daher jämmerlicherweise auf die altbewährte Formel zurück, die schon so vielen das Genick gebrochen hatte: Man beschuldigte Perikles der Unterschlagung von Staatsgeldern. Der Ankläger forderte die Todesstrafe.

Nachdem die 1501 die Süße genossen hatten, den Ersten Mann des Staates, den Lenker ihrer Geschicke, den Liebling des Volkes zu demütigen, kamen sie zu einem wenigstens nicht ganz und gar jakobinischen Urteil; sie entsetzten ihn nur aller Ämter und verurteilten ihn zu einer Strafe von fünfzig Talenten.

Die ganze tragische Prozedur scheint schnell und lautlos vor sich gegangen zu sein; Thukydides überliefert uns kein Wort aus Perikles' Mund. Schweigend nahm der alte Mann die Anklage und schweigend das Urteil entgegen.

Als er gegangen war, stellte sich heraus, daß er keinen Nachfolger herangezogen hatte. Alte, despotische Männer fühlen sich unter Nullen wohl.

Das Staatsschiff schaukelte also mit den Restbeständen an perikleischen Plänen durch den Winter. Man verlegte den Korinthern die Kornzufuhr aus Sizilien und hatte auch einen »schönen Erfolg« hoch im Norden, auf der Halbinsel Chalkis. Man brachte eine revoltierende Stadt zur Räson, metzelte Einwohner hin, wurde auf dem Rückmarsch angegriffen, geschlagen und nun selbst hingemetzelt; man fing auch eine spartanische Gesandtschaft ab, die auf dem Wege nach Persien war, brachte sie nach Athen und machte sie einen Kopf kürzer.

Als im Frühjahr 429 Archidamos mit dem spartanischen Heer zum drittenmal erschien, war die Ratlosigkeit der athenischen »regierenden« Hammelherde so deutlich geworden, daß man nichts mehr dabei fand, nun auch noch die Schamlosigkeit auf die Spitze zu treiben und Perikles wieder zum Strategen zu berufen. Er war wieder da! Die Nachricht lief durch die Stadt und ließ die Hoffnungen steigen. Der Vater und die Kinder waren sich wieder gut! Alle atmeten auf.

Die Hoffnung trog. Der alte, müde, gebrochene Mann hätte nein sagen sollen. Zweiunddreißig Jahre hatte er regiert. Er wäre wie ein Gentleman abgetreten. Aber er blieb wie ein Minister.

Das Volk wartete, daß große Dinge geschehen würden. Was sollte geschehen? Perikles wußte so wenig einen Ausweg wie alle anderen. Er war krank, zu krank.

Der Sommer schleppte sich hin, ohne daß sich die Lage der zweihunderttausend in Athen Zusammengepferchten geändert hätte. Sie waren sicher wie in einem Tresor; und am Ersticken wie in einem Tresor. Sie hatten den Krieg, die Scherereien, die Entbehrungen, die Epidemie, kurz, alles satt und wollten ein Ende sehen. Der verwöhnte athenische Plebs (denn von Platää, Theben, Megara, Sparta hören wir bezeichnenderweise nichts dergleichen) haderte mit Gott und der Welt, außer mit sich.

Man beschloß, Schluß zu machen; und mit der ganzen Frische derer, die eine günstige Okkasion anbieten, streckte man Sparta über die Mauer die Hand hin. Sparta lehnte eisig ab. Angesichts dieser neuen ausweglosen Lage und ehe das Volk auf den Gedanken kam, sich erneut auf einen »Schuldigen« zu besinnen, schickte sich Perikles an, das zu tun, was ihm jetzt wohl am liebsten war: zu sterben. Die »Pest« hatte auch noch ihn ergriffen, als eines der letzten Opfer.

Im August 429, siebzig Jahre alt, wurde er von seinem geliebten Volk erlöst. Es konnte nun nichts mehr von ihm fordern – wie schön.

Athen war bestürzt – erschrocken – wehmütig – betrübt; der Pegel der Gefühle scheint rasch gesunken zu sein. Es nahm von keinem Genie, es nahm von einer lieben Gewohnheit Abschied. Perikles hatte seinen Ruhm überlebt.

»Die Götter ersparten ihm zu sehen, wie die Polis, Athen, auf dem Wege, den er ihr gewiesen hatte, blind vorwärtsstürmend zerschellte« (Berve).

IM EINUNDZWANZIGSTEN KAPITEL

und nicht nur in diesem, läuft der Peloponnesische Krieg weiter. Längst ist vergessen, daß es einmal um das Off Limits für Megara ging; die »Großen Zwei« wollen sich an die Gurgel. Dabei werden fleißig die kleinen Zweihundert zertrampelt; und es wäre noch lange keine Erholungspause abzusehen, wenn nicht Apoll eine Idee hätte, die wir auch heute gut brauchen könnten.

ICH MUSS SIE NUN MIT ZWEI FIGUREN BEKANNT MACHEN, DIE vom Frühjahr 428 an für die nächsten Jahre das Ruder in Athen in die Hand nahmen. Dem einen *drückte* man es in die Hand, der andere *riß* es an sich. Es sind Nikias und Kleon. Wer der Reißer war, brauche ich wohl nicht zu sagen.

Der andere, Nikias, wird gemeinhin als »vornehm« bezeichnet. Nun – ich stelle anheim. Im früheren Sinne war er es nicht; im heutigen war er hochfein, denn er war der reichste Mann Athens. Er war damals etwa 45 Jahre alt, natürlich Reserveoffizier, kein schlechter, kein guter, ansonsten bedächtig, friedfertig und – wahrscheinlich – in der geheimen Hoffnung befangen, viel Ähnlichkeit mit Perikles zu haben.

Kleon hätte man mit diesem Vergleich jagen können. In Geschichtsbüchern wird er gewöhnlich Gerber genannt, »der Gerber Kleon«. Das hätte ihn übrigens nicht gestört, aber mich stört es: Er war Besitzer einer großen Gerberei, und es ist ganz überflüssig, ihn falsch abzustempeln. Innerlich war er ein Prolet. Infolgedessen ergießt sich über ihn der ganze Hohn und die ganze Verachtung der Historiker. Daß er schon zu seinen Lebzeiten von Aristophanes auf der Bühne karikiert und von Thukydides mit milder Ironie behandelt wurde, scheint die Spötter aller Zeiten in ihren Lachsalven über den Rüpel und Dummkopf Kleon zu bestätigen.

Ich muß Ihnen gestehen, daß ich auf diesen Moment gewartet habe! Hören Sie zu:

Kleon war ein Mann »aus dem Volke«; mit Kleon tritt endlich »das Volk« in Reinkultur auf. Mir scheint: Es steht ausgerechnet denen, die fortwährend die Augen nach der »Volksherrschaft« verzückt verdrehen, schlecht an, den Repräsentanten des Plebs wegen seiner plebejischen Eigenschaften abzulehnen und zu verhöhnen. Es sind doch jene gesunden Eigenschaften und urwüchsigen Formen, vor denen sonst alle Demagogenherzen wie Butter schmelzen! Denn so ist es ja doch wohl nicht, daß die Volksherrschaft nur zum Gebrauch für verkrachte Akademiker und Funktionäre erfunden wurde?

Meine Herren, sie war wörtlich gemeint! Und wir wünschen, daß den Volksherrschafts-Aposteln der Herr Kleon nicht nur dann gut riecht, wenn er vor ihnen unten in der Menge steht, sondern auch, wenn er nun mit bei Tische sitzt! Ich allerdings, ich könnte es mir erlauben zu sagen, daß er ein Brechmittel war – ich habe ja auch angeblich ein hochmütiges potsdamsches Herz.

Aber, denken Sie an, ich finde Kleon bewundernswert! Sein abgekauter kleiner Finger ist mir lieber als die ganze manikürte Hand der Alkmaioniden.

Kleon war angeblich ein »Demagoge reinsten Wassers«. Wie töricht! Der Begriff »Demagoge« setzt doch voraus, daß jemand trotz besseren Wissens und Gewissens die Leidenschaften und niederen Regungen der Masse mißbraucht. Kleon aber trug vollkommen ehrlich seine eigenen niederen Regungen vor, sie deckten sich mit denen der Masse. Er hielt sie auch nicht für niedrig, er hielt sie für prima. Daher sein Mut zur Konsequenz. Er war brutal – das ist der Masse, wenn sie wütend ist, ein logischer Genuß; er war undiszipliniert – natürlich, sonst wäre er ja kein Prolet gewesen. Plebs hält sich nicht im Zaum, er reißt sich nur zusammen, wenn etwas weh tut. Ist das neu? Sie werden später lesen, wie Kleon nach einer großsprecherischen Rede durch Nikias gezwungen wird, sich als Oberbefehls-

haber an die Spitze einer Flottenexpedition gegen Sparta zu setzen – er tat es; nicht aus Disziplin, sondern weil seine Wut über die Situation größer war als der Trieb zurückzuzucken; er tat es und brachte einhundertzwanzig Spartiaten gefangen (!) nach Athen.
Er war mutig, er war klug. Und was ich jetzt sage, ist sicherlich Ketzerei: Ich halte ihn für klüger als Perikles. Ich führe als Beweis gerade das an, was ihm charakterlich immer zur Last gelegt wird: Er war zuerst *gegen* den Krieg, der ja Perikles' Krieg war, und ab 429 *für* den Krieg. Das war richtig.
Ja, er war ein Prolet. Er war die Quittung für die Nullen, die ein alter Mann, der zu lange und zu monoton regiert hatte, hinterließ.

*

Das Jahr 428 begann böse für Athen. Lesbos, die große reiche Insel, löste sich aus dem Seebund!
Am erregtesten war Kleon. Es war keineswegs so, daß Oberregierungsräte ihm erst zu sagen brauchten, welche Folgen der Abfall von Lesbos nach sich ziehen konnte; er war klug genug, es selbst zu sehen. Infolgedessen tobte er vor der Volksversammlung herum und verlangte nicht nur, daß Lesbos zum Gehorsam und zur Tributzahlung zurückgebracht, sondern daß ein abschreckendes Exempel statuiert würde.
Die Athener zogen sofort das Schwert, haßerfüllt wie gegen den ärgsten Feind. Vom politischen Standpunkt aus eine erklärliche Reaktion, vom menschlichen eine abscheuliche.
Nikias, der offizielle Stratege, schickte die Flotte los. Die Aktionen verliefen jetzt nicht mehr so einfach; die Pest hatte die Truppen dezimiert und die Kriegskasse

war leer. Wären die ionischen Städte entschlossener gewesen, so hätten sie sich alle befreien können.
Aber Lesbos stand allein. Die Hauptstadt Mytilene wurde eingeschlossen und belagert. Sparta, bestens unterrichtet, versuchte die Lesbier dadurch zu unterstützen, daß es mit dem Heer zum viertenmal in Attika einfiel. Gleichzeitig fuhren die korinthischen Schiffe gegen den Piräus auf. Nikias wurde nervös; dem bulligen Kleon war das alles gleichgültig. Er setzte durch, daß die Belagerung weiterging.
Nach einigen Monaten mußte Mytilene kapitulieren. Athen jubelte, Kleon hielt eine peitschende Rede und verlangte, sämtliche Männer Mytilenes hinzurichten und die Frauen und Kinder als Sklaven zu verkaufen. Der Beschluß wurde gefaßt – man war im Rausch, im Taumel.
Am nächsten Tage, als man ausgeschlafen hatte, rieb man sich verwirrt die Augen. Auch Kleon war ruhiger geworden und maulte nur herum, als man sich noch einmal zusammensetzte und den Hinrichtungsbefehl überprüfte. Vielleicht erinnerte man sich der früheren Zeiten, vielleicht sah man plötzlich erschrocken, was von dem Geist der homerischen Griechen übriggeblieben, jedenfalls wurde das Urteil zurückgenommen. Der Befehl, der nach Mytilene ging, war nun »milder«: Eintausend führende Mytilener wurden hingerichtet, ganz Lesbos (mit Ausnahme der »treu« gebliebenen Stadt Methymna) enteignet und das Land dreitausend Attikern geschenkt, die jetzt die früheren Besitzer auf ihrem Boden arbeiten ließen. Lesbos war aristokratisch regiert gewesen: Süßer konnte also die Genugtuung nicht sein. Wie hat Oswald Spengler einmal geschrieben? »Daß der Plebs von gestern nun an der Tafel

der Herren schwelgt, ist nur halber Genuß: Die Herren müssen ihm dabei aufwarten!«
Die Spartaner servierten sofort und brutal die Quittung; sie richteten die Besatzung Plataäs hin, dessen Kapitulation nach zweijährigem heldenhaften Widerstand in diese Zeit fiel.
Der Krieg hatte Formen angenommen, die ungriechisch waren. Belagerungen, Verschanzen, Wirtschaftsrepressalien, Landsknechtsaufgebote, Geldmacht – wohin war es gekommen! Wo war der offene Kampf geblieben? Die Schlacht, der Einsatz des Lebens, das Heldentum? Am meisten litten die Spartaner unter dieser Entwicklung. Die neue Zeit hatte sie überrollt.
425 fielen sie mit einem Stumpfsinn ohnegleichen abermals in Attika ein. Zum fünftenmal! Athen schickte daraufhin seine Flotte zum Peloponnes. Es stellte sich also wieder nicht zum Kampf.
Vielleicht waren die Spartaner diesmal entschlossen, Athen anzugreifen, aber es kam nicht dazu. Eine Alarmnachricht rief sie zurück! Die athenische Flotte war in Messenien gelandet! Nicht Sparta, aber der Leser atmet hier erlöst auf, es läßt sich nicht leugnen! Dabei ahnen Sie nicht, was ich bisher schon alles an nervtötendem Durcheinander, an Schlachten und Daten habe unter den Tisch fallen lassen. Mit diesem Abfall würde manches brave Volk über die Runden seiner Geschichte kommen. Es ist nicht anders möglich, den Gang der Ereignisse zu überblicken, als sich auf das zu konzentrieren, was den vier Abschnitten des Krieges die entscheidenden Wendungen gegeben hat. Ich rate Ihnen, sich an folgende Faustregel zu halten. Der Peloponnesische Krieg steht im Zeichen von vier Namen; er verläuft unter Perikles für Sparta, unter

Kleon für Athen, unter Alkibiades unentschieden, unter Lysander für Sparta. Stichwort für den perikleischen Abschnitt: Athen schließt sich ein, Sparta verwüstet dreimal Attika. Stichwort für den kleonischen Abschnitt: Invasion der Athener in Messenien. An diesem Punkt stehen wir nun.

Die Invasion fand in der Bucht von Pylos statt. Sie müssen sich die Situation in ihren einzelnen Etappen so vorstellen: Die Flotte setzte die Truppen ab und segelte mit anderen Aufgaben weiter (ein unbegreiflicher Fehler übrigens), Sparta warf in Eile, indem es gleichzeitig das Heer aus Attika zurückrief, die letzten Reserven nach Pylos, die Invasionstruppe konnte sich dadurch nicht sofort ausbreiten und mußte sich verschanzen. Die Spartaner versuchten, das Lager zu stürmen, und verfielen, als das nicht gelang, auf den Schachzug, die kleine Insel Sphakteria zu besetzen, die die Zufahrt in die Bucht beherrscht. Der Gedanke war, die Invasionstruppen von ihrer Verbindung zum Meer abzuschneiden. Aber wie es Leuten ergeht, die sich ein einziges Mal auf Glatteis wagen und sich in einer fremden Methode versuchen, fielen die Spartaner mit ihrem seltsamen Sperrschachzug verhängnisvoll herein. Die athenische Flotte kehrte überraschend zurück, erzwang die Einfahrt und schnitt nun ihrerseits die Spartaner vom Festland ab.

Es wird Sie überraschen, was jetzt folgte: Sparta schickte eine Friedensdelegation nach Athen! Um diesen Schritt angesichts der Tatsache, daß das Heer ja noch intakt war, zu begreifen, muß man wissen, in welcher Lage die Ephoren waren. Auf Sphakteria saß der größte Teil ihrer jüngsten Krieger, praktisch *die* Jugend. Die Spartiaten, noch vor einem Lebensalter neuntausend Mann stark, waren auf weniger als dreitausend zusammengeschrumpft. Was die Ephoren also zu dem raschen Schritt trieb, war die blanke Angst um das Fortleben des Blutes.

Ganz Athen war aus dem Häuschen! Man schwelgte in der Vorstellung – nicht des geruhsamen Friedens, o nein –, in der Vorstellung ungeheurer Summen, Länder, Repressalien, Beute, die man herausschlagen würde. An allen Straßenecken standen die Menschen beisammen und malten sich das künftige Schlaraffenland aus. Infolgedessen stellte Kleon den Gesandten Forderungen, die einfach wahnsinnig waren. Die Unterhändler sahen sich außerstande, dazu etwas zu sagen, da warf Kleon sie hinaus. Nicht allerdings, ohne die sechzig Schiffe, die die Spartaner als Kaution für die Zeit des Waffenstillstands »hinterlegt« hatten, zu kassieren. Es kostete ihn ein Nein und einen Eidbruch. Das war billig.

Und die Götter?

Ah – die Götter! Welch überraschende Frage! Sie erkundigen sich nach den homerischen Göttern? Sehen Sie: Das ist eine wunderbare Reaktion. Sie muß hier kommen, wenn man Griechenland liebt. Aber ich kann die Frage nicht beantworten. Bei Herodot finden sich noch zahlreiche Stellen, wo die Athener sich scheu nach den Göttern umsehen; bei Thukydides keine. Die Athener konnten jetzt leicht in Wut geraten, wenn man sie im unrechten Moment damit belästigte.

Sparta betete noch. Kleon würde geantwortet haben, es habe auch allen Grund dazu.

Als die Gesandten abgezogen waren, hielt er eine schnaubende Rede vor dem Volke, beschimpfte die Strategen und erbot sich, die Spartaner bei lebendigem

Leibe von Sphakteria herunterzuholen. Da erhob sich Nikias, bleich, aber mit perikleischer Ruhe, und übertrug kraft seines Amtes Kleon die Führung der Expedition. Die Menge lachte und lärmte und rief pausenlos Kleons Namen, voller Vergnügen über diese Szene und – wahrscheinlich – voll Gewißheit, daß der »Gerber« das Kunststück zustande bringen würde.
Er brachte es wirklich zustande. Nach zwanzig Tagen, wie er es versprochen hatte, kam er mit hundertzwanzig Spartiaten und hundertzweiundsiebzig anderen Gefangenen an!
So witzig die Sache von seiten der Athener aussah, so verhängnisvoll waren die Folgen für ihre »Bundesgenossen«. Kleon schaltete und waltete jetzt, wie er wollte. Zunächst füllte er die Kasse wieder auf, indem er die »Bundesgenossen« auf das schamloseste erpreßte. Niemand wagte aufzubegehren, denn niemand setzte auf Sparta noch einen Obolus. Ja, er war ein großer Held geworden! Das dankbare Volk verlieh ihm die höchste Auszeichnung, die Athen zu vergeben hatte: lebenslängliche Speisung im Prytaneion und einen Ehrensitz bei allen Festen. Der erfahrene Leser weiß hier schon, daß die lebenslängliche Speisung für den Staat keine Belastung von allzu großer Dauer gewesen sein wird.
Tatsächlich trat eine jähe Wendung ein. Eine Idee, die ein Spartaner hatte, eine im wahrsten Sinne absurde Idee brachte den Umschwung. Sie kennen den Namen dieses Mannes schon, es ist Brasidas, der den perikleischen Landungsversuch bei Methone abschlug. Der junge, verwegene General vom Schlage eines Blücher oder Murat hatte den Plan, mit einem Stoßtrupp von 1700 Mann quer durch Griechenland bis hoch in den

Norden durchzubrechen, Chalkidike mit den athenischen Goldminen zu besetzen und Thrakien zum Aufruhr zu bringen. Ein geradezu wahnwitziger Plan, aber die Spartiaten begeisterte er. Die siebzehnhundert, die Brasidas auswählte, fühlten sich wie die Götter; endlich waren sie wieder die »Herakliden«!
Ein paar Wochen später war Chalkidike in spartanischer Hand!
Das war im eigentlichen Sinne die Gegeninvasion, der Konterschlag zur athenischen Landung in der Bucht von Pylos. Bitte, behalten Sie ihn als zweites Stichwort für den kleonischen Abschnitt des Krieges im Gedächtnis – es kommt jetzt nicht mehr viel.
Athen war zum Waffenstillstand bereit, doch Kleon, auf dem Gipfel seiner schäumenden Wut, riß das Volk noch einmal mit, setzte sich selbst an die Spitze eines Expeditionskorps und zog nach Chalkidike los. Er war *doch* ein kühner Prolet.
Wie er dort im Lande wütete, ist unbeschreiblich. Die Städte wurden niedergebrannt, die Männer hingerichtet, alle Frauen und Kinder als Sklaven verkauft.
Bei Amphipolis stieß er auf Brasidas. Der Spartaner griff sofort an; in Sekundenschnelle war die athenische Truppe überrumpelt und alles zu Ende. Kleon war tot, Brasidas war tot. Apoll, böse und des Treibens müde, hatte zugeschlagen.
Der Tod der beiden Männer löste einen größeren Schock aus als alle Schlachten. Im April 421 schloß Nikias den sogenannten Fünfzigjährigen Frieden mit Sparta. Er hielt zwar nicht fünfzig Jahre, aber er hielt wenigstens etwas: ein wenig Abstand zur zweiten Halbzeit.
Was uns jetzt noch übrigbleibt, ist, uns um den »Sie-

ger« zu streiten. Die Historiker tun es fleißig, aber erfolglos. Der Nikias-Friede erneuerte im großen und ganzen den status quo, nur gab es diesen status quo nicht mehr. Athens Macht war geschwunden, Spartas Macht war geschwunden. Manche Verpflichtungen konnte weder die eine noch die andere Seite einhalten, denn man hätte über Dritte verfügen müssen, die nicht mehr über sich verfügen ließen.

Die Erde dreht sich weiter. *Niemals* kommt ein »status quo« wieder.

DAS ZWEIUNDZWANZIGSTE KAPITEL

spricht fast gar nicht von unangenehmen Dingen, wenn man von einem kleinen Raubmordüberfall, von dem Verkauf einiger Griechen in die Sklaverei und anderen Geringfügigkeiten absieht, die Politikern so unterlaufen. Man kann es geradezu ein Friedenskapitel nennen.

DIE SPARTANER WAREN SICHER SCHON WIEDER FLEISSIG AM Exerzieren, als der Athener Landsturm den Staub von den Füßen schüttelte und den Schild in die Ecke stellte. Ein Bad, ein reines Hemd und auf zum Marktplatz!

Dort standen nun wieder genau dieselben beieinander, die schon das ganze letzte halbe Jahr zusammen in Chalkidike gewesen waren. Auch Sokrates war unter ihnen, jetzt 48 Jahre alt, Veteran aus drei Feldzügen. Um diese Zeit war er schon stadtbekannt. Kein großer Herr, bewahre; vielleicht hat er es bis zum Unteroffizier gebracht. Er war der Sohn eines Bildhauers und einer Hebamme und wohnte mit seiner vernünftig-resoluten Frau Xanthippe (Xanthippe heißt Blondes Pferdchen, Falbe) in der Vorstadt Alopeke, streunte aber, seit er das väterliche Kunsthandwerk aufgegeben hatte und seinem »inneren Ruf« gefolgt war, elf von den zwölf Stunden des Tages in den Gymnasien und den Häusern von Freunden herum. Es kamen jetzt die Jahre, in denen er sich in den Augen des Volkes langsam von einem Clown zum Georg Christoph Lichtenberg Athens entwickelte, zum Lichtenberg des gesprochenen Wortes, denn Sokrates hat nie eine Zeile geschrieben.

Das haben zwei andere für ihn getan: Platon und Xenophon. Der eine war gerade sechs, der andere neun Jahre alt. Ein Dritter wird ihnen berichtet haben, was Sokrates um diese Zeit an Weisheiten aus dem Ärmel schüttelte und wie er mit seinem lästigen Examinieren den Griechen auf die Nerven ging: sein Schüler, Verehrer und – wahrscheinlich – Freund Alkibiades.

Und damit tritt jener Mensch auf, der wie ein diabolisch-glanzvoller Renaissanceprinz vom Schicksal als Anachronismus noch einmal auf die Menge losgelassen

wurde. Er war es, der die letzten Bremsen löste und unter dem Hallo des Volkes die Karre sausen ließ.
Alkibiades war – wie könnte es anders sein – Alkmaionide. Als der Nikiasfriede geschlossen wurde, 421, stand er im neunundzwanzigsten Lebensjahr. Schon ein Jahr darauf hielten die Alkmaioniden es für an der Zeit, ihren Sprößling auf seinen Stratosphärenflug zu katapultieren. Er wurde zum Strategen gewählt. Er war also mit dreißig Jahren kommandierender General und Regierungsmitglied. Was in seinem Kopfe vorging, wußte niemand, obwohl jeder etwas anderes zu wissen meinte. Als der alte Perikles noch lebte, war Alkibiades gemäßigter Demokrat gewesen, dann erbitterter Gegner der Kleon-Richtung; dann konspirierte er im Auftrag der Alkmaioniden mit Sparta; jetzt machte er gerade gemeinsame Sache mit Kleons Erben, dem Lampenfabrikanten Hyperbolos. Das will wohl was heißen.
Sein Bildnis kennen wir nicht. In Kopenhagen steht ein Marmorkopf, in dem man das Porträt Alkibiades' vermutet. Wenn es stimmt, dann sah er wie ein spätrömischer robuster Soldaten-Kaiser aus. Die Alten schildern ihn aber als bestrickend schön, als ungewöhnlich elegant in seinen Gesten und seiner Mimik. Und alle sagen übereinstimmend, daß er trotz seiner aufreizenden Arroganz von unwiderstehlichem Charme sein konnte. Er soll glänzend gesprochen haben, sicher aber kunstlos, wie seine Rede im sechsten Buch bei Thukydides vermuten läßt. Er muß eine außerordentliche, rasche Auffassungsgabe, enorme Intelligenz und Bildung gehabt haben; aber diese Schönheiten ruinierte er, wie eine Hure die ihren. Wenn er überhaupt einen Charakter gehabt hat, dann muß er bodenlos

gewesen sein. Er kannte nur einen Gott: sich selbst. Sein Auftreten war das eines Traumbildes, ob man ihn nackt in der Palästra sah oder bei seinem märchenhaften Aufzug in Olympia oder in seiner Jeunesse-dorée-Eleganz auf der Straße. Die Menge, die ihn hätte hassen müssen, staunte ihn als lebendig gewordenes Bild ihrer geheimen Wünsche an. Ein lichter Cesare Borgia.

Wie klug er denken konnte, beweist seine erste Vorstellung als Staatsmann: Er verurteilte das militärische Freundschaftsbündnis, das man mit Sparta soeben noch zusätzlich zum Friedensvertrag geschlossen hatte, er verurteilte es als unnatürlich und unerfüllbar angesichts der unendlich vielen Krisenherde in den beiden Bereichen.

Wie zügellos und diabolisch er handeln konnte, beweist seine erste Tat als Staatsmann: Er setzte im Rat durch, daß Athen mit Argos, Mantinea und Elis einen Beistandspakt – natürlich gleich auf hundert Jahre – schloß. Argos, Mantinea und Elis waren just diejenigen drei Staaten im spartanischen Bereich, die antifeudal und antispartanisch waren. Ein Pakt mit Argos war der sichere Konflikt mit Sparta. Wenn einige Historiker sagen, die beiden Verträge Athens kollidierten nicht, so wird jeder Berufsdiplomat sie leicht belehren können. Ja, wäre Argos in dem Friedensvertrag Sparta-Athen mit drin gewesen, so konnte ein Pakt Athen-Argos allerdings nicht kollidieren; aber Argos war nicht drin! Argos war im Peloponnesischen Kriege neutral gewesen.

Alkibiades war sich darüber auch durchaus im klaren. Beweis: Er selbst empfahl den Argolern, sich mit diesem Bündnis im Rücken doch gleich einmal irgend etwas, zum Beispiel das feudale Epidauros, zu holen. Ein Rat von Demokratie zu Demokratie. Argos befolgte ihn. Der ganze Aktenstoß ging programmgemäß augenblicks in Flammen auf.

Wenn nun aber Argos geglaubt hatte, der kranke Löwe Sparta könne kein Bein mehr vor das andere setzen, so hatte es sich geirrt. Die Spartaner, mit Epidauros seit langem eng verbündet, waren sofort da! Ein kleines Heer unter Führung des jungen Königs Agis, von dem wir noch einiges hören werden, stieß nach Norden, wo sich an der argolisch-arkadischen Grenze die Truppen der neuen »Freunde« Argos, Mantinea und Athen gerade sammelten. Bei dem athenischen Hilfskorps lustwandelte als Privatmann Alkibiades. Es war Herbst 418. Bei Mantinea stießen die beiden Heere aufeinander. Es wurde zum ersten Mal seit Platää wieder eine große, offene griechische Feldschlacht. Die Spartaner gewannen sie überlegen. Die Folgen für Athen waren katastrophal: Der ganze Peloponnesische Bund scharte sich wieder um Sparta. Argos schaffte die Demokratie ab, berief eine oligarchische Regierung und schloß mit seinem Erbfeind Sparta einen fünfzigjährigen Frieden. Die junge Generation, die Jünglinge um Agis, hatten den Ruhm Spartas »in alter Herrlichkeit« erstehen lassen.

Die Athener empfingen Alkibiades in schlechtester Laune. Um ein Haar wäre er ostrakisiert worden. Alkibiades beantwortete das den ganzen Winter über gleichfalls mit schlechter Laune, bis das Volk es überhatte und ihn zum Strategen wählte. Wie solche luziferischen Gestalten das fertigbringen, kann ich Ihnen leider nicht sagen. Aber ich sehe, daß die Masse, auch früher schon, hypnotisierbar war.

Versöhnt beschloß Alkibiades, dem Volke noch im selben Jahre ein recht schönes Gegengeschenk zu machen. Er dachte da an einen kleinen Feldzug; so einen kleinen Befreiungsfeldzug. Nach reiflicher Überlegung fiel seine Wahl auf Melos, die große dorische, etwa auf der Höhe von Sparta liegende Insel, die im Kriege neutral gewesen war.
Er übernahm persönlich das Kommando. Das ahnungslose Melos wurde überfallen, eingeschlossen, erobert, die wehrhafte Bevölkerung systematisch ermordet, der Rest (Griechen!) in die Sklaverei verkauft, das Land an fünfhundert Attiker verschenkt. Sparta, ohne Flotte, mußte ohnmächtig zusehen. Er war *doch* ein fescher Mann, der Alkibiades! Das Volk hätte sich kugeln mögen über diesen gelungenen Handstreich. Es brauchte seinen Helden jetzt nur zu sehen, schon strahlten die Gesichter in einem Lächeln auf. Darf man fragen, was der blendende junge Geist nun vorhatte?
Ja. Er gedachte heuer, 416, einmal in Olympia alles in den Schatten zu stellen. Man mußte die Feste feiern, wie sie fallen.
Am besten feiert man Feste auf Staatskosten, wie Ihnen jeder Minister bestätigen wird. Alkibiades war Minister. Er erreichte, obgleich selbst nicht gerade arm, sich als »Repräsentanten Athens und der Verbündeten« fürstlich ausstaffieren zu lassen. Doch das muß ich Ihnen ausführlicher und, dankbar für die Atempause im Kriegsgeschehen, in aller Gemächlichkeit berichten.
Es ist auch eine günstige Gelegenheit, noch ein Kapitelchen über Olympia nachzuholen.

*

Olympia müssen Sie auf der Karte im Westen des Peloponnes suchen, in der Landschaft Elis, am Ufer des Alpheios, fünfzehn Kilometer von der Küste entfernt. Das Alpheios-Tal ist sehr anmutig, wie ein Saale-Tal; Hügel mit Ölbäumen und Eichen begleiten es. Der Ort lag damals ziemlich einsam. Die nächste größere Stadt, die Hauptstadt Elis selbst, war 50 Kilometer entfernt. Bis Sparta waren es 120, bis Athen 275. Xenophon, der Anabasis-Marschierer sagt: fünf Tagesmärsche nach Athen.

Olympia war keine Stadt und kein Dorf, es war – in pünktlichem Wechsel – drei Jahre lang immer ein verschlafener Museumsort, um im vierten dann zu einer Art Ascot zu werden. Ich wage diesen Vergleich in der Hoffnung, daß Sie nie in Ascot waren; natürlich ist dort alles ganz anders.

Olympia war kein Wohnort; es bestand lediglich aus Tempeln (von denen der herrliche, wirklich herrliche Säulentempel des Zeus mit dem goldenen Standbild des Gottes von Pheidias der berühmteste war), aus Hallen (Sporthallen, Palästren mit Unterkünften der aktiven Teilnehmer), aus einer Kette von Schatzhäuschen (in denen die kostbaren Weihgaben aufbewahrt wurden), aus den wenigen Wohnungen der Beamten und aus den beiden Sportplätzen, dem Leichtathletik-Stadion und der Pferde-Arena.

Das Zentrum, etwa zweihundert Meter im Quadrat, bildete der von allen alten Dichtern so oft genannte und besungene »Heilige Hain«. Ursprünglich war er wohl nur durch Rosenhecken abgegrenzt, später durch eine toregeschmückte Mauer. In ihm lagen die drei, vier großen Tempel und die repräsentativen Gebäude. Sie müssen sich diesen »Heiligen Hain« ähnlich einem Kurpark vorstellen. Er lag am Fuße des Kronosberges,

und die Zypressen und Eichen zogen sich bis zu ihm herab. Die Wege waren gepflegt, die Marmorsäulen und Tempeltreppen leuchteten zwischen dem Grün hervor wie heute ihre falschen Nachfahren auf unseren Kurpromenaden. Abgesondert von den anderen Bäumen, dicht neben dem Zeustempel, stand der Ölbaum, von dem der auserwählte – wie die Griechen so schön sagten – »doppelt umblühte Jüngling« (Vater und Mutter mußten noch am Leben sein) mit einem goldenen Messer die Zweige für die Siegerkränze schnitt.
Olympia war geheiligter Bezirk, niemand durfte ihn mit Waffen, niemand mit einer Blutschuld oder im Bann betreten. Die Reise von und zu den Spielen stand unter Gottesfrieden. Die Griechen wanderten auch in den drei Jahren zwischen den Festen gern nach Olympia, um noch einmal oder vielleicht das einzige Mal in ihrem Leben vor dem goldenen Zeus zu stehen.
Der Eindruck muß sehr schön und heiter gewesen sein – ein bißchen Berliner Museumsinsel, ein bißchen Bad Ems zur Zeit des alten Kaisers Wilhelm.
Aber –
– aber in den Jahren der Spiele waren alle Gewalten, von der Fliegenplage bis zum ohrenbetäubenden Krach, entfesselt. Die Daheimgebliebenen beneideten die Olympiabesucher, und die Olympiabesucher beneideten die Daheimgebliebenen. Ein geflügelter Witz war die Geschichte von dem Herrn, der zu seinem faulen Diener zornentbrannt sagte: »Ich werde dich zur Strafe nicht in die Tretmühle stecken, sondern nach Olympia mitnehmen.«
Mitte August herrschte im Alpheios-Tal eine wahre Höllenhitze. Stadion und Arena lagen ungeschützt in der Sonne, und den Zuschauern waren Kopfbedeckun-

gen aus einem Grunde, den wir leider nicht mehr kennen, verboten! Zur Zeit des Alkibiades wird die Zahl der Olympia-Reisenden sicher an die Zehntausend betragen haben. Der Wirrwarr, der Krach, das Geschiebe und Gedränge von zehntausend Männern, vornehmen und armen, alten und jungen, Athleten, Trainern, Zuschauern, Delegationen, Kaufleuten, Händlern, Priestern, Beamten, Polizisten – das alles muß ziemlich fürchterlich gewesen sein. Schön, aber fürchterlich. Epiktet sagt einmal: »Was? Nach Olympia geht ihr? Ja, reichen euch denn die Mühsale des Lebens nicht?« Mit Pferd, mit Wagen und zu Fuß strömten die Griechen herbei, in festlicher Stimmung. Je näher man Olympia kam, desto schneller wurde der Wettlauf, vor allem der Wettlauf nach den Quartieren in Elis und den kleinen Dörfern, denn Olympia selbst war auf nichts eingerichtet, es gab keine Herbergen, keine Hotels – es gab nur die Flußwiesen. Da lagerten sie dann auch zu Tausenden, dazwischen standen die Zelte der Wohlhabenden, die Buden und Stände der Fliegenden Händler, die Karren, die Maulesel; Greise, die noch einmal gekommen waren, um ihre Enkel kämpfen zu sehen, kampierten auf der nackten Erde, während Knaben, wie alle Knaben der Welt, zwischen Zelten und Ginstersträuchern Olympiasieger spielten.
Hier stand auch, vielleicht etwas abseits, das märchenhafte persische Prunkzelt, das sich Alkibiades hatte errichten lassen. Es war von vielen kleinen Zelten seiner offiziellen Begleitung und der Schar seiner Ephebenjünglinge umgeben, eine Zeltstadt für sich, beständig von Tausenden umlagert und bestaunt. Jedermann wußte, wer der junge Herr war, dem die Attiker solche Ehren erwiesen. Und jedermann wußte, daß er aus sei-

nem Rennstall sieben Vierergespanne für das Wagenrennen gemeldet hatte. Ein berühmter Gast wohnte bei ihm, ein weltberühmter: Euripides. Man schaute dem großen Dichter nach, wenn er durch die Menge schritt, und folgte ihm, wenn er unter den schattigen Bäumen des Heiligen Hains spazierte. Olympia hatte viele, hatte fast alle berühmten Dichter gesehen und gehört. Pindar war hier gewesen, in alter Zeit Archilochos, dann Simonides und Herodot, von dem Lukian erzählte: »Alle kannten ihn, es gab niemanden in Olympia, der ihn sich nicht angehört hatte, und die zu Hause ließen sich über ihn erzählen. Wo er auftauchte, wiesen sie mit dem Finger auf ihn und sagten: Das ist Herodot, der unsere Kämpfe mit den Persern verewigt hat.« Genauso werden sie auch auf Euripides gezeigt haben, auf seine imposante große Gestalt. Das ist er? Dieser Hüne? Ja, wissen Sie denn nicht, lieber Empedokles, daß er selbst Sportler gewesen ist, daß er bei den eleusischen Spielen im Ringen und bei den athenischen im Faustkampf gesiegt hat? Tout le monde war in Olympia, man sah und wollte gesehen werden, man knüpfte Verbindungen an, man schaute sich nach einem Schwiegersohn um, man legte Geld an, man kannte sich, wenn »man« zur Hautevolee gehörte.

Die Zeit, als die Olympischen Spiele noch ein kleines Fest gewesen waren, lag weit zurück. Lange vor Solon mag es dort einmal so zugegangen sein, wie es die antikisch begeisterten Maler des vorigen Jahrhunderts für die Salons unserer Großeltern malten. Eine Schar edler und mit einer gänzlich ungriechischen Toga bekleideter Zuschauer palmwedelt den ebenso edel wie unpraktisch laufenden Jünglingen zu; die mangelnde Lauf-

technik auf den Bildern rührt daher, daß die Hände immer ganz zufällig die Blößen verdecken müssen.
Mit dem Fest von 776 begann die Zeitrechnung der Olympischen Spiele. Ihre Geschichte ist uns fast lückenlos erhalten. Im Anfang scheint es nur eine einzige Disziplin, den »Stadionlauf« über zweihundert Meter, gegeben zu haben. Wir kennen auch den Namen des ersten Siegers: Koroibos aus Elis. Bei dem 7. Olympia siegte erstmals ein Fremder, ein Messenier, und es ist für den Historiker interessant zu sehen, wie die Messenier zwanzig Jahre lang die Olympischen Spiele beherrschen und dann plötzlich von der Bildfläche verschwinden: Der Erste Messenische Krieg ist ausgebrochen, Sparta siegt, die Messenier werden für ein halbes Jahrtausend Sklaven! Hier verrät eine Sportmeldung Weltgeschichte und Völkertragik.
Zur Zeit des Alkibiades gab es dreizehn Wettkämpfe:
Stadionlauf (zirka 200 Meter; nach dem Sieger wurde die Olympiade benannt)
Diaulos (zirka 400 Meter)
Dolichos (zirka 5000 Meter)
Fünfkampf
Ringen
Faustkampf
Pankration (catch)
Stadionlauf der Knaben
Ringkampf der Knaben
Faustkampf der Knaben
Waffenlauf (früher in voller Ausrüstung, zu Alkibiades' Zeit nur noch mit Helm und Schild über zirka 800 Meter)
Wagenrennen
Pferderennen.

Dazu kamen als Darbietungen mit Siegerehrung: Heroldsrufen, Trompetenblasen, Dichtkunst.
Wer sich diese Liste ansieht, kann das bunte Bild für sich mit neuen Farben bereichern: Pferdestampfen, Stallungen, Waffenausgabe, Knaben mit Siegerbinde auf den Schultern stolzer Väter, Bandagenwickeln, überall Männer mit plattgeschlagener Nase, Trompeter, Dichter mit Lorbeerkranz. Im Lorbeerkranz auch die neun mit diktatorischer und polizeilicher Gewalt ausgestatteten Kampfrichter, und dazwischen, gesenkten Hauptes, gemessenen Ganges, tief verhüllt, die einzigen Frauen, die in Olympia zu sehen waren: die Demeter-Priesterinnen, wenn sie zu ihren Ehrensitzen schritten.
Nach einem Festumzug verkündeten Posaunen den Anfang der Spiele. Die Wettkämpfe begannen in aller Frühe und dauerten bis zum Einbruch der Dunkelheit. Man kam mit den Ausscheidungen oft kaum nach. Zur Zeit des Alkibiades marschierten schon viele Hunderte von aktiven Teilnehmern auf. Sämtliche Wettkämpfer mit Ausnahme der Wagenlenker traten nackt an. Seit kurzem waren auch die Gymnastai, die Betreuer und Lehrer, dazu verpflichtet. Der Grund dafür (hübsch, aber unlogisch) soll folgende Begebenheit gewesen sein, die alle alten Historien erwähnen:
Eine junge Witwe aus Rhodos begleitete ihren einzigen Sohn, der zu den Knabenwettspielen gemeldet war, nach Olympia und schlich sich, in kurzgeschnittenem Haar und mit dem männlichen Chiton bekleidet, als Sportlehrer ihres Jungen ein. Als der Knabe siegte, vergaß sie sich vor Freude, schrie auf und sprang in ihrem kurzen Chiton über die Barriere – das hätte sie nicht tun sollen, die Griechen hatten scharfe Augen.

Auf die Übertretung des Verbots stand die Peitsche. Die Hellanodiken ließen die Unglückliche-Glückliche sofort festnehmen. Es war ein Höllenaufruhr.
Die Richter aber begnadigten sie, als sie erfuhren, wer sie war: die Tochter des Diagoras, des berühmtesten Faustkämpfers der »Welt«, Schwester zweier Olympiasieger, Mutter eines Olympiasiegers, Tante eines Olympiasiegers; hinter jedem Verwandtschaftsgrad scheint das Wort Olympiasieger gestanden zu haben. Die Hellanodiken sahen darin nichts Komisches, sie erstarrten in Ehrfurcht und geleiteten die Mutter des Siegers zu ihrem Platz zurück.
Aber es sollte eine Ausnahme bleiben und blieb es. Angeblich aus einem tief verwurzelten Empfinden, das in den Spielen einen religiösen Ritus der Männer sah. Ich habe jedoch die Griechen in Verdacht, die Erfinder der »Herrenpartien« zu sein.
Am turbulentesten ging es am letzten Tage zu, wenn die Pferde antraten! Im Mittelpunkt stand das Rennen der Vierergespanne. Sie wurden von Männern gelenkt, die zur Zeit des Alkibiades schon Berufsfahrer waren; zwar keine Berufs-Rennfahrer, aber so etwas wie Berufs-»Schofföre«, die auch zu Hause Frau Alkibiades zum Landgut kutschierten. Der Sieger erhielt die Stirnbinde; Olympiasieger aber war er nicht. Den Kranz bekam der Herr und Rennstallbesitzer. Einst war das anders gewesen.
Alkibiades saß also, als der Tanz losging, unter den Zuschauern. Reservierte Plätze gab es nicht; wer zuerst kam, saß am besten. Ein Säckchen voll Drachmen wird eine bäuerliche Familiensippe bewogen haben, ihre Plätze dem bewunderten, strahlenden jungen Herrn und seiner glänzenden Begleitung abzutreten.

Es kam, wie es bei sieben Gespannen aus einem Stall nicht anders kommen konnte: Alkibiades siegte!
Berauscht vor Freude lud er sämtliche zehntausend Zuschauer zu einem Fest ein. Er selbst erschien im Schmuck der feierlichen Heroldsinsignien, die er sich vorsorglich von Athen ausgeliehen hatte. Und wie einst die großen sizilianischen Tyrannen sich die Hymne bei Pindar bestellt hatten, so beauftragte er nun den größten Dichter seiner Zeit: Euripides.
Der Dichter, wie alle Dichter, erfüllte ihm gern diesen Liebesdienst, ganz einfach, weil das Manuskript schon fertig im Koffer lag. Pindar hatte, wie wir wissen, dreitausend Drachmen dafür bekommen, Euripides wird nicht billiger gewesen sein. Das waren zu seiner Zeit etwa dreißigtausend Mark.
Das Fest dauerte fast die ganze Nacht. Am nächsten Morgen, unausgeschlafen, begann der letzte Wettlauf: in die Heimat. Jeder wollte als erster erzählen können. Vielleicht hat Alkibiades getan, was schon einmal ein Olympiasieger aus Ägina vorgemacht hatte: eine Brieftaube mit der Siegesbotschaft heimzuschicken.
Auf jeden Fall wird Alkibiades Olympia schnell verlassen haben, denn sofort nach Beendigung der Spiele erhob sich, leise wie ein Lüftchen, das Gerücht, das siegreiche Gespann habe gar nicht ihm, sondern einem anderen, einem »gefälligen« Manne gehört. Man hat es seinem Sohn später vor Gericht vorgeworfen.
Zur Stunde aber war das Volk von Athen nichts als stolz und bereitete dem »jungen Löwen« einen jubelnden Empfang, entschlossen, dem Glückspilz auch weiter zu folgen. Peisistratos war einst mit zwei Mauleseln in die Macht gefahren; Alkibiades tat es mit einem geliehenen Viererzug.

IM DREIUNDZWANZIGSTEN KAPITEL

geht der Peloponnesische Krieg zu Ende; sogar Alkibiades kann das nicht verhindern, obwohl er sich Sachen leistet, die wie aus einem alten Schauer-Roman anmuten. Der 27jährige Krieg, und ich hoffe, daß ich ihn so unsympathisch wie möglich dargestellt habe, hinterläßt Sieger und Besiegte am Rande des Ruins. Aber es wäre gelacht, wenn es keinen lachenden Dritten gäbe.

DER ZUFALL ENTHOB ALKIBIADES DER MÜHE DES NACHDENkens, was er den Athenern jetzt bieten könne. Im Frühjahr 415 – Alkibiades, Nikias und Lamachos waren wieder zu Strategen gewählt worden – im April 415 kam ein Hilferuf aus Sizilien, wo die zwei, drei großen Städte gerade dabei waren, die kleineren zu schlucken. Nichts Lebensgefährliches, aber, wie immer in der Welt, Aufreizendes. Die großen Vögel waren dorische Siedlungen und hielten auch jetzt noch zu Sparta; die kleinen hatten sich aus Selbsterhaltungstrieb »logischerweise« Athen zu Füßen gelegt. Logisch ist das eigentlich nicht, dafür aber ein in der Geschichte immer wieder zu beobachtender Automatismus.
Athen hatte sich lange Zeit nicht mehr um die Griechen Siziliens und Unteritaliens gekümmert, es hatte den Blick nach Ionien gewandt. Nikias gab sich alle Mühe, der Volksversammlung klarzumachen, daß man nicht auf hundert Hochzeiten tanzen könne; er wollte in dem Dilemma lieber die sizilianischen Freunde im Stich lassen, als den Frieden mit Sparta gefährden.
Das war das Stichwort für Alkibiades! Er kletterte aufs Podium und feuerte eine Rede in das Volk, die tatsächlich zum Kriegsbeschluß führte. Die Ansprache muß ich Ihnen unbedingt, wenigstens zehn Zeilen lang, vorführen; es gibt nichts Aufschlußreicheres für diesen charmanten Verbrecher:
»Athener! Ich habe mehr Anspruch auf das Amt eines Feldherrn als jeder andere! Aber nicht nur das: Ich glaube auch, dessen würdig zu sein. Ich bin verschrien um Dinge willen, die dem Vaterlande in Wahrheit nur Nutzen gebracht haben. Mir natürlich auch! Denn der Prunk, mit dem ich in Olympia aufgetreten bin, gerade der war es, der die Griechen gelehrt hat, die Größe

Athens richtig einzuschätzen. Ich habe auch gesiegt! Mag sein, daß das alles im eigenen Kreise neidischen Ärger erregt; bei den Fremden – und das ist wichtig – erscheint es als Ausdruck der Kraft! Ich dünke mich mehr als andere, jawohl! Ist das Frevel? Will man mit mir teilen? Ja? Wird man, wenn ich im Unglück sein sollte, auch mit mir teilen? Spätere Geschlechter werden einmal mit mir prahlen! Fürchtet euch nicht vor meinem jugendlichen Sturm. Was nun das Unternehmen gegen Sizilien betrifft: Durch solche Taten sind wir zur Herrschaft gelangt!...«

Ja, zur Herrschaft wollten sie alle gelangen; und werden. 134 Trieren mit über 25 000 Mann wurden startfertig gemacht und die drei Strategen mit der gemeinsamen Führung beauftragt.

Das Aufgebot war enorm, es schien erklärlich, daß drei Generäle mitgingen. Tatsächlich aber war der Grund ein anderer: Man mißtraute Alkibiades; man roch, daß er das ganze Abenteuer dazu mißbrauchen könnte, sich in Sizilien ein privates Königreich zu schaffen. Ein phantastischer Plan, eben deshalb bei ihm so naheliegend.

Nikias und Lamachos waren gute Wachhunde, aber sicherer schien es den Besorgten, die ganze Expedition zu vereiteln. Beachten Sie, zu welch modernen Mitteln diese Zeit bereits griff: Als die Athener am Morgen vor dem Auslaufen der Flotte erwachten, sahen sie, daß unbekannte Täter über Nacht den Hermen in der Stadt die Köpfe verstümmelt hatten! Ein Sturm der Entrüstung erhob sich; so weit reichte die Achtung vor den Göttern noch immer. Schwer wog auch die schlimme Vorbedeutung, die in dem Frevel lag. Er schien allen ein böses Omen für den Feldzug.

Sofort begann ein fieberhaftes Suchen nach den Tätern oder dem Täter. Die Prytanen, der Regierungsausschuß, setzte eine hohe Belohnung für die Auffindung des Schuldigen aus und sicherte dem Anzeigenden Geheimhaltung seines Namens zu. Da tauchte auch schon das Gerücht auf, Alkibiades sei der Täter gewesen. Daß er in der Nacht ein Abschiedsgelage gegeben hatte, bei dem es nicht nur hoch hergegangen war, sondern auch niedrig, das stand fest. Auch sollte er halbtrunken Gottesdienst-Riten karikiert haben.
Der »junge Löwe« schäumte vor Wut. Er ging sofort vor Gericht und verlangte eine öffentliche Anklage gegen sich. Die Philologen haben bis vor kurzem diesen Schritt für einen Schachzug gehalten und an Alkibiades' Schuld geglaubt. Man ist davon abgekommen. Das Ganze war ein Querschuß, und er saß.
Der Rat der Fünfhundert sah sich in einer prekären Lage. Lehnte er den Antrag ab, so sprach er Alkibiades blanko frei; setzte er eine Verhandlung an, mußte die Expedition ohne ihren Initiator und Kopf starten. Man fand einen Ausweg, der allen gleich unangenehm war: Der Feststellungsprozeß sollte sofort nach Beendigung des Feldzugs durchgeführt werden.
Unter diesem bedrückenden Vorzeichen stach also die Flotte in See, mit der zwittrigen Schicksalsfigur an Bord. Das Geschwader war kaum vor Sizilien angekommen, da erschien ein Schnellsegler mit dem Befehl, Alkibiades nach Athen zurück zu bringen – die Anklage war erhoben! Die »Querschießer« hatten die Tarnkappe fallen lassen; ans Licht trat Tessalos, der Sohn Kimons, Enkel des Miltiades!
Welche Beweise er in der Hand hatte, erfuhr die Welt nie. Das Kurierschiff kehrte zwar zurück, aber ohne

Alkibiades. Der »junge Löwe« war bei einer Zwischenlandung an der Küste des Peloponnes von Bord gesprungen und mit langen Beinen gen Sparta gelaufen.
Das athenische Gericht verurteilte ihn als Landesverräter zum Tode und zog seinen gesamten Besitz ein. Binnen Minuten zerfetzte das Volk seinen bisherigen Heros.
Athen hatte sich einen Schlangenkopf, aber immerhin den Kopf, abgeschlagen. Es hätte sich sofort noch die gierigen Hände abhacken müssen. Das aber tat es nicht, und die Quittung folgte auf dem Fuße. Das gesamte Expeditionsheer, 5000 Soldaten und 20000 Matrosen und Troßknechte, nahm ein wahrhaft entsetzliches Ende. Es fiel so, wie es ging und stand, in die Hand der Feinde – Unfähigkeit der Führer, Feigheit der Masse. Die Syrakuser warfen die Gefangenen in die Steinbrüche. Dort verhungerten, starben und verdarben sie. Die Strategen wurden, obwohl der spartanische Abgesandte sie retten wollte, hingerichtet.
Athen war wie betäubt. Schrecklich hatte Hermes den Frevel und furchtbar Zeus den Friedensbruch gestraft.
In dieser Situation kam die Kunde, daß ein spartanisches Heer unter König Agis auf dem Wege nach Attika sei.
Ja, die Götter rührten sich! Apoll stieg herab, den Köcher mit den roten Pfeilen über die Schulter gehängt, wie es einst Homer gesehen hatte. Ares schürte die Esse des Krieges an.
Es ging wieder los; der zweite Teil des Peloponnesischen Krieges begann.

*

Der böse Geist der Zeit, der Alkmaionide Alkibiades flüsterte nun den Spartanern ein. Ein kluger Geist, aber ein satanischer. Die Spartaner haben versäumt, ihn sofort einen Kopf kürzer zu machen.
»In Sparta erregte er durch die Art, wie er jetzt sein Leben einrichtete, allgemeine Verwunderung«, schreibt Plutarch. »Er verstand, das Volk, vor allem das einfache, ganz für sich einzunehmen und blendete es durch die Art, wie er zum Spartaner wurde, wie er sich das Haar kurz schnitt, sich in kaltem Wasser badete, mit Gerstenklößen vorlieb nahm und großen Gefallen an der Schwarzen Suppe fand; man traute den Augen kaum und fragte sich, ob dieser Mann jemals von Leibköchen betreut gewesen sei, jemals einen eigenen Parfümberater gehabt oder jemals einen milesischen Purpurmantel auch nur anzurühren, geschweige denn anzuziehen gewagt habe. Er änderte sich schneller als ein Chamäleon. Aber«, fährt Plutarch fort, »hinsichtlich seiner Tücke nicht. Er schwängerte die Gemahlin des Königs Agis, während dieser auf dem Feldzug war, und erklärte zynisch, er habe weder den König beschimpfen noch seine Wollust befriedigen, sondern auf diese angenehme Weise lediglich erreichen wollen, daß über Sparta einst seine eigenen Nachkommen herrschen würden. Dennoch muß man gestehen, es gab nicht leicht irgendeinen Menschen, der sich durch den Charme, den Alkibiades zeigen konnte, nicht hätte fangen lassen.« Nach diesem gynäkologischen Ereignis wurde Alkibiades der Boden in Sparta wohl etwas zu heiß; auch wühlte sein Borgia-Geist zu ruhelos in ihm, um ihn tatenlos zusehen zu lassen, wie die griechische Welt wieder einmal brannte. Er gebar daher einen Plan, der seine überragenden diplomatischen Fä-

higkeiten ebenso wie seine wahrhaft fürchterliche Natur zeigt: Er wollte nach Kleinasien gehen, die Perser auf die spartanische Seite ziehen und dann... und dann... es waren phantastische Gedanken, die er den Ephoren vorspann. Auch wenn die Spartaner kein Wort davon glaubten, schickten sie ihn los und machten drei Kreuze hinter ihm.

Er verwirklichte alle Pläne. Er brachte die unglaublichsten Dinge zustande; Persien, sowieso wütend über eine Vertragsverletzung der Athener, kündigte den »Kimonischen Frieden«, trat in das spartanische Lager über und erklärte sich bereit, laufend Hilfsgelder zu zahlen. Es war das Werk von wenigen Wochen, da schlug Alkibiades dem als Griechenhasser berüchtigten Satrapen bereits freundschaftlich auf die Schulter und trank mit ihm Brüderschaft. Den braven Ephoren gingen die Augen über.

Auch ganz Ionien gingen sie über; sozusagen über Nacht hatte sich ihre Lage ins Gegenteil verkehrt: Der Perser drohte zu kommen, und Athens Flotte war vernichtet! Die ionischen Städte stellten also wieder einmal die Zahlungen ein und traten in Scharen aus dem attischen Seebund aus.

So war die Situation, als König Agis in Attika einmarschierte. Wie in Trance nahm das Volk von Athen die stündlich neuen Schreckensmeldungen hin. Sein gesamter Machtbau war zusammengekracht, Ionien abgefallen, die Geldquelle versiegt, fast die ganze Flotte vor Sizilien vernichtet, 25 000 Mann tot, die Spartaner vor der Tür! Wieder einmal strömten die Bauern und Dörfler in die Stadt, die Staatssklaven von den Gütern und aus den Bergwerken flohen in hellen Haufen zu den Spartanern – konnte das alles wahr sein? Man schloß die Augen. Und vor allem natürlich die Tore. Agis ließ sich zwanzig Kilometer vor Athen häuslich nieder.

Die Stadt war gefangen. Das »regierende« Volk rannte ratlos durch die Straßen. Wo war wenigstens ein Kleon? Athen war zum erstenmal führerlos. Das ist schlimm. Schlimm? Das ideale Schicksal, meine Herren, das ideale Schicksal! Denn wenn eine überragende Persönlichkeit sich der Massenherrschaft zur Verfügung stellt, so ist die Situation eigentlich schon verfälscht. Angenehmer für die regierende Masse ist freilich, wenn sie Persönlichkeiten verschleißen kann!
Der Kleinmut ergriff die Herzen, und in diesem schäbigsten Kleinmut kam das Volk auf den Gedanken, die Macht wieder aus den Händen zu geben!
Aber an wen vergibt man sie, wenn niemand sie haben will? Man berief also zunächst eine Kommission von zehn alten Männern, die Rat wissen sollten. Sie wußten keinen. Sie gaben den Schwarzen Peter weiter an Dreißig, und die gaben ihn weiter an Vierhundert, und so wäre es wohl fortgegangen, wenn den Vierhundert nicht eine Idee von einmaliger Naivität gekommen wäre: Sie fanden, daß man jetzt, wo die »Lumpendemokratie« (neuester Lieblingsausdruck von Alkibiades) beseitigt war, eben diesen Alkibiades zurückrufen solle.
Ich hoffe, daß Sie hier nicht die abwegige Frage stellen, was Alkibiades bewegen sollte, nun wiederum Sparta zu verraten! Nein, an dergleichen scheiterten die Vierhundert nicht, sondern daran, daß sie zu spät kamen. Inzwischen hatten sich nämlich die Matrosen der vor Samos liegenden athenischen Schrumpfflotte mit Alki-

biades in Verbindung gesetzt; ihr Vorschlag unterschied sich von dem der Vierhundert nur durch die Kleinigkeit, daß Alkibiades die »Lumpendemokratie« nicht endgültig austilgen, sondern wiederaufrichten sollte. Nach dem trefflichen Sprichwort »Wer zuerst kommt, mahlt zuerst«, blieben die Matrosen in dem edlen Wettlauf um den herrlichen jungen Löwen Sieger.

Der junge Löwe (inzwischen vierzig Jahre alt geworden) kümmerte sich zuvörderst nicht um Athen, er gedachte erst einmal irgendeinen glänzenden Sieg zu erfechten. Daß für das »über« begreiflicherweise nur die Spartaner in Frage kamen, störte ihn wenig. Am Hellespont wollte er mit der Wiedergewinnung Ioniens für Athen beginnen; dort kreuzte auch, wie er ja am besten wußte, die kleine peloponnesische Flotte.

Im Mai 410 stieß er bei Kyzikos überraschend auf den »Feind«. Die Überraschung lag allerdings vollständig auf seiten der Spartaner. Ihr Gastfreund Alkibiades mit athenischen Schiffen – das war das Letzte, was sie erwartet hatten!

Mehr Zeit als zu dieser verspäteten Einsicht blieb ihnen auch nicht; sämtliche Schiffe wurden in Grund gebohrt oder gekapert, der Admiral fiel im Kampf, die Besatzungen retteten sich mit Mühe und Not schwimmend an das Ufer.

Das war, fand Alkibiades, das richtige Entree für Athen. Von den Wellen seines neuen Ruhms als »Retter des Vaterlandes« getragen, kam er heim, und die Athener bereiteten dem immer noch zum Tode Verurteilten einen brausenden Empfang. Wie Schillers Isolani konnte er sagen: »Wir kommen auch mit leeren Hän-

den nicht!« Er wies seine Hände vor, und siehe, da klebten, außer dem Blut seiner Gastfreunde, zahllose geraubte Schätze aus den Hellespontstädten und einige hundert von den Ioniern erpreßte Talente.
Dann erschien er vor Gericht, den Auftritt zu einer großen Szene gestaltend. Er schilderte dem gebannt lauschenden Volke, wie entsetzlich er unter den Verdächtigungen gelitten, wie er mit den Göttern gehadert habe und wie schrecklich die Zeit der Heimatlosigkeit gewesen sei. Er konnte, von seinen eigenen Worten überwältigt, sich der Tränen nicht erwehren.
»Doch«, schreibt Plutarch, »doch machte er dem Volke nur wenige und gelinde Vorwürfe...«
Die Athener setzten ihm einen goldenen Kranz aufs Haupt, gaben ihm seinen Besitz zurück und wählten ihn zum »Uneingeschränkten Befehlshaber zu Wasser und zu Lande«.
Wenn Sie, verehrter Leser, an dieser Stelle noch einmal kurz überschlagen, was sich im alkibiadischen Abschnitt des Peloponnesischen Krieges ereignete, und sich vielleicht freundlicherweise der Hauptstichworte: sizilianische Expedition, Einschließung Athens, persisch-spartanische Verständigung, Auflösung des attischen Seebundes, neue Schwenkung Alkibiades' und Sieg am Kyzikos, ich sage: wenn Sie dieses Resümee ziehen und zugleich beim Vorblättern festgestellt haben, daß der Abschnitt auf der nächsten Seite endet, so werden Sie sich kaum vorstellen können, daß ich bei der Faustregel den alkibiadischen Kriegsabschnitt als unentschieden kennzeichnete. Auch die Athener konnten es sich nicht vorstellen. Und doch ging die Sache ganz einfach vor sich.
Alkibiades, ohne einen Blick auf den immer noch vor

Athen liegenden König Agis zu werfen, machte sich nun auf, Ionien zurück zum Gehorsam zu bringen. Hundert Trieren, alles, was Athen besaß, stachen in See; am Bug des Admiralsschiffes träumte der Alkmaionide von seiner Sternstunde.

Er hat Athen nie wiedergesehen.

Die Spartaner bereiteten ihm eine böse Überraschung. Als er bei Ephesos landen wollte, fand er den ganzen Hafen vollgepfropft mit neuen Kriegsschiffen!

Sie ahnen, was jetzt kommt. Sie ahnen falsch. Es folgt etwas ganz Banales. Die Flotte legt sich in der Nähe an den Strand, und Alkibiades macht zwecks Gelderpressung einen mehrtägigen Abstecher; die Spartaner stoßen einmal kurz zu und versenken fünfzehn Schiffe; Kapitän Konon eilt nach Athen und verpetzt die »Niederlage«; das Volk, nun endgültig auf dem Wege zum reinen Jakobinertum, setzt den »Retter des Vaterlandes« sofort ab; Alkibiades hört das, packt seine Siebensachen, sagt den Matrosen Adieu und fährt mit seinem Flaggschiff für immer und ewig davon.

Dümmer und belangloser konnte sich dieser Mensch nicht verabschieden. Er, von dem man erwartet, daß er in einer grünen Stichflamme verzischen würde, trat ab wie ein Zauberer, der mit bürgerlichem Namen Meier heißt, sang- und klanglos.

Ein einziges Mal noch werden wir und die Athener ihn wie einen Schimmelreiter vorüberhuschen sehen. Dann verschwindet er im Dunkeln. Ein paar Jahre später wird sein Tod gemeldet: Irgendwo in Asien ist er »auf Wunsch der Athener« ermordet worden.

Das Spiel ist aus, und wir bleiben mit einem schalen Gefühl vor der leeren Bühne zurück. Obwohl mir die

Gestalt des Alkibiades (zu spät in der Geschichte, viel zu spät, um unserem Urteil zu entgehen) von Herzen zuwider ist – er war ein Grieche, er hätte vor Troja liegen können, Klytemnästra hätte ihn geliebt und Homer ihn besungen. Er war, wie es sich für einen Griechen gehört, ein Sohn der Unvernunft, ein Enkel der Hybris, ein Pirat des Lebens. Solche Menschen, auch wenn sie gehaßt werden, lassen ihr Leben als Ballade, als Sage zurück. Wenn sie abtreten, verschwindet ein Alptraum, aber auch der Mittelpunkt aller Gedanken. Die Szenerie wird plötzlich fahl, lautlos und frostig wie vor einer Sonnenfinsternis.

*

Der Peloponnesische Krieg ist in das letzte Stadium getreten. Sparta (König Agis lag immer noch vor Athen) schrumpfte mehr und mehr zusammen, es fraß sich auf in Disziplin, Darben, Entbehren und Opfern. Korinth kämpfte gegen den Zusammenbruch seines Handels, Megara hatte ihn hinter sich; Platää war eine Ruine, Theben lebte in ewigem Ausnahmezustand. Athen näherte sich dem atropinalen Delirium. Natürlich ist man heute viel zu dezent, um diese Erscheinung als das zu titulieren, was sie war: die Hysterie der Kommune. Es war die unnatürlichste, die fremdartigste Fehlleistung der griechischen Seele. Athen muß um diese Zeit abscheulich gewesen sein.

Alkibiades war weg. Kapitän Konon, der »Petzer«, wurde Admiral und trug mit den Spartanern das noch fällige Scharmützel zur See aus (406 bei den Arginusen). Er nannte es einen Sieg, vielleicht war es einer; aber viertausend Athener waren dabei ertrunken! Der Plebs (ich hätte beinahe gesagt, der »Berg«) zeigte sein wahres Gesicht; die Kapitäne wurden angeklagt, nicht

genug für die Rettung der Ertrunkenen getan zu haben. Das Volk als Haufen Privatleute, die nur an den Tod ihrer Angehörigen dachten, pöbelte sie an. Ohne ein Gericht zu bilden, verurteilte man die Kapitäne zum Tode und richtete sie hin. Unter ihnen befand sich auch – welche Delikatesse – der junge Perikles, Sohn der Aspasia. Es war ein Tag wie unter Robespierre.
Eine einzige Stimme hat sich damals gegen den Plebs zu erheben gewagt: Sokrates, in jenen Tagen zufällig Prytane, turnusmäßiger »Regierungsrat«. Man hat ihn mit dem Ruf, das Volk sei die höchste Instanz und an keine Gesetze gebunden, niedergeschrien.
Während des ganzen nächsten Jahres waren die athenischen Schiffe zu keinem anderen Zweck unterwegs, als auf Kreuz- und Querfahrten in kleinen ionischen Küstenorten zu morden und zu plündern und mit dem erbeuteten Geld und mit Nahrungsmitteln daheim die zweihunderttausend Mäuler zu stopfen. Im August (405) kamen plötzlich die Getreideschiffe aus dem Hellespont nicht mehr an. Hochnervös jagte Admiral Konon mit sämtlichen hundertachtzig Kriegsschiffen hinauf.
Er traute seinen Augen nicht, als er ankam! Da lag eine spartanische Flotte und sperrte die Meerenge.
Ja, da waren die Stehaufmännchen wieder. Tag und Nacht hatten die Werften gearbeitet; es war die letzte Anstrengung, der letzte Jeton, den Sparta noch setzen konnte. Die Hoffnung ruhte auf zwei Augen, die jetzt von Bord des Admiralsschiffes die Ankunft der Athener lauernd beobachteten: auf Lysander. Es wird ewig unklar bleiben, ob die Ephoren, als sie ihn hierher an das »Ende der Welt« schickten, gewußt haben, daß sie einen jungen Gott entdeckt hatten, einen jugendlichen

Gott von jener Art, wie Zeus sie gelegentlich auf Reisen »schuf« und dann gleich in Pension auf Erden ließ, ein etwas unheimliches Schlüsselkind. Lysander war in vieler Beziehung die Übersetzung des Alkibiades ins Spartanische: mit den Göttern auf verwandtschaftlichem Fuße, egozentrisch, rücksichtslos, schwindelfrei, im Ganzen eine unwirkliche Erscheinung, ein Gast unter den Menschen. Was ihm fehlte, war die Alkmaioniden-Perfidie, die Spielerleidenschaft, der Zynismus; was er vor Alkibiades voraus hatte, war seine Hingabe an den spartanischen Kosmos und sein archaischer Geist. Sparta hat ihm später tatsächlich Altäre erbaut. Er war der Eine, der Ersehnte, der den Peloponnesischen Krieg beendete. Wir stehen gerade davor.
Diese letzte Schlacht, »an den Ziegenflüssen« (Aigospotamoi), die eigentlich gar keine Schlacht, sondern eine überdimensionale, befreiende Ohrfeige des Schicksals war, nahm einen Verlauf, wie ihn ein Odysseus nur in seiner besten Stunde erlogen hätte.
Die Athener legten sich Lysander gegenüber an das thrakische Ufer nahe der Einmündung der »Ziegenflüsse«. Man blieb in Alarm, denn in die Spartaner war Bewegung gekommen. Ihre Schiffe fuhren in Kampfordnung auf. Alles spielte sich greifbar nahe vor den Augen ab; die Entfernung betrug nur ein paar Bogenschüsse.
Aber Lysander, unbelastet von jeglicher Kenntnis klassischer Seekriegführung, ließ es damit, entgegen allen Regeln der Kunst, genug sein.
Am nächsten Tage rauschten die spartanischen Schiffe abermals in Schlachtreihe auf. Konon gab Alarm, aber wieder geschah nichts. Die Athener versuchten zu lok-

ken; sie rutschten etwas näher heran – Lysander rührte sich nicht. Bei Sonnenuntergang gingen alle wieder schlafen.
Das Manöver wiederholte sich am dritten Tage mit stupider Eintönigkeit. Konon bot abermals die Schlacht an, Lysander reagierte nicht.
Die Athener, bereits von unwiderstehlichem Lachreiz gekitzelt, zogen sich zur Küste zurück. Die Kommandanten gingen an Land – keine Provokation schien die Spartaner reizen zu können.
An diesem Tage näherte sich vom Landinnern her ein Reiter. Er hielt in einiger Entfernung des athenischen Lagers und musterte das Bild, dann ritt er vollends heran. Es war Alkibiades.
Er kam wie ein Nachbar zu Besuch. Die Kommandanten, unschlüssig, wie man sich in einem solchen Falle benimmt, sahen ihm schweigend entgegen.
Er war, wie früher, von freundlich-leichtfertiger Art und sprach sie ohne Verlegenheit an. Er deutete in die Runde und meinte, das sei eine schlechte Kampfposition. Er zählte den Herren die Fehler und Mängel auf und gab den Rat, etwas weiter südlich zu gehen und ihrerseits die Meerenge zu sperren. Als er ihnen mit milder Stimme versicherte, daß hier überhaupt nur einer, nämlich er, siegen könne, fanden die Kommandanten die Sprache wieder und forderten ihn auf, das Lager zu verlassen. Das tat er. Wie er gekommen war, ritt er davon.
Der fünfte Tag brach an, die spartanische Flotte gab ihre gewohnte Gala-Vorstellung; Konon bot, wie gewohnt, den Kampf an, Lysander lehnte, gleichfalls wie gewohnt, ab. Die Athener, keineswegs geneigt, dem anscheinend unfähigen Gegner die Initiative abzuneh-

men, kehrten zum Ufer zurück. Wie es sich für regierende Volksgenossen gehörte, war die Disziplin bereits im Schwinden; die Alarmbereitschaft wurde als Witz aufgefaßt, es schien das Natürlichste von der Welt, die Posten zu verlassen und sich an Land die Beine zu vertreten. In diesem Augenblick griff Lysander an! Die Segel flogen auf den spartanischen Schiffen hoch, die Ruderreihen rauschten, im Nu waren die paar hundert Meter durchfahren. Die Athener, von Entsetzen gelähmt, sahen zu, wie ihre unbemannten Trieren geentert, wie die Wachen niedergemacht, wie an den Flügeln Truppen gelandet wurden und der Ring sich schloß. Zeus hatte das endgültige Urteil gesprochen.

120 Schiffe fielen unversehrt in die Hand der Spartaner, 52 wurden in Grund gebohrt, 8 entkamen, auf einem davon befand sich Admiral Konon, der »Petzer«. Dreitausend Athener überlebten den Kampf und gerieten in Gefangenschaft. Lysander ließ sie noch an Ort und Stelle hinrichten, zur Vergeltung für die athenischen Grausamkeiten in Ionien.
Der Peloponnesische Krieg war beendet. Hilflos, ohnmächtig zur See und zu Lande, lag der einstige Koloß Athen da und erwartete mit Bangen den Sieger.
Ende April 404, während König Agis mit dem Heer gegen die Tore der Stadt vorrückte, fuhr Lysander in den leeren Piräus ein. Das Friedensdiktat Spartas fiel maßvoll aus. Korinth und Theben, die beiden unversöhnlichen Hasser, forderten die Vernichtung Athens zu Staub und Asche. Sparta, das böse, harte Sparta, gedachte der Thermopylen und Platäas, es sah die strahlende Akropolis, es erinnerte sich des Leuchtens, des

Blühens der Stadt, an Pheidias, Aischylos und Sophokles und brachte es nicht fertig, Athen von der Erde verschwinden zu lassen.
Es sah auch in die Augen dieses jämmerlichen Plebs, dessen letzte Großtat noch die Hinrichtung ihres Robespierre, des Klempners Kleophon, gewesen war; es sah nichts als Todesangst. Da schenkte es ihm das Leben.
Die einzigen Forderungen waren: Schleifung aller Mauern, Rückgabe alles erpreßten Besitzes, Aufgabe aller fremden Territorien, Abschluß eines Gefolgschaftspaktes mit Sparta, Besetzung der Akropolis.
Ein Jubeltag für die halbe griechische Welt! Erst spätere Zeiten sahen ein, daß sich in diesem Krieg nicht nur Athen zugrunde gerichtet hatte, sondern eine ganze Schöpfung: die griechische Polis.
Sparta war nach 27jährigem Ringen der Sieger. Hatte es für die Zukunft eine bessere Idee?
Gibt es Sieger, die eine haben?

IM VIERUNDZWANZIGSTEN KAPITEL

ist es endlich so weit, daß man den Griechen »für das Gesamtwerk«, wie es so schön heißt, den Nobelpreis verleihen kann – sie sind alt und pensionsreif geworden. Natürlich merken sie selbst nichts davon, und es ist auch tatsächlich erstaunlich, wie frisch und unverdrossen die Athener noch ihren Sokrates hinrichten.

MIT RECHT KÖNNTE HIER DER BUNDESBÜRGER FRAGEN: WIESO muß ein Volk eine Idee haben, wir haben ja auch keine? Und in der Tat würden Kulturgüter wie Zervelatwurst und bezahlter Urlaub als Daueridee vollkommen genügen, wenn es nicht immer irgendwo junge Völker gäbe, die sich daraus nichts machen, ja sogar diesen Dingen gegenüber ganz ehrfurchtslos sind und nur darauf warten, über den Zaun steigen zu können. (Um dann ebenfalls beim bezahlten Urlaub zu enden; aber das wissen sie noch nicht.)

Die Spartaner waren insofern ausgesprochen kluge Leute, als sie ahnten, daß das Auto für jedermann immer das Ende vom Liede ist. Sie propagierten daher weiter das Gehen und ihre Schwarze Suppe. Mit anderen Worten: Ihre Idee war, die alte Zeit zu erhalten.

Diese Idee ist schön. Aber was ihre Originalität anlangt, so ist sie etwa vegleichbar dem Vorsatz, immer dreißig Jahre alt zu bleiben.

Das begreifen die wenigsten Menschen; nämlich, daß die Zeit auch für Völker vergeht. Auch wenn man die jugendlichen Kleider weiterträgt, altert man leider. Und wenn man daran etwas erkennen will, dann dies, daß Völker wie Menschen mit Anstand alt und grau werden sollen. Wenigstens das erfüllten die Spartaner. Aber der Aufgabe, die griechische Welt in Ordnung zu halten, waren sie nicht gewachsen. Die Macht war hundertfünfzig Jahre zu spät gekommen.

Kurios ist nur, daß einige Historiker immer wieder behaupten, Athens attischer Seebund perikleischer Fasson sei dagegen eine konstruktive Idee für Hellas gewesen. Ich weiß nicht – er war wohl eher das, was Geschäftsleute eine »famose Idee« zu nennen pflegen. Ich erwähne das Ganze auch nur, weil ich sehe, daß alle

Geschichtswerke über vierzehn Mark achtzig es tun. Viel näher liegt die einfache Frage: Wie ging es weiter? Schlecht. Nicht gleich, aber bald.

Die Verfassung, die Athen jetzt hatte, war ein Novum: Ein Direktorium von dreißig Männern herrschte diktatorisch. Ihr Wortführer war Kritias, ein Mann von Bildung, Kultur und Begabung, der nur einen Fehler hatte, im medizinischen Sinne etwas irre zu sein. Er riß bald die Macht an sich, die nun infolge der pathologischen Sprunghaftigkeit seines Geistes zu einer Schrekkensherrschaft ausartete. Beständig »säuberte« er. Innerhalb eines Jahres fielen fünfzehnhundert Mitbürger dem Scharfrichter zum Opfer.

Die Erlösung von Kritias und seinen Trabanten kam durch einen ehemaligen Admiral der Volksregierung, Thrasybul, und durch Sparta selbst: Es setzte wieder einen »Rat der Fünfhundert« ein.

Die Ephoren scheinen um diese Zeit einen Entschluß von weittragender Bedeutung gefaßt zu haben: Sparta begann, sich auf seine alte Machtsphäre, den Peloponnes, zurückzuziehen. Die Garnisonen verschwanden, die Besatzungen zogen ab.

So war man also in Athen wieder unter sich. Ein bißchen ärmlich freilich, aber mit einem ungewohnten weiten Blick, seit es keine Mauern mehr gab, und mit einem überraschenden Hang zur Arbeit, seit man sich selbst ernähren mußte.

Sokrates zog wieder durch die Stadt und fiel den Leuten auf die Nerven. Er war jetzt nahe siebzig, ging ein bißchen gebückt und hatte der Liebe abgeschworen. In seiner Begleitung sah man oft einen fünfundzwanzigjährigen Mann aus altem patrizischen Hause, Platon mit Namen, der soeben seine sämtlichen Tragödien-

Manuskripte verbrannt hatte, um, wie Sokrates, nur der Philosophie zu leben. Sagte er. Andere behaupteten, er hätte gern ein Staatsamt gehabt, aber man gab ihm keines. Er sollte es nicht zu bereuen haben, er wurde Griechenlands größter Philosoph und einer der größten Ethiklehrer der Welt überhaupt, und wenn man von Schlachten und Schlachtenlenkern schon längst nichts mehr wissen wird, dann wird man immer noch den Namen Platon kennen. Er war es, der die Gedanken der Griechen zum erstenmal auf eine Unsterblichkeit der Seele lenkte.

Um diese Zeit setzte die geistige Wirkung Athens, die Ausstrahlung seiner Kunst und Philosophie in die Welt ein – wie so oft dann, wenn Staaten darniederliegen. Wer glücklich ist, fühlt; wer unglücklich ist, denkt. Jetzt, gerade jetzt, wo ganz Hellas sich anschickte, von der Bühne des Welttheaters abzutreten, begann der griechische Geist, gipfelnd in den athenischen Künstlern und Denkern, seinen Siegeszug. Was die Geschlechter in Jahrhunderten hervorgebracht hatten, die großen Gesetzgeber, Bildhauer, Dichter, Historiker, Baumeister und Philosophen, das erschien nun zum erstenmal (rückblickend, ein böses Zeichen!) als ein gigantisches, geschlossenes Ganzes. Draußen, bei den »Barbaren«, bei den Persern, Phönikiern, Thrakern, Makedoniern, Etruskern, Römern, Karthagern, Ägyptern wurde das Wort »Hellas« zum Sinnbild für Kultur.

Das Schicksal pflegt eine Nation immer dann zum »Volk der Dichter und Denker« zu ernennen, wenn es ihr einen Trost für die Tatsache spenden will, daß es mit ihr eigentlich aus ist; denn das ist die allseits bekannte Weisheit des Geschicks, daß es die Güter ge-

recht verteilt: Die einen strahlen, die anderen sind reich. Hellas also strahlte, der Reichtum lag jetzt »draußen«, vor allem bei den Persern.
Perser! Sehen Sie, so habe ich Sie auf die natürlichste Weise dahinüber geleitet, wohin ich Sie haben mußte; denn – so werden Sie sich aus der Schulzeit erinnern – jetzt folgt jenes merkwürdige Ereignis, das alle, die etwas auf sich halten, so oft im Munde führen: Xenophons Anabasis.
Approximativ handelt sich's hier um zehntausend Griechen, die irgendwo in Asien aus einem nicht ganz klaren, offenbar aber traurigen Grunde einen wochen-, wenn nicht gar jahrelangen Fußmarsch unter größten Entbehrungen von irgendwoher nach irgendwohin, wahrscheinlich nach Hause, unternommen haben. Anabasis, mit der bekannten Betonung auf dem zweiten a, heißt »Hinaufmarsch«, was die Sache wieder etwas unklar macht. Und Xenophon ist ein griechischer Geschichtsschreiber.
Xenophons Bericht von der »Anabasis«, zu seiner Zeit ein Volksbuch, heute nur noch ein Schlagwort, handelt von einer Begebenheit, die – wissen Sie was, ich werde sie Ihnen doch lieber nicht erzählen; sie hat auf die griechische Geschichte keinen Einfluß gehabt, und sie lenkt nur ab.
Friede also lag über Hellas. Aber man kann sich an Kämpfen, Sterbensehen und Sterbenlassen leicht gewöhnen; so kommt es, daß wir zehntausend brotlos gewordene griechische Söldner, die den Krieg nicht lassen können, bei der »Anabasis« wiederfinden, und so kommt es, daß Athen in diesen Friedensjahren Sokrates hinrichtete und nichts dabei fand.
Ja, meine Freunde, es fand leider wirklich nichts dabei,

es war ein x-beliebiger Fall, und wir wollen Athen keinen Vorwurf machen. Wenn das Prinzip der Egalité bei einer Volksherrschaft einen Sinn haben soll, dann hatte das Volk recht. So ist das nämlich.
Die Nachwelt aber hat den Tod des Sokrates als eine der großen Tragödien in der Menschheitsgeschichte, als eine schreckliche Warnung vor dem Glauben an die Masse, als einen Hohn auf ihre Unkenntnis der Qualität und ihren Abzählvers »ene mene ming mang« empfunden – genau das hat Sokrates gewollt. Er, der sein Leben lang den Dingen durch Fragen auf die Spur kommen wollte (kein Mensch in der Welt hat so viele Fragesätze gesprochen wie Sokrates), hat es sich nicht entgehen lassen, dem athenischen Volk mit seinem Tode noch eine letzte Frage vorzulegen, die peinlichste von allen. Und darüber möchte ich gern ein paar Worte sagen.
Sokrates galt als »Sophist«, und die Sophisten, die sich über alles in der Welt den Kopf zerbrachen, alles bezweifelten und auf den Urgrund der Wahrheit kommen wollten, diese Menschen waren dem griechischen Volk fremd, unbegreiflich, von einem anderen Planeten, aufreizend, zu beargwöhnen, unheimlich. Man hielt sie für Unruhestifter. Für »Heimliche«, das heißt, für Menschen, die etwas besaßen, was die Masse nicht verstand, und das verzeiht sie nie. Sokrates hatte nun noch das Pech, daß so verhaßte und politisch belastete Leute wie Alkibiades und Kritias, der Führer der »dreißig Tyrannen«, seine Schüler gewesen waren. Doch nicht dies alles erklärt die plötzliche Anklage gegen ihn, sondern die »Nachkriegszeit«, der noch nicht abgeklungene Rausch des Kämpfens und Richtens.
Sie wissen, wie der Prozeß verlief. Der greise Mann

wurde eines Tages im Jahre 399 vor ein Gerichtstribunal von 501 Bürgern geschleppt und angeklagt, die Jugend verdorben und zur Gottlosigkeit verführt zu haben.

Während ich dies eben niederschrieb, überlegte ich mir, ob es nicht eine bessere, eine weniger banale Formulierung gäbe; aber es ist die wörtliche. Die Anklage gegen Sokrates ist ein Hexenprozeß, und Hexenprozesse haben keine glaubwürdigen Formulierungen.

Sokrates ging auch auf die Anschuldigungen gar nicht ein. Er hielt, lächelnd und furchtlos, eine Verteidigungsrede, die nicht ihn, sondern eigentlich seine Ankläger in ihrem Irrtum verteidigte. Er sprach von seiner Liebe zu den Menschen und von dem Sinn eines Lebens, das sich diese Liebe zur Aufgabe gemacht hat. Die Rede gehört zu dem Schönsten, was uns die Weltliteratur überliefert hat.

Sokrates, dem das Gesetz vorschrieb, selbst ein Strafmaß vorzuschlagen, beantragte durchaus richtig und ohne jeden Zynismus lebenslängliche Speisung im Prytaneion. Das Volk aber war empört und verurteilte ihn mit drei (andere Lesart: dreißig) Stimmen Mehrheit zum Tode.

Keiner der geistig führenden Männer Athens hätte dieses Urteil gefällt. Keiner von ihnen wäre so intolerant, keiner so kurzsichtig, keiner so von Leidenschaft verhetzt gewesen. Es gab damals mindestens fünfhundert Männer in Athen, die als autoritäre Richter berufener gewesen wären, als »das Volk«. Jedoch Quantität ging vor Qualität. Ene mene ming mang... In der Stadt war es bald ein offenes Geheimnis, daß man in Sokrates' Zelle ein- und ausgehen konnte und die Tür des Nachts nicht gerade mit Argusaugen bewacht war. Die Freun-

de wollten ihm zur Flucht verhelfen und »das Volk« wäre damit einverstanden gewesen. Diese Situation war tragisch. Das Offenlassen der Gefängnistüren *nach* dem Urteilsspruch hatte nichts mehr mit Oppositionsrecht zu tun, sondern war dem Buchstaben und dem demokratischen Geiste nach ein Verbrechen an der Demokratie; denn die Mehrheit in einer Demokratie macht mit ihrem Beschluß nicht nur einen »Vorschlag«, sondern ein Diktat. Das war es, was Sokrates zu seiner letzten bescheidenen Frage benutzte: Ist die Demokratie nicht auch eine Diktatur? Welches Recht haben drei Stimmen, ihn zum Tode zu verurteilen, wenn sich das Volk in 498 Stimmen nicht im klaren ist?
Das große Theater, das Sokrates hier inszenierte, ging als ein Kammerspiel fast unbeachtet über die Bühne. Nur ein kleiner Kreis, nur seine engsten Freunde bekamen die Tragödie seiner Fragestellung, die an das Ordnungsprinzip der Welt rührt, ganz mit.
Platon hat uns die letzten Minuten und den Abschied Sokrates' erschütternd beschrieben. Nach einem langen Gespräch mit den Freunden ruft Sokrates gegen Abend nach dem Schierlingsbecher. Ängstlich versucht Kriton, ihn zu hindern: »Aber sieh doch, Sokrates, die Sonne bescheint noch die Berge und ist noch nicht untergegangen! Und ich weiß, daß andere auch erst ganz spät getrunken haben...« Sokrates winkt lächelnd ab.
»Dann kam der Wärter herein, in der Hand den Giftbecher. Sokrates erkundigte sich ganz freundlich: ›Also, mein Freund, du verstehst es ja, wie muß man es machen?‹ – ›Nichts weiter‹, sagte jener, ›als, wenn du getrunken hast, herumgehen, so lange, bis dir die

Schenkel schwer werden, und dann dich niederlegen, dann wird es schon wirken.‹ Damit reichte er dem Sokrates den Becher, und dieser nahm ihn, ohne im geringsten zu zittern, und sagte: ›Was meinst du, darf man von diesem Trank jemandem eine Spende weihen?‹ – ›Wir bereiten eben nur so viel, Sokrates‹, antwortete der Wärter, ›als wir glauben, daß hinreichend sein wird.‹ – ›Ich verstehe‹, sagte Sokrates. ›Beten aber darf man doch zu den Göttern, und man muß es ja, daß die Wanderung von hier dorthin glücklich sein möge, weshalb denn auch ich hiermit bete.‹ Und als er dies gesagt, setzte er an und trank den Becher leer. Und von uns waren die meisten bis dahin ziemlich imstande gewesen, sich zu beherrschen und nicht zu weinen. Als wir aber sahen, daß er trank, da konnten wir die Tränen nicht mehr halten. Auch mir flossen sie mit solcher Gewalt, daß ich mein Gesicht verhüllen mußte. Kriton war aufgestanden, um sich abzuwenden, Apollodoros konnte sich erst recht nicht mehr fassen. Sokrates war der einzige, der gefaßt schien. Er sagte: ›Was macht ihr doch, ihr wunderlichen Leute! Ich habe doch die Frauen ausdrücklich deshalb weggeschickt, um nicht solche Szenen zu sehen. Also haltet euch standhaft!‹ Er ging umher, und als er merkte, daß ihm die Schenkel schwer wurden, legte er sich hin. Der Wärter berührte ihn von Zeit zu Zeit und untersuchte seine Füße und Schenkel. Dann drückte er ihm den Fuß stark und fragte, ob er es fühle. Sokrates sagte nein. Und darauf die Knie, und so ging es immer höher hinauf; er zeigte uns, wie er allmählich erkaltete und erstarrte. Darauf sagte der Wärter, wenn es ihm bis ans Herz käme, dann würde er tot sein. Nun war ihm schon fast alles um den Unterleib herum her kalt, da sprach er noch einmal – seine letzten

Worte: ›Ach, Kriton, ich bin Gott Asklepios einen Hahn für meine Genesung schuldig. Versäumt doch nicht, ihn für mich zu opfern!‹ – ›Das soll geschehen‹, sagte Kriton, ›hast du uns nicht noch sonst etwas zu sagen?‹ Aber Sokrates antwortete nicht mehr. Bald darauf zuckte er zusammen und war tot. Kriton schloß ihm die Augen.«

*

In Sparta, wo man glaubte, es habe noch einmal die alte Zeit gesiegt, trieb der archaische Geist wunderliche Blüten. Es ist rührend, tragisch und komisch zugleich, anzusehen, wie die Spartaner den Zeiger der Zeit zurückzudrehen versuchen; wie sie das Einmachglas der Geschichte öffnen und die noch duftenden Früchte ihres längst vergangenen Frühlings herausholen.
Agesilaos, der neue König, war ganz vom Geiste seines erhabenen Urahnen Menelaos erfüllt. Als er zum Befehlshaber der Flotte bestimmt war, die von nun an zum Schutze Ioniens ständig vor Kleinasien kreuzen sollte, da ging er, Homers Ilias folgend, zuvor nach Aulis, um dort ein feierliches Opfer zu vollziehen, wie es die Troja-Fahrer vor 800 Jahren getan hatten. Er opferte zwar keine Iphigenie mehr, aber sonst sah seine Gläubigkeit keinen Unterschied zu den Helden Homers: Auch er hatte eine Helena zurückzuholen, die schönste Blüte Griechenlands, Ionien! Und vor dem Altar der Artemis stehend wie einst Agamemnon, rief er die gesamte Griechenwelt auf – wozu? Die Griechenwelt fand seine Romantik nichts als komisch und pfiff darauf. So stand er da, ein weltfremd wirkender Parzifal, ein belächelter Priester einer vergangenen Zeit.

Und die Götter schwiegen. Sie sind einsam geworden. Niemals mehr hört man ihr fröhliches Lachen, kaum ein Laut dringt zur Erde, wo die Menschen unter sich und allein fertig zu werden gedenken. Die Unsterblichen verlassen nicht mehr den Olymp. Kein Adler trägt mehr einen Ganymed zu Zeus empor. Fremd und in versteinerter Trauer blickt Athene auf ihre Stadt herab. Apoll spricht längst nicht mehr zur delphischen Pythia; und was sollen ihm die Worte des Träumers Agesilaos?

> Der Gott sei alt geworden, sagt ihr,
> alt und grämlich?
> O nein. Nur wir, durch die er leben
> muß, vergehen.
> So sieht er, selbst in ewiger Jugend,
> auch sein Ende.

Ja, für eine Rose aus der Hand des Sokrates würde Apoll noch einmal lächeln, aber Sokrates hatte nicht mehr an ihn geglaubt; er weiß es.

Während Agesilaos nach Ionien abrauschte, um Helena zu beschützen, pfiff das übrige Griechenland auf ihn, Homer und Aulis; es pfiff so laut und deutlich, daß man es bis Susa hören konnte. Daraufhin kam Artaxerxes II. sofort der richtige Gedanke: Er schickte eine Gesandschaft nach Hellas, die sich in Athen, Theben, Korinth und Argos »umsah« und persische Gelder in Hülle und Fülle fließen ließ. Das Ziel war kein direktes, plumpes, keine Revolte gegen Sparta, o nein; das Ziel war viel freundlicher: Die Städte sollten wieder ein bißchen »Bewegungsfreiheit« bekommen, sie sollten »sich rühren« können.

Und sie rührten sich. Sie rüsteten tüchtig auf und begannen sofort mit neuen Streitigkeiten. Sparta schickte

Lysander, den Heros, hinauf, es kam in irgendeinem Provinznest zu einem Gefecht, in dem Lysander fiel. O ihr ungerechten, verbitterten Götter! Oder wolltet ihr nur euren Liebling zu euch holen? Nur zu! Immer weg mit den letzten »Helden«, die neue Zeit braucht keine mehr. Sie braucht Material.

Die Spartaner beriefen Agesilaos von Kleinasien ab und übergaben ihm die Polizeiaktion gegen die Raufbolde im Norden.

Das Ziel der Perser war damit erreicht. Während König Agesilaos auf dem Festland an der Arbeit war, griffen sie seine führerlosen Schiffe in Kleinasien an. Im August 394 sank bei Knidos die spartanische Flotte zum Gaudium Athens, Thebens, Korinths und Lokris' auf den Meeresgrund.

Ich hoffe, daß Sie mir noch folgen können, obwohl es Ihnen so ergehen wird wie mir: Meine Liebe ist verbraucht. Von allen heimatlichen Herden vertrieben, bald mit meinem Herzen hier, bald dort, keinen ruhenden Pol, keinen Sinn mehr sehend, bin ich nirgends mehr zu Hause. Und ich staune über das dicke Fell der (nicht wenigen) Menschen, für die jetzt erst die griechische Geschichte anheimelnd zu werden beginnt. Man muß das Gemüt eines Ortskrankenkassendirektors haben, um ohne Herzklopfen an Krankengeschichten Wohlgefallen zu finden.

Also, fahren wir fort.

Was war das vorhin, werden Sie fragen? Was ist in die Perser gefahren? Sie wollten Ionien wiederhaben. Die Gelegenheit war doch günstig.

Athen geriet angesichts der veränderten Lage in einen wahren Rausch. Die spartanische Flotte vernichtet! Ionien, der Tretesel, wieder greifbar nahe! Artaxerxes

der neueste Freund! Man beschloß, sofort die Mauern wieder aufzubauen. Vor allen Dingen aber und als allererstes gab es wieder Diäten!
Ohnmächtig mußte Sparta zusehen. Trotzdem wird es den Tag nicht verwünscht haben, an dem es an Athen hatte Milde walten lassen. Ich glaube nicht, daß ich die Spartaner beschönige; sie waren zum Fürchten, aber sie waren nicht fürchterlich.
Im übrigen konnten sie das Zusammenrumpeln Persiens mit Athen abwarten. Es passierte prompt. Eine athenische Flotte, funkelnagelneu, von persischem Gelde erbaut, brauste nach Ionien ab. Dort ließ man nun alle Scham beiseite, zwang die Städte erneut unter athenischen Tribut, ging darauf nach Süden in persisches Gebiet und brandschatzte die ganze Küste. Lauter Irrsinns-Taten eines außer Rand und Band geratenen Staates.
Der Bruch war sofort da. Reumütig drehte Artaxerxes den Athenern den Geldhahn ab und bat Sparta um Erneuerung des allgemeinen Friedens. Er wurde im Jahre 386 geschlossen und heißt der »Friede des Antalkidas«; Sie können ihn auch den Westfälischen nennen.
Das athenische Strohfeuer war niedergebrannt; Sparta atmete auf.
Wir auch. Denn das Kapitel Persien ist damit für lange Zeit erledigt.

DAS FÜNFUNDZWANZIGSTE KAPITEL

ist Philipp von Makedonien vorbehalten. Zuvor jedoch tummelt sich noch, wer kann, in Griechenland umher. Zum Beispiel merkt jetzt Theben mit fünfhundertjähriger Verspätung, wie unterhaltsam es ist, in einem Antiquitätenladen einmal alles kurz und klein zu schlagen. Das hört unter Philipp, dem neuen Eigentümer, dann auf.

DIE NÄCHSTEN DREISSIG JAHRE DER GRIECHISCHEN GESCHICHTE würden sich vortrefflich zum Streichen eignen, wenn es nicht diesen einen Mann, Epameinondas aus Theben, gegeben hätte, der – um Ihnen nur einen Begriff zu vermitteln – eines Tages mit sechstausend Mann vor den Toren Spartas stehen sollte!

Die ganze griechische Erde bebte noch einmal. Während die großen Geister unbeachtet durch die Straßen gingen und den sinnlosen Wirrwarr der Zeit verfluchten; während Platon, in diesen Wirren sogar einmal als Sklave verkauft, von Freunden durch Zufall befreit und nach Athen zurückgekehrt, seinen »Idealen Staat« schrieb; während Xenophon, von dem gleichen Athen verjagt, auf einem kleinen Gutshof in Elis, einem Geschenk der Spartaner, die »Anabasis« schrieb; während der Maler Aristeides von Theben seine ersten großen »Heißspachtel-Bilder« schuf; während Praxiteles die unsterbliche Knidische Aphrodite meißelte; während sie alle, die Großen, am Weltgebäude und goldenen Thron des Geistes arbeiteten, verbrauchte das Allerweltspack von Politikern und »Amtsträgern« die letzte Substanz des Volkes.
Niemand schien mehr eine geschichtliche Lage als realen Faktor, als Zustand anzuerkennen, niemand mehr die Bestrebung eines anderen als gemeinsamen Ausgangspunkt zu akzeptieren, niemand gab dem Versuch eines anderen auch nur die geringste Möglichkeit eines friedlichen Beweises. Jeder wünschte einen geschichtlichen Auftrag nur durch sich selbst verwirklicht zu sehen. Dieses »Ja« mit dem Nachsatz »Aber nicht du, sondern ich« ist eine tödliche Einstellung in der Politik. Panhellenismus ja, aber nicht du, sondern ich. Paneuro-

pa ja, aber nicht du, sondern ich. Bei keinem eine Berufung, bei keinem eine Idee. Alles nur letzte Kraftausbrüche, letztes Zucken unter den Augen des lauernden, von den Griechen nur noch nicht erkannten Bären aus dem Norden, der schon die Tatze hob. Auch Theben hatte, als es nun noch einmal Griechenland in einen Krieg stürzte, keinen Auftrag, und Epameinondas keine Idee. Denn es ist keine Idee, zu handeln wie jener Kellner, der auf jede Rechnung einen Posten »Geht's?« dazurechnete. Das Unglück lag einfach in der Tatsache, daß Epameinondas Thebaner statt Spartaner war. Ein Napoleon aus Luxemburg statt aus Frankreich.
Machen wir es kurz. Der thebanische Aufstand galt zunächst der spartanischen Besatzung, dann aller Welt. Im August 371 schlug Epameinondas in der denkwürdigen Schlacht von Leuktra mit sechstausend Thebanern zehntausend Spartaner! Er hatte für seine Zeit den Stein der Weisen gefunden, die »schiefe Schlachtordnung«. Tausend Spartaner fielen, darunter alle Spartiaten. Es war ein Tag, der ganz Hellas aufrüttelte. Allen, außer den Thebanern, kam zum Bewußtsein, daß nun das schärfste Schwert Griechenlands zerbrochen, der stärkste schützende Arm niedergesunken war. Einen Augenblick herrschte ängstliche Stille, man horchte nach »draußen«..

Als die Welt nicht sichtbar einstürzte und kein neuer Xerxes an den Thermopylen erschien, brach der Radau im Hause Hellas sofort von neuem los. Die Ereignisse um Epameinondas überstürzten sich. Athen geriet ganz ins Hintertreffen, man sprach nur noch von Theben.
370 erschien Epameinondas vor Sparta!
Wie hatten die Spartaner einst gesagt? »Wir brauchen

keine Mauern, unsere Jünglinge sind unsere Mauern.« Die Jünglinge lagen auf dem Schlachtfeld bei Leuktra. Noch niemals in der fast tausendjährigen Geschichte der Dorer hatte ein Feind seinen Fuß nach Sparta gesetzt, noch niemals hatten die Frauen Spartas ein feindliches Schwert gesehen. Jetzt dröhnte die Eurotas-Ebene wider vom Tritt der sechstausend Böotier. Leider haben wir von dem Kampf zwischen den thebanischen Hopliten und den spartanischen Greisen, alten Männern, Knaben und freigelassenen Sklaven, die sich um König Agesilaos scharten, keinen genauen Bericht. Um so geheimnisvoller wirkt auf uns, wie damals auf die Griechen – geheimnisvoll und voll archaischer Wucht – die einfache Meldung vom Sieg der Spartaner. Das nackte Leben, die Stadt waren gerettet; aber der Peloponnes brannte überall lichterloh. In Argos brach ein Pöbelaufstand aus, in dem der Mob mit Stangen, Knüppeln und Steinen jeden, der ihm nicht gefiel – und das waren weit über tausend – erschlug. Die Heloten Messeniens standen auf. Arkadien, das stille Arkadien, geriet in Hysterie, überfiel Olympia während der Spiele 364 und raubte alle Tempel und Schatzhäuser aus. Die Athener plünderten den Chersones, vergewaltigten unter Bruch ihres Eides die kleinen chalkidischen Städte, besetzten sogar das große Samos und enteigneten es. Après nous le déluge – das war nicht mehr Griechenland.

Als Epameinondas acht Jahre später zum viertenmal in den Peloponnes einbrach, stellte sich Sparta (mit einigen Getreuen) noch einmal zum Kampf. In dieser Schlacht (362 bei Mantineia) fiel Epameinondas. Die Sinnlosigkeit des ganzen thebanischen Aufbruchs wurde offenbar: Der Spuk war zu Ende. Für kurze

Zeit herrschte Grabesruhe in Hellas. Die Griechen nannten es Frieden.

*

Das war der Augenblick, als der Bär aus dem Norden heruntergetappt kam. Er witterte die Beute, die fällig war; er folgte der roten Schweißspur, und als er aus dem Gebüsch tretend nach Hellas blickte, sah er das ganze Rudel mit schlagenden Flanken stehen.
Er war ein mittelgroßer, gedrungener, klobiger Mann und einäugig. Sein Wesen war wie sein Charakter undurchsichtig; bald von der burschikosen Freundlichkeit eines Holzfällers, bald lauernd ironisch; bald ehrfürchtig staunend und wißbegierig, bald herzlos und brutal; immer aber und alles an ihm überschattet von einer mühsam verborgenen bäuerlichen Unbildung.
Das war Philipp II., König der Makedonen, Vater von Alexander dem Großen, der »Karl der Große« des Altertums. Genau wie dieser ein Phänomen an Kraft und Weichheit, Disziplin und Amoral; wie dieser nicht der echte Thronfolger, sondern durch Gewalt zur Macht gekommen, klug, überzeugend, gierig nach Wissen, ein Faß ohne Boden für die Pädagogen seines Hofes; ein Mann mit hundert Augen und Ohren, der Schrekken seiner Beamten. Sogar seine sieben Gemahlinnen, die er verbrauchte, ähneln denen Karls. Und wie dieser hat er es fertiggebracht, die Nachwelt glauben zu lassen, daß er eine »Idee« hatte; jene Idee, auf die die Chirurgen der Weltgeschichte so unendlichen Wert legen und nach der sie die Gehirne aller toten Staatsmänner mit dem Skalpell durchwühlen. Philipps »konstruktive Idee« war die Idee Karls des Großen, ein möglichst großes, geschlossenes, gesichertes, wohlhabendes

Reich zu schaffen. Es gab keine Stadt in Hellas, die diesen Sonntagseinfall nicht auch schon gehabt hätte.
Wer die Makedonen waren, ist bis heute nicht bewiesen. Die Meinungen gehen weit auseinander. Die Griechen nannten sie »Barbaren«, womit sie alle Völker bezeichneten, die nicht Hellenen waren. Wußten sie es also, oder wußten sie es nicht? Daß der Ausdruck Barbaren, wie manche Historiker vermuten, nicht rassisch, sondern kulturell gemeint war, ist ganz unwahrscheinlich. Die Griechen haben sogar ihre finstersten, hinterwäldlerischsten Volksgenossen in den epeirischen Bergen Hellenen genannt; in Pella, der makedonischen Hauptstadt, waren längst griechische Sitten eingeführt, Euripides verlebte dort seine letzten Jahre, Zeuxis und Apelles malten ihre Fresken und Porträts, und Nikomachos, der Vater des Aristoteles, war des Königs Leibarzt.
Daß die Makedonen wie die Griechen Indogermanen waren, ist sicher. Daß sie ein thrakisch-illyrisch-makedonisches Mischvolk wurden, ist ebenso gewiß. Und daß sie sich, seit ihre Kultur griechisch wurde, sehr unwohl in dieser Rolle eines scheckigen Barbarenvolkes fühlten, beweisen ihre vielen, oft recht komischen Versuche, wenigstens für das Königshaus griechische Ahnen zu erfinden. Es war ein stolzer Tag, als zum erstenmal ein makedonischer Prinz bei den Olympischen Spielen zugelassen wurde, weil er »vor den Hellanodiken den Nachweis geführt hatte, daß er aus Argos stamme«! Es war die offizielle feierliche Anerkennung der makedonischen Königsfamilie. Sie erfolgte in einer Zeit, als das stärkste Beweismittel auf allen Gebieten bereits das Geld war.
Geld hatten sie. Von alters her waren sie die Holzliefe-

ranten für die Werften ganz Griechenlands und Kleinasiens. Auch das Pech und Harz kam, als der Verbrauch immer mehr stieg, aus Makedonien. Bei jedem in den Grund gebohrten Schiff rieben sich die Makedonen die Hände. In aller Stille sammelte sich ein Reichtum an, der es ihnen erlaubte, sich langsam die modernsten Waffen, die man kaufen konnte, zuzulegen, die allerneuesten Konstruktionen an Wurfmaschinen und Bleikugelschleudern, die solidesten Häuser, die feudalste Ritterschaft, die bestfunktionierende Verwaltung, das zufriedenste – weil bescheidene und vernünftige – Bauerntum. Im Königshaus ging es zu wie am Hofe Karls des Großen, aber es erweckte keinen Neid, keine Ressentiments; es war nicht sybaritisches Wohlleben, es war, genau wie bei dem Karolinger, ein Rabaukentum, das jedermann verstand. Die Teller waren silbern, aber man wußte, daß auch nichts anderes darauf lag als eine Rehkeule. Und als die Wand der Königshalle noch nicht von Zeuxis bemalt war, da flogen die Knochen durch die Luft, wenn es den Herren Spaß machte. Wer mykenische Atmosphäre kennenlernen, wer sich noch einmal ein bißchen in die homerische Zeit zurückversetzen lassen wollte, der mußte nach Pella reisen. In Makedonien gab es noch die aus der frühesten Geschichte stammende Heeresversammlung aller Waffentragenden, die den neuen König bestätigte oder durch Zurufe und Schlagen an die Schilde kürte; und wie einst die Myrmidonen Achills, so führte der Schwertadel vor dem König noch die schöne Bezeichnung Hetairoi, »Gefährten«. An Frauen liebte man den kolossalen, den gewaltigen Menschenschlag, man holte sie sich gern aus dem Dodonaland, wo auch die kapitalen Molosserhunde herkamen, oder aus dem barbarischen Thrakien. Auch Philipps vierte Gemahlin war eine Molosser-Prinzessin, eine wilde, stolze, düstere Köhlerschönheit. Sie wurde die Mutter Alexanders des Großen.

Und so weiter, und so weiter. Sie dürfen sich nicht wundern, daß ich abbreche; denn Sie sollen nicht dieses Bild, Sie sollen das Bild des sterbenden Griechenlands vor Augen behalten. Ich weiß, es ist sehr angenehm, beim Lesen mit dem Herzen von einem Boot in das andere, in das mit den vollen Segeln, umzusteigen. Man ist so gern bei den Siegern. Wie im Leben. Aber wir waren 328 Seiten lang Griechen und wollen es für die restlichen 23 bleiben.

Als Philipp zum Schlage ausholte, gehörte ihm bereits seit langem Thrakien mit seinen Goldminen und Kornfeldern, und seit kurzem Thessalien mit seinem unermeßlichen Pferdereichtum. Die Thessaler hatten fast keinen Widerstand geleistet, ihnen gefiel dieses Königtum Makedonien; sie waren überzeugt, diesen Leuten ganz ähnlich zu sein, und sie waren es auch. Daher änderte sich bei ihnen so gut wie nichts. Auch sie waren immer Hetairoi, Gefährten, gewesen.

Der Mann, der sich angesichts des Verlustes Thessaliens endlich gegen Philipp aufraffte, war ein Außenseiter, ein im Programmheft gar nicht vorgesehener Mann namens Onomarchos. Ein Phoker; erklärlicherweise, denn von Thessalien und Phthiotis nach Phokis war es nur noch ein Katzensprung. Die Armee, die dieser Mann auf die Beine stellte, hatte mit den alten griechischen Heeren keine Ähnlichkeit mehr: hergelaufene, entwurzelte Söldner, bezahlt von dem Golde, das Onomarchos aus den delphischen Tempeln geraubt hatte.

Onomarchos rückte 352 in Thessalien ein und stieß »auf dem Krokosfelde« (der Ort ist ungewiß) auf Phi-

lipp. Die Makedonier, verstärkt durch die vorzüglich jugendfrische Reiterei der Thessaler, schlugen den phokischen Condottiere vernichtend. So groß war die Erbitterung Philipps, des Barbaren, über den Tempelschänder, daß er dreitausend Gefangene von den Klippen ins Meer stürzen ließ.
Jetzt begann Athen zu flattern. Alles rannte zu den Thermopylen in der vagen Vorstellung, ein neuer Xerxes stünde davor. Aber Philipp hustete nur einmal über die Mauer und kehrte nach Makedonien zurück. Er baute in aller Ruhe eine Flotte und schnitt Athen von seinen Versorgungsquellen ab. Und in feinster Bauernschläue bot er gleichzeitig Frieden an.

Frieden, Schweinswürstel, Thunfisch – die Athener griffen sofort zu. Der Friedensdelegation, die nach Pella ging, gehörte auch ein Mann an, ein Advokat, der von nun an der erbittertste Feind Philipps werden und in die Weltgeschichte als der größte Redner der Antike eingehen sollte: Demosthenes.
Philipp gab sich reizend; so, wie Karl der Große reizend sein konnte. Das athenische Volk war recht zufrieden, die Schweinswürstel und Thunfische segelten wieder in den Piräus ein. Allerdings, allerdings –
Nicht mehr alle konnten sie sich leisten. Langsam sank die Masse zum Lumpenproletariat herab.
Auch in Phokis war das Gold von Delphi zu Ende gegangen. Die Soldateska löste sich auf, und die wackeren Krieger traf das härteste Los, das einen Berufssoldaten treffen kann: Sie mußten sich Arbeit suchen. Sie überfluteten nun Phokis als Stellungslose und schnupperten nach Drachmen.
Als Philipp, durch seine Vertrauensleute auf das beste

informiert, im Jahre 346 abermals bei den Thermopylen erschien, blühten Butterblümchen und Vergißmeinnicht auf den verfallenen Barrikaden. Die Athener zitterten einige Stunden lang, beruhigten sich aber, als das Heer hinter dem Engpaß rechts abbog. Philipp marschierte nach Delphi, um Apoll aus der Hand der räuberischen Phoker zu befreien. Ungehindert und ohne Schwertstreich zog der König in die Stadt ein. Die Priester jubelten dem ordnungsliebenden Manne zu, dem Retter des Geschäfts, der nicht nur reich und mächtig, sondern anscheinend auch noch gläubig war.
Ja, das war er. Er war gut gläubig. Aber gutgläubig war er nicht. Er hinterließ der braven Pythia nicht nur schöne Geschenke, sondern auch eine schöne Garnison.
Makedoniens Grenze lag nun mitten im Herzen Griechenlands, wenige Kilometer von den Toren, den blinden Toren Thebens und Athens entfernt.
In Athen ging es jetzt zu wie am Hydepark-Corner in London am Sonnabendnachmittag. Auf der einen Kiste stand Isokrates, berühmter Philosoph, Staatsmann und Redner, und sprach für eine vorbehaltslose Verständigung mit Philipp. Auf der anderen reckte sich die riesige, lange Gestalt Demosthenes' auf, wie sie uns in der schönen Statue in Kopenhagen überliefert ist, und hielt die soundsovielte flammende »Philippika« gegen den barbarischen Eroberer, den Usurpator, den Vernichter des Griechentums, die Inkarnation des Xerxes. Und die Köpfe der Athener drehten sich wie in Wimbledon von der einen Seite zur anderen.
Isokrates, damals schon ein alter, weißhaariger, dünnstimmiger Herr, besaß Weltruhm; aber bald zeigte sich, daß Demosthenes der weitaus bessere, der geradezu hinreißende Redner war.

Wer aber, meine Freunde, die wir auf dem Marktplatz von Athen stehen und den beiden zuhören, wer ist der Tor? Demosthenes beschwor die Vergangenheit, Isokrates die Zukunft. Nun?
Die Athener entschieden sich für Demosthenes. Wir besitzen seine Reden; sie sind herrlich, aber sie strotzen von Kurzsichtigkeit und vor allem von Lügen. Er log wie Perikles – formvollendet.
Philipp hörte sich die Reden durch den Mund seiner Berichterstatter ziemlich ruhig an. Es war ihm lieb zu wissen, woran er war.
Im Sommer 343 schloß er ein Bündnis und einen Nichtangriffspakt mit Persien, wo der junge Artaxerxes III. seinen uralten Vater abgelöst hatte. Es schien eine diplomatische Geste, ein Hintertreppchen – wer rechnete noch mit Persien? Aber der neue Großkönig belehrte die Welt eines anderen. Im Winter 343/42 eroberte er sich Ägypten zurück, und Persien war mit einem Schlag wieder eine Großmacht. Der Pakt mit Philipp erhielt plötzlich riesengroße Bedeutung.
Demosthenes war außer sich vor Zorn. Er hatte lange genug und rechtzeitig genug ein Bündnis mit den Persern empfohlen! Er machte sich auf eine Rundreise und rief jetzt ganz offen zum vaterländischen Krieg auf. In Sparta erhielt er die Antwort, man wäre vor kurzem noch dazu imstande gewesen, befände sich aber jetzt in der Lage, die Athen sich immer für Sparta gewünscht habe; sicherlich seien die Demokratien fähig, nunmehr den Schutz Griechenlands zu übernehmen.
Philipp wünschte die Situation zu klären. Er tippte einmal kurz an den Nerv Athens (indem er die gesamte Getreideflottille am Bosporus beschlagnahmen ließ), und prompt kochte die Volksseele über. Man stürzte

die Friedensstele um, zertrümmerte sie und war bereit, Philipp in der Luft zu zerreißen. Eine Delegation eilte zum nachbarlichen Theben, überzeugt, daß sich alle Welt in ähnlichem heiligem Zorne befände.

Das war ein Irrtum – einer der vielen Irrtümer von Demosthenes. Als die Athener die Gretchenfrage stellten, griffen die Thebaner nüchtern zu einer Liste, die sie bereits parat hatten. Sie waren bereit, gegen Philipp mitzumachen; ihre Forderungen aber verschlugen den Athenern den Atem: ganz Böotien unter Thebens Herrschaft, Auslieferung Plataäs, alleiniger Oberbefehl zu Lande, Gleichberechtigung zur See (bei ihren zehn Schiffen!), Teilung der Kriegskosten in zwei Drittel für Athen, ein Drittel für Theben.

Bankrotteure schreiben immer quer; auch Athen sagte ja. Ehe der Hahn einmal krähte, hatte es seinen Freund aus zweihundert Jahren, seinen treuesten, seinen letzten Freund, Plataä, verraten.

Im Herbst 339 setzte sich das makedonische Heer gegen Griechenland in Bewegung. Formell hatte Philipp sich das Recht dazu besorgt: Er ließ sich von Delphi rufen. Es war November; niemand in Athen und Theben glaubte, daß er bei Einbruch des Winters kommen würde. Man verbarrikadierte die Thermopylen und legte sich dahinter schlafen.

Das Erwachen war peinlich. Die Makedonen waren schnurgerade über die Gebirgspässe gekommen und standen schon mitten in Phokis.

Alles stürzte von den Thermopylen weg nach dem aufs höchste gefährdeten Theben. Aber Philipp nahm sich viel Zeit; es passierte zunächst gar nichts. Er gewann ein paar kleinere Gefechte und organisierte das Land durch, als sei tiefster Friede. Es wurde Frühling und Sommer.

Endlich kam Bewegung in die Makedonen; sie rückten in Richtung Theben vor. Im August 338 prallten die beiden Heere bei Chaironeia aufeinander, dreißigtausend auf seiten Athens, dreißigtausend auf seiten des Königs. Die Ebene dröhnte von dem Lärm der Schlacht, dem Rufen, Trompeten, Stampfen, Waffenklirren, von dem Wiehern der Pferde. Der König stand in der ersten Reihe, fast unerkannt; die Reiterei befehligte ein kaum dem Knabenalter entwachsener Jüngling: Alexander.
Die Schlacht war taktisch ein Meisterstück Philipps. Sie enthüllte die ganze Disziplinlosigkeit der Athener. Wie ein Turm in der Brandung standen nur die Thebaner, an ihrer Spitze die »Heilige Schar«, jene schon fast legendär gewordene Garde von 150 »Liebespaaren«, die sich seit der Gründung der Heiligen Schar aus den Reihen der Patriziersöhne immer wieder erneuerten. Als Philipp nach dem Siege das Schlachtfeld abschritt, fand er sie alle dreihundert nebeneinanderliegend mit der tödlichen Wunde in der Brust. Es wird berichtet, daß der König bei diesem Anblick weinte.
Die Schlacht von Chaironeia entschied das Schicksal Griechenlands. Hellas gehörte dem »Barbaren«.
König Philipp zog zum Peloponnes. Alle beugten das Knie. Alle, bis auf einen: Sparta. Und siehe da: Es schlug kein Blitz ein, kein Erdbeben verschlang die Stadt. Philipp – und das ist einer der seltsamsten Züge an ihm – beachtete Sparta gar nicht. Der Bär ließ den alten, kranken, knurrenden Löwen vor seiner Höhle liegen.
Makedonische Krieger überzogen das ganze Land.
Im Winter 338 diktierte der König in Korinth, wo alle außer Sparta erschienen waren, den Frieden. Er war milde und frei von Haß.

Die Griechen atmeten tief auf. So also sah das aus, was man in der Geschichte »das Ende« nennt?
War es so schlimm?
Was sind Polis? Freiheit? Mythos?
Ideen, Worte. Oder?
Was fehlte? Wo sah man eine Spur des Blitzschlags? Wo einen Riß im Hause, in den man die Hand legen und sagen konnte: hier?
Sollten die Frauen etwa zum Protest nicht mehr gebären? Wird von den Müttern für das Leben geboren oder für Ideen?
Waren hundert Schritte auf dem Kerameikos jetzt nicht mehr hundert Schritte, ein Lachen neuerdings nicht mehr ein Lachen, eine Handvoll Feigen nicht mehr eine Handvoll Feigen?
Was war die Freiheit, die wir früher einmal meinten? Nun? Ehrlich. *Zwei* Hände voll Feigen.
»Vernünftig« muß man denken!
Mit so friedlichen und ziemlich unglaubwürdigen Gedanken machten sich die Griechen wieder »an die Arbeit«. Wie in alten Zeiten bestand sie hauptsächlich darin, nichts zu tun.
Philipp aber wußte, da er Erfahrung im Siegen hatte, daß Besiegte solche Gedanken 1945 haben, 1960 aber schon wieder ganz andere. Und er beschloß, sie vor dummen zu bewahren, indem er ihnen eine Fata Morgana zur Ablenkung gab: Auf einer panhellenischen Versammlung in Korinth verkündete er in feierlicher Rede, daß er den Krieg gegen die Perser, als Vergeltung Griechenlands für Dareios und Xerxes, beschlossen habe.
Er befahl, sich fertigzumachen. Diesmal freilich als Söldner.

DAS SECHSUNDZWANZIGSTE KAPITEL

ist das Schlußkapitel. Allerdings gibt es viele Menschen, die die griechische Geschichte noch bis in die Römerzeit zu verfolgen lieben. Richtiger aber ist wohl die Anschauung, daß Biographien, auch von Staaten, spätestens mit dem Ableben ebenderselben beendet sein sollten. Alexander der Große möge daher das rauschende, leider nicht berauschende Finale bilden. Dann fällt der Vorhang, und wir können zur Garderobe und zu unseren Autos stürzen.

IM SOMMER 336, BEI DER HOCHZEITSFEIER SEINER TOCHTER, wurde Philipp von Makedonien ermordet.

Der Mann, der dem König den Dolch ins Herz stieß, ist bekannt. Irgendein beleidigter Offizier der Leibwache. Nicht bekannt ist, wer diese Hand benutzt und geführt hat. Aber alles deutet darauf hin, daß die Anstifterin die Königin war, jene unbändige Molosserin, die er ein Jahr zuvor durch seine siebente legitime Ehe tödlich gekränkt hatte. Auch das Gerücht, daß sein Sohn Alexander von dem Anschlag gewußt habe, ist nie verstummt.

Philipp, der »Karl der Große« der griechischen Welt, war tot. In seinem Nachfolger schien die Geschichte einen Sprung über Jahrhunderte machen zu wollen; es war, als sei auf den Karolinger sofort und ohne Übergang der sizilianische Friedrich, der »Wandler der Welt«, gefolgt.

Philipp war ein Mensch aus Fleisch und Blut gewesen; nicht *eine* Empfindung, nicht ein Gedanke, nicht eine Wallung, die er nicht mit allen Menschen geteilt hätte. Alles hatte er mit eigenen Händen, seinen groben, barbarischen Händen, geschaffen. Er war schwer und langsam durchs Leben gegangen; wo er den Fuß hinsetzte, war Makedonien; wo nicht Makedonien war, fror er. Die griechische Welt, der griechische Geist, war für ihn ein Schauspiel, wie man es an festlichen Tagen genoß; eine geliebte Hetäre. Wenn man von ihr zurückkehrte, sang das Blut; aber immer kehrte man zurück – nach Hause.

Philipp war tot.

Ein Jüngling von zwanzig Jahren bestieg den Thron, auf der Stirn den Stempel des Frühvollendeten, ein geheimnisvoller, phantastischer Geist, eine orgastische

Laune der Götter, ein Vexierbild. Sobald der goldene Königsreif das Haupt dieser Lemure, dieses Jünglings berührte, entfesselten die Götter die Dämonen seines Blutes und ließen ihn die Throne der Welt stürmen und die Erde durchrasen. Als er starb – früh, wie es der Gewalt und Furchtbarkeit seines Auftretens entsprach –, sprengte sein Tod das alte Jahrtausend mit in die Luft. Kein Mensch der griechischen Geschichte hat je die Nachwelt so betört wie er, aber auch bei keinem schwankt das Charakterbild so wie bei ihm.
Für seine Zeitgenossen war er ein Titan (in der alten Bedeutung, siehe Lexikon); für die späteren Jahrhunderte ein Gott; für das frühe Abendland ein lichter Baldur; für die Klassizisten ein Genie. War er es?
Die Stoiker nannten ihn ein Produkt des Glücks, des Zufalls; die Kyniker einen Feuergeist. Alexanders Generaladjutant Ptolemaios, der aus dem »Nachlaß« die Krone und Herrschaft von Ägypten erbte, hat ihn in seiner Historie einen königlichen Menschen, den Inbegriff von Wahrhaftigkeit und Adel genannt. Die Briefe Alexanders selbst zeigen ihn als universellen Geist, aber die Echtheit der Papyri ist mehr als zweifelhaft. Aus der römischen Kaiserzeit gibt es die Stimme des Historikers Curtius Rufus, die böse über Alexander spricht. Plutarchs Alexanderdarstellung ist stark skeptisch. In der neueren Forschung hat Niebuhr ihn einen »Komödianten und Räuber großen Stiles« genannt. Droysen dagegen verherrlicht ihn. Beloch fällt das Urteil: »Er war weder ein großer Feldherr, noch ein großer Staatsmann, noch ein großer Charakter.« Als letzter hat sich Schachermeyr unter dem Eindruck der Jahre 1933 bis 1948 mit dem »Ingenium« Alexanders scharf auseinandergesetzt.

Wie war Alexander wirklich?
Er wurde 356 geboren und wuchs zunächst zwischen seinen Gespielen auf, ein hübsches, temperamentvoll-renitentes, aber auch wiederum biegsames, weiches Kind, eines von vielen Kindern Philipps; von der Mutter jedoch wie das einzige Junge eines Adlerhorstes bewacht. Als er ein Pais, als er dreizehn Jahre alt geworden war, rief Philipp Aristoteles, den Sohn seines Leibarztes, als Lehrmeister und Erzieher des Knaben an den Hof.
Philipp schickte beide auf seinen Landsitz, vierzig Kilometer von dem unruhigen, lärmenden Pella entfernt am Fuß der Berge. Zu dieser Zeit war Philipp bereits Herr von Thessalien, hatte Onomarchos »auf dem Krokosfelde« geschlagen und einmal kurz die Thermopylen inspiziert, er besaß schon Thrakien und hatte das Bündnis mit den Persern geschlossen. Was also an seinem Hofe geschah, verfolgte die ganze Griechenwelt, und daß er soeben den Platon-Schüler Aristoteles zum Lehrer seines Sohnes berufen hatte, bildete das Gesprächsthema aller, die sich zu den kultivierten Kreisen zählten. Alexander würde also ein Grieche werden.
Das dachte auch Aristoteles, und es gibt aus späterer Zeit viele rührende Bilder, auf denen der Philosoph mit dem Knaben, Arm um die Schulter gelegt, im Gespräch versunken durch die Gärten und Hallen geht; der eine von väterlichem Ernst beseelt, der andere mit leuchtenden Augen zu ihm aufschauend.
Aristoteles lehrte ihn griechische Logik, griechische Ethik, griechische Geschichte, griechische Mythologie, griechische Literatur, griechische Naturwissenschaften – jedoch ein Grieche wurde Alexander nicht.

Er lernte den griechischen Geist perfekt; aber wie eine Fremdsprache. Geträumt hat er makedonisch-illyrisch-molossisch. Sofern er geträumt hat? Ein schwer zu durchschauender Junge.
Nach drei Jahren dankte man Aritstoteles, belohnte, ehrte und verabschiedete ihn. Er ging nach Athen zurück, nach dem er sich zu sehnen begann, und nahm sein Lebenswerk in Angriff. Alexander trat in den Militärdienst. Mit achtzehn Jahren machte er als Befehlshaber der Reiterei die Schlacht von Chaironeia mit. Er zeigte sich – denn er berauschte sich leicht – blind gegen Gefahr und Tod.
Das gefiel dem Vater.
Aber der Vater gefiel dem Sohn weit weniger, als er ahnte. Bei der erwähnten verhängnisvollen neuen Heirat Philipps kam es zu einem dramatischen Auftritt auch zwischen dem König und dem Prinzen. Fast war es eine offene Empörung, denn Alexander sagte sich los und verließ mit seiner Mutter Makedonien. Philipp, wie alle Haustyrannen weich gegen seinen Sohn, flötete so lange, bis Alexander wieder da war. Anstatt ihn nun, gleich dem preußischen Soldatenkönig, nach »Küstrin« schaffen zu lassen, kapitulierte er vor ihm.
Er besiegelte damit sein Schicksal. Ob der Jüngling Alexander, der »Inbegriff von Wahrhaftigkeit und Adel«, an der ungeheuerlichen Blutschuld seiner Mutter teilgehabt hat – das beurteilen Sie bitte selbst.
Sobald Philipp tot war, ließ Alexander den rechtmäßigen Thronerben Amyntas hinrichten, seine sämtlichen Stiefbrüder mit Ausnahme des schwachsinnigen Archidaios ermorden, die siebente Gemahlin des Vaters zum Selbstmord zwingen, das Kind, das sie eben gebo-

ren hatte, töten und ihren Oheim Attalos köpfen. So, das war getan – er war gesichert. Er strich sich die goldenen Locken zurück, lächelte und betrat die Bühne, die größte und begehrteste Bühne der Menschheit: die Weltgeschichte.

Nun ist er also da, der Legendäre, der von Jahrtausenden Verherrlichte, der »Unbegreifliche«, die letzte große Gestalt unserer griechischen Geschichte, der Ausklang, das Ende.

Griechenland beeilte sich, seinem neuen Herrn zu huldigen. Der Jüngling im Purpurmantel tat zunächst nichts Ungewöhnliches, nichts Gigantisches (wenn man von den Morden absieht), nichts Olympisches. Er ermahnte lediglich seine Untertanen zu Gehorsam und Treue. Ein freundlicher junger Mann. Ein lieber junger Herr. Ein bißchen geistesabwesend sogar, mit seinen Gedanken wer weiß wo?

Im nächsten Frühjahr hieß es, er sei an der Donau! Donau – das war für die Griechen fast der Nordpol. Was ihn dahin trieb, war angeblich die Sicherung der Nordgrenze, aber schon Arrianus sagt, es sei in Wahrheit ὁ πόϑος (Pothos), die »unbestimmte Sehnsucht« gewesen.

Auf dem Rückmarsch, in Illyrien, erreichte ihn die Nachricht vom offenen Aufstand Thebens. Auch Athen stand kurz vor dem Losschlagen; die Griechen befanden sich in Hochstimmung, der Grund war eine Falschmeldung: Alexander sollte gefallen sein. Zu dieser Zeit kletterte der Totgesagte mit seinem Heer bereits über die Gebirge; nach einem sagenhaften Gewaltmarsch von dreizehn Tagen für fünfhundert Kilometer stand er zum Entsetzen der Thebaner eines Morgens vor ihren Toren. Ihr Traum war ausgeträumt.

Alexanders Richterspruch über Theben stand fest; aussprechen aber ließ er ihn kluger- und tückischerweise vom »Synhedrion«, den seinerzeit in Korinth vereinigten Städten; sie »erkannten« auf völlige Zerstörung Thebens bis auf den Grund, auf Abtransport der gesamten Bevölkerung in die Sklaverei und Ächtung der Flüchtigen.
Als das Urteil Punkt für Punkt mit grausamer Sorgfalt vollstreckt war, eilte eine athenische Gesandtschaft herbei und überbrachte Alexander die Glückwünsche des Volkes zur »siegreichen Niederwerfung Thebens«. Jetzt, meine Freunde, werden Sie begreifen, warum das 20. Jahrhundert sich so besonders hartnäckig als Erben der athenischen Demokratie bezeichnet.
Alexander hat ein einziges Haus in Theben geschont: das Haus, in dem einst Pindar wohnte – Thebens »Goethe-Haus«. An dieser Stelle angekommen, scheint mir ein Gedankenstrich nicht unangebracht.

Griechenland (vergessen Sie nicht: immer außer Sparta) wagte kaum noch zu atmen. Es fraß Alexander, dem lieben jungen Herrn, aus der Hand, so sagt man doch?
Der König hatte besagte Hand wieder etwas röter, aber frei, und das ist immer die Hauptsache.
Und jetzt ist so weit! Es folgt jenes Ereignis, das die halbe Welt durcheinanderwirbelte und dessen Wellen bis an die fernen Gestade von Britannien und Indien schlugen, jenes Ereignis, durch das Alexander erst zu der sagenhaften Figur der Historie wurde: sein Perserfeldzug. Nur einer, ein einziger Mann der Geschichte, der Großkhan Ogodei, hat noch einmal etwas Ähnliches vollbracht.

Von nun an tritt Alexander aus jedem Rahmen heraus, verliert den Sinn für alle Vaterländer, für Ort und Zeit und alle Gesetze des Lebens. Unter Philipp war Hellas ein makedonisches Dominium, meinethalben noch härter gesagt: eine Kolonie; unter Alexander wird es ein liegengelassenes Nichts. Eine vergessene Geliebte der Welt, die nun ihre Memoiren schreiben kann.
Ehe Alexander aufbrach, galt es, zuvor eine Kleinigkeit zu erledigen, eine angenehme Kleinigkeit: Der König war unverheiratet, und die Generäle rieten dringend, noch vor dem Feldzug für Nachkommenschaft zu sorgen, um eventuelle spätere Thronwirren zu verhindern. Da man nun aber von einem Pais beim besten Willen keinen Sohn bekommen kann, löste Alexander das Problem, indem er alle weiteren noch denkbaren Prätendenten ermorden ließ.
Nun war alles aufs beste geregelt. 35 000 Krieger, darunter 5000 Reiter, und ein Hoflager mit einer Schar von Kriegsberichtern, Historikern, »Unsterblichmachern«, Landmessern, Ethnographen und Ärzten setzten im Frühjahr 334 nach Kleinasien über. 160 Trieren begleiteten sie. Auf Befehl Alexanders hatten die Griechen (außer Sparta) sämtliche Schiffe, 7000 Fußtruppen und 1000 Reiter gestellt. Die Zahlen sind niedrig; sie zeigen, daß der König seinen hellenischen Untertanen mißtraute. Einspannen jedoch wollte er sie; er war auch entschlossen, sie zu verfeuern.
Sie bildeten später bloß ein kleines Schippchen auf der großen Schaufel des Todes.
Was nun folgt, gehört eigentlich nur noch in seinem Fazit zur Geschichte des alten Hellas'. Das Ganze ist ein orientalischer Faust II. Teil. Die Tragödie eines Ahasver. Wenn Sie mit einem Rotstift kreuz und quer

über Kleinasien, Persien, Ägypten, Turkestan und Indien fahren, dann haben Sie den Weg Alexanders. Wenn Sie an Friedrich von Sizilien, an Karl XII. von Schweden und an Ogodei denken, haben Sie seinen Dämon.

Das furiose Finale beginnt.

Die Makedonen hatten kaum den Hellespont überschritten, da warfen sich ihnen sämtliche westpersischen Satrapen mit ihren Heeren entgegen (334 am Granikos).

Alexander stürzte sich in die Schlacht wie ein Rauschgiftsüchtiger, und er ging aus ihr hervor wie ein Phönix aus dem Feuer. Die erste Schlacht wurde der erste Sieg und zugleich das erste Mirakel seiner Unverwundbarkeit.

Drei Männer entschieden den Kampf: General Parmenion, der den Hauptstoß der Perser auffing, der König selbst, der mit der Reiterei den Fluß durchschwamm, und der Kommandeur der Leibschwadron, der von Alexanders Kopf einen Schwerthieb abwehrte, der tödlich gewesen wäre.

Die Heere der Satrapen lösten sich in regelloser Flucht auf; griechische Söldner-Bataillone, die auf seiten der Perser gekämpft hatten, ergaben sich in der Hoffnung auf Pardon. Alexander ließ sie hinrichten. Und dann, wie es bei Soldatens Brauch ist, dankte er Gott.

Ionien, Lydien, Phrygien, ganz Kleinasien lag nun offen da – es gehörte ihm. Streichen Sie bitte das erste Dreißigstel seines künftigen Reiches ab.

Im nächsten Frühjahr sehen wir die lange Heerschlange der Makedonen in Richtung Syrien ziehen. Hoch über der Meeresbucht von Issos steigt sie über einen der Pässe in Richtung Süden bergan, und über den an-

deren der Pässe steigt eine ebenso lange Heerschlange gen Norden bergab. In der Mitte der einen reitet Alexander; in der Mitte der anderen fährt Dareios III., Großkönig von Persien. Beide ahnen voneinander nichts, Dareios ahnt um einige Stunden länger nichts, und das ist sein Verderben.
Alexander macht kehrt.
333 bei Issos, zweite Schlacht Alexanders!
35 000 Makedonen traten gegen 100 000 Perser an. Drei Männer entschieden den Sieg: der Generalstabschef Parmenion, der dem ungeheuren Anprall der persischen Reiterei standhielt, Alexander, der lauter geniale Fehler machte, und Dareios III., der irrtümlich die Schlacht verloren glaubte und floh.
Die Sätze haben Sie ähnlich schon einmal gehört, ich weiß; Sie werden sie von nun an immer wieder hören. Für jedermann um Alexander wurden sie zur Formel des ganzen Krieges.
In dem Lager, das den Makedonen in die Hände fiel, befanden sich der gesamte Troß, der Kriegsschatz, der Harem, die Mutter des Dareios, seine Gemahlin und die Kinder!
Man faßt sich an den Kopf, in welcher Weise das Schicksal manchmal tabula rasa macht. Als der persische Großkönig um Auslieferung seiner Angehörigen bat, weigerte Alexander sich, künftig noch ein Schreiben anzunehmen, in dem er nicht als »Herr über Asien« tituliert würde. Dareios versuchte es mit einer vollständigen Erniedrigung. Er bot dem »Herrn über Asien« ein ewiges Bündnis, alles Land bis zum Euphrat und die Hand seiner Tochter an. Alexander lehnte ab.
Der Historiker Wilcken hat es »die Schicksalsstunde

der Alten Welt« genannt. Schicksalsstunde? – Es waren lauter Schicksalsstunden, Tausende. Sie hatten begonnen, als Aristoteles zum erstenmal dem Knaben von Achill erzählte.
Tyros – eine Schicksalsstunde.
Die Kapitulation Phönikiens – eine Schicksalsstunde.
Die Kapitulation Ägyptens – eine Schicksalsstunde.
Ägypten empfing den Besieger seines Erbfeindes Persien als Befreier. Befreier! Es war das erstemal, daß ein Volk Alexander diesen Namen gab. Hundertmal hatte er »Sieger«, hundertmal »König« und »Herr« gehört, hier hörte er zum erstenmal das Wort, das Eroberern so gut schmeckt. Schlau, wie die Ammon-Priester waren, setzten sie ihm auch noch die Pharaonenkrone auf das Haupt und ließen das Orakel »ex cathedra« verkünden, er sei Gottes Sohn.
Eine Schicksalsstunde. Alexander glaubte von nun an fest daran. Er betrachtete Philipp nicht mehr als seinen leiblichen Vater.
Wie ein Lauffeuer ging die Nachricht um die Welt: für den Pöbel ein großes Spektakulum, für die tief Gläubigen eine Beleidigung, für die Makedonen in der Heimat die Gewißheit, Waisen geworden zu sein. Am ekelhaftesten empfanden sie die Würdelosigkeit der schleimigen griechischen Orakel, die die Legende von einer göttlichen Empfängnis der Alexandermutter unter das Volk zu streuen versuchten.
Das war der Augenblick, in dem Sparta aufstand! Ja, es kam noch einmal; empört und zornbebend stürzte es sich zum letztenmal in das Abenteuer eines Freiheitskrieges – eine Schillsche Schar mit dem Schicksal der Schillschen Schar. Zu Anfang ging alles gut; schon gehörte den Spartanern wieder der Peloponnes, als der

»Reichsstatthalter« Antipatros, den Alexander zur Bewachung in der Heimat zurückgelassen hatte, anrückte. Antipatros kam mit vierzigtausend Kriegern! Die Hälfte davon waren, wie nun nicht mehr anders zu erwarten, Griechen. 331 schlug er bei Megalopolis die Spartaner entscheidend. König Agis III. fiel.
Der »Reichsstatthalter« legte Spartas Schicksal in die Hände Alexanders. Doch Alexander war schon nicht mehr von dieser Welt; vielleicht konnte er sich Spartas nur noch als eines fernen Dorfes erinnern, vielleicht. Es geschah wunderbarerweise nichts.
Zu dieser Zeit brach das alexandrische Heer, »aufgefüllt« mit viertausend neuen griechischen Söldnern, endlich gegen Susa auf, wo Dareios sich zum letzten Gang vorbereitet hatte. Dritte Alexanderschlacht! 331 bei Gaugamela. 47 000 Makedonen gegen 140 000 Perser.
Das Unwahrscheinliche wurde abermals Ereignis. Der Zauberer, der Gottkönig, Alexander gewann die Schlacht. Dareios rettete mit Mühe das eigene Leben. Er fiel bald darauf durch Mörderhand. Tabula rasa.
Rausch. Feiern. Trinkgelage. Die Brandfackel in den Königspalast. Ein Weltwunder geht in Flammen auf. Festbeleuchtung für einen Gott.
Und nun weiter, weiter, weiter. Von Persepolis nach Ekbatana. Marschieren, reiten, siegen. In Ekbatana bleibt Parmenion, der alte, getreue, als Reichsverweser zurück.
Weiter, weiter. Der strahlende Gott, der jugendliche König, reitet voran. Ein Kometenschweif zieht hinter ihm her, angewachsen auf hunderttausend Soldaten, Fahrzeuge, Troßknechte, Stafetten, Vieh, Kurierdromedare, Marketender, Kaufleute, Weiber, Kinder.

Eine Völkerwanderung hinter dem Einen her. Er ist der Sinn, obwohl er selbst keinen weiß.

Durch Schnee und Eis über das Hindukusch-Gebirge. Immer weiter. Nicht zurückblicken. Hinab in den glühenden Pendschab, wo das Ende der Welt liegen soll. Gesandtschaften erscheinen vor ihm mit Kränzen im Haar; das Zeichen, daß sie vor einen Himmlischen treten. Auf dem Kopf trägt er die makedonische Kriegsmütze, darübergestülpt das persische Diadem. Nieder mit allen Sterblichen auf den Boden. Kallisthenes, der Historiker, weigert sich? Kopf ab. Kleitos, sein Lebensretter am Granikos, wagt einen Scherz? Alexander sticht ihn mit eigener Hand nieder. Philotas, der Reitergeneral, muckt auf? Hinrichten.
Einen Augenblick, aber nur einen Augenblick, packt den Gottkönig Erschrecken: Philotas ist der Sohn Parmenions, seines getreuen Parmenion! Dann deckt er den furchtbarsten Abgrund seines Herzens auf: um nie mehr in die Augen des Alten sehen zu müssen, gibt er Befehl, den greisen Parmenion, den Sieger seiner Schlachten, in Ekbatana zu ermorden.
Nicht zurückblicken. Weiter. Wo ist das Ende der Welt? Der Rand der Erdscheibe? Durch exotische Städte und feenhafte Landschaften.
Indien ist erreicht. Indien –
Hier am Ufer des Indusflusses schlägt Alexander seine letzte Schlacht. Gegen den indischen König Poros. Die Unterwelt scheint ihre Ungeheuer auf die Erde geschickt zu haben. Zweihundert Kriegselefanten brechen aus dem Dschungel hervor. Auch diese Schlacht gewinnt Alexander.
Nun steht er am Ufer des Indus-Deltas und sieht auf

das Meer hinaus. Dies also ist die Grenze, das Ende der Welt.
Ein Schillerscher Wanderer zwischen den Welten.

> Die der schaffende Geist einst aus dem Chaos schlug,
> Durch die schwebende Welt flieg' ich des Windes Flug,
> Bis am Strande
> Ihrer Woge ich lande,
> Anker werf', wo kein Hauch mehr weht
> Und der Markstein der Schöpfung steht.
>
> Anzufeuern den Flug weiter zum Reich des Nichts,
> Steur ich mutiger fort, nehme den Flug des Lichts,
> Neblicht trüber
> Himmel an mir vorüber,
> Weltsysteme, Fluten im Bach,
> Strudeln dem Sonnenwanderer nach.
>
> Steh! du segelst umsonst – vor dir Unendlichkeit!
> Steh! du segelst umsonst – Pilger, auch hinter mir! –
> Senke nieder,
> Adlergedanke, dein Gefieder!
> Kühne Seglerin, Phantasie,
> Wirf ein mutloses Anker hie!

Alexander tritt den Rückmarsch an.
Rückmarsch? Ein Heimatloser hat kein vor und zurück. Weiter, weiter, weiter! An den Küsten entlang, durch den tropischen Sommer, in das Land hinein,

durch die Gedrosische Wüste. Westwärts, westwärts. Der untergehenden Sonne nach. Nicht zurückschauen. Den Weg säumen Verdurstete, Verhungerte; neunzigtausend Tote. Nicht umsehen. Damals in Tyros waren es dreißigtausend, in Gaza zwanzigtausend. Und hunderttausend wanderten in die Sklaverei. Nicht daran denken. Alexander marschiert wie der geringste seiner Soldaten. Die Todgeweihten stieren dem Davonschreitenden nach; er hat es leicht, er ist unsterblich.
Nach zwei Monaten ist Persien erreicht. Klein ist die Welt. Wie klein gegen einen Gott! Feiert! Alexander ist da!
Feiert das größte Fest der Welt, das Verschmelzungsfest aller Völker!
Alexander läßt sich endlich zu den Sterblichen nieder, er krönt das Fest, indem er drei irdische Frauen nimmt. Achtzig Generäle und zehntausend makedonische Soldaten folgen dem Beispiel, ein aphroditisches Meer für die Liebesbarke des Gott-Königs.
Und nun, Gott-König, ist es genug. Apoll nimmt einen schwarzen Pfeil aus dem Köcher und legt den Bogen an.
In Babylon erkrankt Alexander. Fieber wirft ihn nieder. Ihm, dem hundert Völker gehorchen, gehorcht die eigene Hand nicht mehr.
Krank. Müde. Plötzlich müde.
Das Heer gerät in Ekstase, die Veteranen umlagern den Palast. Immer schlimmere Nachrichten. Dann gar keine mehr. Die Soldaten brechen mit Gewalt in das Haus ein.
Sie finden ihren König im Sterben. Er sieht noch den langen Zug, der schweigend an seinem Lager vorbeidefiliert, er grüßt sie alle noch einmal, er hebt die Hand –

Am Abend des 13. Juni 323 ist Alexander der Große tot.
»Die Gestalt des jugendlichen Königs, der in der Blüte seines Lebens dahinging, hat immer aufs neue die Phantasie der Menschen beflügelt.«
Das ist wahr. Und ich will Ihnen den Grund sagen:
Es erklärt sich aus unserer untergründigen Lust am Verführtwerden und aus der Sehnsucht der Menschen, sich mit der Unbesiegbarkeit und Unverwundbarkeit, sei es auch der des Mephisto zu verbinden. Hier, vor dieser Gestalt der Weltgeschichte, scheiden sich die ewig Käuflichen von den ewig Wahrhaftigen, die Söldner von den Herren.

*

Beim Tode Alexanders war nichts geregelt. Das monströse Reich, wie ein bis zum Platzen mit Knallgas geblähter Ballon, verharrte noch eine Weile regungslos, während sich die »Diadochen«, die Generäle, über die Landkarte beugten und mit der Schere den ganzen Ramsch unter sich zu teilen versuchten –, dann explodierte es, und mit ihm zerbarst das Jahrtausend der Griechen. Über Hellas kam das Schicksal von Tafelsilber und alten Hunden. Es wurde irgendwo an irgendwen »vererbt«.
Ein Museum, in dem es nur nächtens im Gebälk noch aufrührerisch geisterte, so lebte es in die neue Zeit hinein. Als Paulus in Korinth predigte, zogen die kleinen Hetären wie einst zum Aphrodite-Tempel von Akrokorinth hinauf, aber niemand wußte mehr, warum; und als der römische Kaiser Hadrian durch Sparta ging, sah er immer noch die fünf Ephoren im Prytanei-

on sitzen und auf die Wiederkehr ihres Königs Leonidas warten.
Noch standen die Säulen, und noch lebten die Gedanken. Aber es kamen neue Jahrhunderte, »bessere«, die stürzten auch die Säulen wie die Gedanken um und bauten aus ihnen Tempel für neue Götter, »bessere«.
Heute, nach zweitausend Jahren, halten wir nur noch Scherben in der Hand. Auf jeder steht unsichtbar das Wort Pindars: Von einem Schatten der Traum ist der Mensch.
Radio-Antennen ragen zur Akropolis hinauf, Autos knirschen über den Schutt von Sparta. Das Lachen der Götter ist verstummt, die Syrinx des großen Pan verklungen; die Spiele der bösen Buben sind vorbei, die erhobenen Hände der Paides niedergesunken. Wo ist Solon, wo ist Themistokles? Wo ist Kimon, wo Agesilaos? Wo Platon?
So, meine Freunde, Gefährten meiner Trauer, so wird man einst – hoffentlich auch mit dem Zeichen der Liebenden in der Hand, mit Rosen – bei *unserer* Geschichte fragen: Wo blieb Otto der Große, wo blieb Goethe, wo Bismarck?
Ja, wo...
Wo, meine Freunde, wo...